U0115181

經學研究叢書・戰後臺灣經學叢刊

亦圃齋經學論集

朱守亮　著
徐偉軒　編

本書受中國國家社科基金重大項目「臺灣經學文獻整理與研究（1945-2015）」（16ZDA181）資助。

▲ 政治大學中國文學系合影
（第一排師長，由右至左：李崇遠教授、潘群英教授、尉天驄教授、
朱守亮教授、羅宗濤教授、熊公哲教授、劉述先教授兼系主任、
李威熊教授、簡宗梧教授、閔宗述教授、李教官、謝海平教授）

▲ 與學生合影

▲ 與師母周鳳文女士

▲ 家族合影

▲ 與師母周鳳文女士

▲ 朱守亮教授

▲ 朱守亮教授與戴璉璋教授

▲ 朱守亮教授家中茶敍
（左起順時針：徐偉軒老師〔本書編者〕、王志浩老師、朱允誠先生
〔朱教授次子〕、車行健教授〔本書系總策畫〕、朱守亮教授、
戴璉璋教授、周鳳文女士）

▲ 朱守亮教授與師母於亦圃齋前

戰後臺灣經學叢刊總序

　　近年來學界對臺灣經學的發展，大致將其區分為明鄭與清代統治、日本統治以及二次戰後迄今等三個時期，但這三個時期的經學，卻並非以一種前後有機關聯的方式來銜接，而是因為歷經政權的轉移，導致語言、學術與文化遭到整體的置換，從而使得做為學術與文化重要組成內容的儒家經學，在這三個時期的發展過程中，呈現出「傳承的斷裂」現象。似乎這三個時段的經學，皆各自在其歷史演進的時空環境下獨立發展，並無線性傳承延續的關係。或許在實務的操作上，學者可以根據自己的研究興趣與目的，專注於某一區段的研究。然而無論在學理或實際的層面上，這三個時段的經學不可能沒有絲毫的延續與繼承關係。即使在日本統治時期，臺灣本地的知識分子有機會受到日本的學術訓練，運用新的學理與治學方法研究經典，但臺灣根深柢固的漢文學傳統，仍然普行於一般社會中，而儒家經典的傳授也仍然得以延續下來。國民政府接收臺灣後，重新恢復漢文。雖然日人統治時期研究經典的方法中斷，但日本對現代中國學術的影響，早已是人盡皆知的事實。即使是渡海來臺的老輩學者，如徐復觀、王夢鷗等人，皆有留日的背景，他們的論著中常可見到徵引日人著作處，或利用日人的翻譯來了解西方學術。渡海來臺的學者如此，臺籍學人，如吳守禮、黃得時等人，更是如此。由此角度來回顧這三個時段的經學發展，似乎反而顯現了「斷裂的傳承」這樣一種奇特的關聯性。

　　有趣的是,從臺灣一地的立場來看待戰後臺灣經學的發展,雖似與之前的時段表現出「斷裂的傳承」現象,但從中國經學整體發展的視野來看,卻可說是一脈相承。幾乎毫不誇張地可用傳統道統論式的說法,從文武周孔以來,綿延不絕的傳承下來,中間完全沒有中斷。反觀海峽的另一端,在新中國成立之後的數十年間,經學卻因政治的干預而從學術和教育的場域中完全消聲匿跡,對此時的中國大陸來說,經學真正是面臨「傳承的斷絕」(還不只是斷裂而已!)危機,形勢之嚴峻,李鴻章在面對列強侵凌中國時,對大清王朝提出之「數千年來未有之變局」的警語,庶幾足以當之。戰後的臺灣經學就一方面在中國經學既有「道統」的延續下,另一方面又承受著臺灣本地學術「斷裂的傳承」的雙重格局下,以一種昂揚開闊,但又受自身所處現實環境制約的特殊情境下,繼續「文武周孔」下去,取得豐碩的成果,終於蔚為林慶彰先生所形容的「經學王國」。

　　但這個局面隨著中國大陸改革開放以來,逐漸改變。二〇〇五年十一月五日至六日由彭林教授在北京清華大學歷史系召開的「首屆中國經學學術研討會」或許是個轉捩點,意味著經學重新在中國大陸受到學界的關注與重視,此後各式各樣與經學有關的學術會議與活動,以野火燎原之勢,迅速在各地展開。與此同時,臺灣、港澳、星馬、日韓與歐美各地的學術社群,在經學研究方面的交流與合作,亦日益密切,這個情況在數十年前幾乎是不可想像的。時至今日,當各地經學研究皆呈蓬勃踴躍發展的態勢時,再回首戰後臺灣經學的發展,究竟要怎麼看待它的表現?又如何評判它的成就?這對身處於其中的吾人而言,的確是個有趣又為難的問題。但有一點可以確認的是,與其說當時的臺灣是所謂的「經學王國」,毋寧說是「經學綠洲」,或根本是建立在沙漠綠洲上的王國。環顧當年的情境,經學的處境,不正猶如身處在荒蕪乾旱的沙漠,此時的臺灣不就是荒漠中僅存的水源綠

洲？經學之不絕如縷於斯時，真可說是叨天之幸！

　　正因為戰後臺灣經學所具有的殊特性格，以及在當代經學復興潮流中所扮演的雁首地位和發揮的燈塔效應，使得學界越發關注其內涵與發展。中研院中國文哲研究所在林慶彰、蔣秋華二位教授的策畫下，於二〇一五年至二〇一七年推動「戰後臺灣的經學研究」計畫，三年內總共召開了六次學術會議，發表了百餘篇論文。福建師範大學經學研究所亦在校方領導與郜積意所長的擘畫下，大力推動戰後臺灣經學的相關研究。一時之間，戰後臺灣經學的研究，蔚為風潮。萬卷樓圖書公司梁錦興總經理和張晏瑞副總經理常年關心中文學術的發展，對經學研究的脈動，尤其敏銳。深感於戰後臺灣經學研究的重要性，有意促成海峽兩岸學界的合作，慨然提供出版的園地。於是便在林慶彰教授、郜積意所長、簡逸光教授和本人歷經年餘的商議奔走下，共同策畫出這套叢刊，期使戰後臺灣經學的研究成果，能因匯集在這套叢刊中，得以讓更多人知曉與利用。

　　這套叢刊主要收錄以下三類著作：戰後臺灣經學家或經學研究者之手稿、未刊稿、遺稿，以及某些具代表性但已絕版之論著或未正式出版之專著。二、當代學者關於戰後臺灣經學研究之專門著作；三、相關會議論文集或集結成書之專題論文集。當然，這套叢刊仍難以充分呈現戰後臺灣經學的含蘊，但畢竟提供了一個展示平臺，得以讓世人略窺經學在戰後數十年間的臺灣土壤中，所形成的豐富多樣的風貌。若能因此引起學者的興趣和世人的重視，而對其有積極的反應與作為，將更為吾人所樂見。

車行健謹識於政大道南橋畔
西元二〇一八年七月十六日

序一

　　吾師亦圃齋主人朱先生，山東濟寧人也。身逢亂離，顛沛困頓，而求學上進之心，迄未稍懈。於神州易幟之際，隨軍來臺，旋卸戎裝，肄業上庠，以遂其初心。爾後歷任教席，以講學著述，作育英才而安身立命，孜孜不倦，樂以忘憂。其學術專著，《詩經評釋》、《韓非子釋評》等書，皆皇皇巨構，學界夙有佳評。單篇論文，尤不勝枚舉，涉獵更廣。比政大中文系博士生徐偉軒君，精選其十七篇，命之曰《亦圃齋經學論集》，以余忝列門牆逾半世紀，屬以為文序之，雖不敢而辭不獲命，僅能勉強為之耳。私以先生之為學，得力處胥在於勤，所謂業精於勤者是也。夫然，故能博觀約取、厚積薄發，旁徵博引而剖析毫芒，深中肯綮。凡此，偉軒君於〈導言〉中已有深入之介紹，茲可不贅。抑有進者，則先生之為人處世，篤行儒家之執兩用中，一本於誠，望之儼然，即之也溫。諸生親炙門下，耳濡目染，其無形之影響，可謂既廣且大，較諸學術論著，更為深遠，余謂先生故以經師而兼人師，可為我輩後生之典範焉。

受業洛津黃志民謹述

（政治大學中國文學系退休教授）

序二

　　朱守亮老師山東濟寧人，生於一九二五年。一九六二年進入政大中文系服務，於一九九二年退休。在校期間主授詩經與韓非子，然卻對論語研究情有獨鍾。故本論集收集老師有關詩經與論語之研究共十七篇。一方面有感老師多年來對政大中文系的奉獻，一方面則藉老師的經學研究記錄政大在經學傳承上的一段歷史。

　　政大在經學研究上代有其人，自高明老師、熊公哲老師、朱守亮老師之後，有李威雄老師、呂凱老師、董金裕老師，當代則有陳逢源老師、車行健老師與鄭雯馨老師等，這些學者均博學多聞，學養豐富，建樹了政大在經學研究上不可取代的地位，也為政大培育出無數優秀的人才。在此除向諸位前輩老師與現任教師致上無盡敬意外，更感謝諸位老師在經學研究與傳承上所作的奉獻。

涂艷秋序於政大中文系

（政治大學中國文學系教授兼系主任）

二〇一八年十一月二十三日

作者識語

　　余年少時為求學，毅然拜別父母親人，隻身遠離山東故鄉。無奈遭逢戰亂，隨校流亡，顛沛半生，輾轉從軍，以至臺灣，蒙上天不棄，己亦尚勤謹，乃能執教上庠，不至遑遑。作育英才外，但知讀書寫作，蒔花養草，不慕榮利，不求仕宦，安此生涯，倏忽已成九旬老人。

　　近得政大中文系教授車行健先生、博士生徐偉軒君。師徒二人，有意將余一生所撰《詩經》、《論》、《孟》研究單篇論文等，集結成書，名之曰《亦圃齋經學論集》，收錄於車教授主編《戰後臺灣經學叢刊》系列叢書中。一己以往著作，如《詩經評釋》、《韓非子釋評》等，皆為專書；以單篇論文集結而成者，惟《論語中之四科十子》一書。吾今雖耄老，仍日日工作不輟，惟整理昔日手稿，如散文、雜文者，已感力不從心，遑論學術論文？是以車教授、徐同學當日以此計畫來詢，余欣然同意，除交付兩位全權處理外，並提供一切所需書籍與資源，以作參考。

　　此《亦圃齋經學論集》所錄，雖為舊文，然經徐偉軒君全力編修，除或改為現今學術論文體例外，更將發表時有所缺漏處一一補正，並加校注及按語，一新其面貌。正文之外，尚有導言、學經歷與著作目錄，甚而家中字畫所記者，亦俱收錄書中，一生履歷，已略可見。余詳加檢閱後，深感欣慰。

　　今書將付梓，除向車行健教授、徐偉軒博士生致最深謝意外，亦極望讀者翻閱此書時，想見余一生勤苦求學歷程，以自黽勉惕勵焉。

吾老矣，後之來者，亦將有感於斯文歟？

　　　　　　二〇一八年十二月十四日朱守亮於木柵寄寓亦圃齋

　　　　　　　　　　適逢結婚六十一週年紀念日

目次

輯一　《詩經》研究

編輯說明

一、本書選錄朱守亮教授自一九六六年至二〇〇〇年間所撰寫、發表的經學相關領域的學術論文，並蒐集了一二篇散見在其他經學學者著作中的序文、書信等，一共十七篇文章。按照主題，分為「《詩經》研究」與「《論語》、儒學與治學方法」兩大部分，並依文章性質排序。書末附錄朱守亮教授自撰學經歷與著作目錄，可略觀作者一生之學思歷程與研究成果。

二、本書所收論文皆經重新電腦打字及排版，編校工作除了仔細校正缺字、訛字之外，也在最大程度保留論文原貌之原則下，依照當代所習用之文科學術論文寫作規範，盡量地統一文章體例與格式，包括標題序號、標點符號、引文與注腳等等。

三、本書各篇論文之引文，如得見作者原參考用書之版本，則以該版本對校；未能見到原書，則以編者可得之完善版本對校。各篇之注皆統一改為當頁注，先生所注引文獻格式較為簡省者，盡可能按照原文參考書目所提供的資訊，加上作者、出版單位、出版年份、卷數與頁碼；少數無法確知所原用書出版年份者，僅能從略。此外，凡編者之加注，皆冠以「校注」二字，以示區別。

導言：亦圃齋《詩經》學記

徐偉軒

一　朱守亮教授學經歷

　　朱守亮先生（以下多直以先生稱之），民國14年（1925）生[1]，山東濟寧縣人，臺灣師範大學國文系學士、碩士，政治大學中文系博士班第一期肄業，政治大學中文系教授，東吳大學中文系教授，自號「亦圃齋主人」。[2]主要研究領域為《詩經》、《論語》、《韓非子》、《呂氏春秋》等。在《詩經》學研究上，被夏傳才先生認為是1970年代起，致力於傳承傳統《詩經》學的臺灣學者之一。[3]代表著作有《詩

1　根據朱守亮教授回憶錄《回首來時路》與個人說明，因早期戶籍資料問題，以往各級學校與各出版品之介紹，常有記載為民國18年（1929）生者，斯皆非是。參朱守亮著：《回首來時路》（臺北：知識系統出版公司，2008年12月初版，2010年11月二版），頁7-8。

2　據先生自撰，並由曹愉生教授篆書裝裱之〈亦圃齋之所以命名〉所言：「吾家於指南山麓有年矣，陋室側隙地，所體勢蒔秄，無不順其天、致其性，使其碩茂蕃實，壽且孳也。日涉成趣，亦深可學圃於此矣，故名之曰亦圃齋。」此「亦圃齋」之命名由來也。

3　夏傳才《二十世紀詩經學》中談到臺灣《詩經》研究言：「臺灣的傳統文化研究在20世紀後期有良好的客觀條件：弘揚并傳承民族優良文化傳統曾是朝野的共識，有政治上和物質上的保證，學者們能夠發揮才智；有出版和發表園地，可以開展百家爭鳴；尤其重要的是有一批學有素養并具有傳承民族文化使命感的老一輩學者，由他們傳承薪火，形成梯隊，使學術事業後繼有人。如胡適、錢穆、傅斯年等等前輩專家，都是對現代詩經學有貢獻的學貫中西的國學大師，雖然他們晚年的治學方向不是詩經學，但仍關心指導《詩經》研究，發表文章或談話。他們倡導尊重傳統而

經評釋》、《韓非子釋評》、《詩經論著目錄》、《論語中之四科十子》
等。

　　先生自幼家貧，然極為勤學，早先受過幾年正式小學教育，至三
年級時因日軍侵華，濟寧淪陷，因此轉在私塾中學習。爾後在日軍占
領區內成立之高小就讀至畢業，此時為民國33年（1944），先生已十
九歲。[4]此後，先生為讀書，永別父母親人，冒險突破日軍封鎖線，
前往後方報考當時之流亡學校，後考取第二十二中學。二十二中畢業
（實為解散）後，於民國38年（1949）隨國民政府來臺[5]，考取師大
（當時為師範學院）國文系，同班者有戴璉璋、李鍌、朱維煥、張學
波等。民國44年（1955）大學畢業後，即往新竹中學任教。民國48年
（1959），考取師大國文研究所碩士班，同榜錄取者有陳新雄、周何
等。兩年後以熊公哲教授指導之碩士論文《列子辨偽》取得碩士學

不盲目崇拜，注重實證而科學辨析，要求在搜羅豐富資料的基礎上自由研究，力求
有所發明。他們提倡的學風和學術規範，成為臺灣傳統文化研究的主流。屈萬里、
林尹、高明、何定生、王靜芝、潘重規、王禮卿等都是20-40年代進入現代詩經學研
究領域的學者，他們繼續活躍在臺灣50-60年代的論壇，擔任碩士、博士生指導教
授。70年代起有裴普賢、糜文開、龍宇純、張以仁、程元敏、賴炎元、陳新雄、余
培林、左松超、趙制陽、朱亮亮等；80年代起有林慶彰、文幸福、季旭昇、莊雅
州、竺家寧、張寶三等，90年代以後有蔣秋華、林葉連、陳文采、丁亞傑、楊晉
龍、侯美珍等等一批年輕博士，傳統學風延續至今。」見夏傳才著：《二十世紀詩
經學》（北京：學苑出版社，2005年7月），頁362-363。

4　參朱守亮著：《回首來時路》，頁26-30。

5　朱守亮先生自撰〈朱守亮學經歷與著作〉中，簡述讀二十二中至來臺的過程：「19
歲，潛入後方，讀流亡學校，先入湯恩伯創建之魯蘇皖豫戰地失學失業青年招訓分
會訓導所，再轉進修班。暑假考入李仙洲創建成城中學改為二十二中之一分校，西
邊陝西安康。1947（民國36）年進入高中，再西邊城固，並強佔古路壩原西北大學
工學院遺址上課。1948（民國37）年高一結束後，再北遷老君殿。1949（民國38）
年，學校因與教育部失卻聯絡，解散，進入胡宗南創建之西北幹訓團受訓。後逃離
入川，至成都依附同鄉。年底頂名字隨空軍高炮部隊飛海南島轉臺灣，於十二月一
日降臨嘉義機場。」參本書附錄。

位，自民國50年（1961）開始在政治大學中文系專任教職。民國58年
（1969），政大中文系成立博士班，因第一期之規定：就讀者不可具
本職，先生好學，毅然辭去政大教授職務，攻讀博士，與羅宗濤、應
裕康共三人，同為政大中文第一屆博士班研究生。惟後因不幸被不肖
份子倒會，積蓄一空，為生活計，乃自博士班肄業，於民國60年
（1971）重任教授。此後即一直在政大中文系專任，期間亦曾赴韓國
成均館大學任交換教授[6]，至民國81年（1992），又至東吳大學專任，
民國86年（1997）退休，任教期間有教無類，誨人不倦，並曾指導十
數篇學位論文。

　　先生少時貧苦，又遭逢戰亂，求學時間甚長，然先生極勤奮，諸
子百家之書無所不觀，自言屈萬里先生與王叔岷先生俱曾以「極為用
功」誇之。先生之學，以治《詩經》、《論語》、《韓非子》、《墨子》、
《呂氏春秋》、《列子》等著稱，縱跨儒、墨、法、雜諸家。曾出版數
本專書著作，如《詩經評釋》、《韓非子釋評》、《論語中之四科十子》
等，亦有學術論文數十篇。先生好讀書寫作，文言與白話作品俱甚
夥；晚年尚出版回憶錄《回首來時路》與日記集《心靈深處》等。現
以九秩晉三高齡，猶不懈整理一生出國旅遊所見所聞之遊記心得手
稿，欲名之曰《旅遊偶得》。

　　先生一生之治學多方，博涉而多優。綜觀先生歷年之學術論文著
作，或可略以民國70年代（1980s）為界，70年以前發表者，多以
《呂氏春秋》與墨家、法家之論文作品為主；關於《呂氏春秋》之論
文如：〈《呂氏春秋》與法家關係之研究緒論〉、〈《呂氏春秋》中之孔
子〉、〈《呂氏春秋》導讀〉、〈《呂氏春秋》與先秦顯學緒論〉等。關於

6　據先生遊記〈南韓行〉（未刊）中所述，乃於1987年於成均館大學交換，「在校任教
　　一年，於系所主授中國文章習作、昭明文選、中國詩歌特講等。任系內授課班導
　　師，亦為臺灣留學韓國學生會指導教授。」

墨家、法家之論文則有：〈論墨子節葬短喪〉、〈墨家命名之取義〉、
〈以荀卿性惡論觀韓非學說〉、〈法治主義者之重農論〉、〈法治主義者
之強兵論〉、〈法治主義者之崇法論〉、〈法治主義者之尚術論〉等等；
此外，也有少數如〈《論語》、《孟子》中「仁」字之研究〉、〈用一
「中」字去認識中國文化〉等儒學研究成果。而70年代以後，則以
《詩經》與《論語》人物研究為主，如〈《論語》中之子路〉、〈《論
語》中之顏淵〉、〈《論語》中之曾參〉等等；在此同時，亦著力於韓
非之學，有《韓非子釋評》之巨著，並曾發表〈韓非書各編之題義命
名主旨及其真偽〉、〈《韓非子》書之讀法〉、〈《韓非子》述評〉等數篇
學術論文，議論閎發，識見卓著，於《呂氏春秋》、《韓非子》與法家
之學極有貢獻，惟其內涵本文未能詳述，則請先生與讀者見諒。

　　此外，先生曾長期在政大中文系執教《詩經》課程[7]，浸潤良
久，頗有所得，乃用力全注《詩經》並解析、品評各篇詩意，並曾獲
屈萬里先生賜與筆記、手稿、箋批等，助其完成。[8]《詩經評釋》於

7　政大中文系《詩經》課程，據車行健教授研究：「『毛詩』在48年度《概況》見列於
　　四年級上下2學分的必修課，但49學年卻改為上下學期3學分，50、51、52、54年俱
　　同。56學年改為必選，59年的《概況》改列為上下學期2學分的必修課，61年和66
　　年的《概況》所記亦同。授課教師有祁述祖（49、50、51、52、54、56、59、61學
　　年）、賴炎元（54學年）。」（見車行健著：〈指南山下經師業，渡船頭邊百年功——
　　政治大學在臺復校初始階段（1954-1982）的經學教育〉，《中國文哲研究通訊》第27
　　卷第2期（2017年6月），頁52。）可知在政大中文系講授「詩經」（民國70年以前多
　　稱為「毛詩」）課程者，在朱守亮先生之前有賴炎元、祁述祖教授。而根據先生家
　　中所藏歷年學期考試之出題試卷，可確定自民國62年開始，先生即接替祁述祖教授
　　講授「詩經」，至民國86年（1997）退休，先生之後有章成崧、李癸雲開設「詩
　　經」課程，現在則由車行健教授負責講授。
8　先生於《回首來時路》中即言：「在我寫《詩經評釋》時，向老師（謹案：屈萬里）
　　討資料，老師不僅把成書或文章給我，連夾在書中的便條和偶得札記也都給了我。
　　我敢說：老師《詩經釋義》中要增入的資料沒增入，反而出現在我的《詩經評釋》
　　中了。當有人說我：『有創見，有高論。』或『功力不尋常』時，我必點明：『這是

民國73年出版，此後，先生亦多次發表以《詩經》內容為主題之學術論文，如：〈親情無極的〈蓼莪〉詩〉、〈《詩經》《毛傳》婚期以秋冬為正時之商榷〉、〈讀《詩經·衛風·氓》〉、〈《詩經》中有關農業事宜之探討〉、〈《詩經》中有關婦女問題之探討〉、〈《續修四庫全書提要》與《續修四庫全書總目提要》有關《詩經》部分之比較說明〉、〈高本漢《詩經注釋》解〈周南·兔罝〉「干」字之再商榷〉等等，另尚有未發表之文章數篇。[9]先生治《詩經》，確實成果豐碩，且有其一貫之法門，下文即詳細介紹之。

二　朱守亮先生《詩經》研究內容概述與其特質

先生於《詩經》之研究，重視詩旨解說、欣賞品評之學，這也是先生用力最勤，成就最高者，尤以《詩經評釋》一書，集其大成。而在《詩經評釋》之外，先生亦曾多次發表相關論文，分別可見到如主題式的考辨、分析，或是語法考究、字辭訓解，以及某些議題的綜合考察等，本節即簡要介紹之，以呈現先生治《詩》之成果。

屈萬里老師的意見。……』」（《回首來時路》，頁185。）屈萬里先生賜與先生之《詩經》材料而被引用至《詩經評釋》者，有多少未見於屈先生已出版的《詩經釋義》與《詩經詮釋》等書，還有待詳考。然而先生《詩經評釋》中，對於屈先生說法的徵引與認同，確實到處可見。如《周南·葛覃》，即言：「屈萬里先生曰：『此婦人自詠歸寧之詩。由「言告師氏」之語證之，此婦似非平民。』斯言是也。」（頁44）或《邶風·終風》：「屈萬里先生曰：『此亦婦人不得於其夫之詩。』斯言是也。」（頁112）等等。林慶彰先生書評中亦多提到「採用屈翼鵬師說法」之處，所在多有，茲不贅引（見林慶彰著：〈評朱守亮《詩經評釋》〉，頁363-365）。由此可見得屈先生在《詩經》研究、詮釋觀念上對先生的影響。

9　以上所提及之朱守亮先生諸論文，其發表情況與年份，俱參附錄。

（一）細如毫髮的詩旨辨正

先生說《詩》之法，首重文獻資料的廣徵博引，雜採眾說，而擇其精當，辨正詩旨，《詩經評釋》之凡例即言：

> 本書為集解性質，惟是是從，既不專主一家，亦無古今漢宋門戶之見，要以就三百篇本文，以探求其本意旨歸。[10]

惟是是從，不專主一家，亦無門戶之見，為先生說《詩》之基本立場，而各篇《詩》說之架構為：

> 各篇篇名之後，先標明篇義。每章畢，標明章旨。另以註釋、解說該章之字句義。每詩後之欣賞品評，則重在語句之剖析，作法之審辨，層次之解說，文字之欣賞，義旨之探究等。[11]

此說《詩》之架構，亦示於〈說《詩經‧衛風‧氓》〉中，即：「定其篇義，明其章旨，述其品評，並及其分析」[12]。所謂定其篇義者，羅列前人說法，擇善而從，確定其篇義。明其章旨者，逐章考辨文句，闡發章旨。至於品評者，則亦匯集前人之說，而加以自己的判斷、心得，加以闡發。分析者，則探索詩篇當中所蘊含的其他可供延伸探討之元素；此從詩篇文本上咀嚼玩味之法，是先生一貫善用者。總的來說，先生治《詩》之方法，顯然承繼於經典箋釋之「知人論世」、「以意逆志」傳統，但其對所知之人世、所逆之志，並不多附會穿鑿，而

---

10 朱守亮著：《詩經評釋》（臺北：臺灣學生書局，1984年10月），頁1。
11 朱守亮著：《詩經評釋》，頁1。
12 朱守亮著：〈讀詩經衛風氓〉，《中華學苑》40期（臺北：政治大學中文系，1990年8月），頁1。

是細玩詩意，擇眾家之善者從之，且亦能提出一己之意見，並強調詩篇所展現之生命情意與現實意義。

說《詩》之實踐，實先生用力最勤，成果最豐者。資料蒐集的功夫，從先生曾編《詩經論著目錄》即可見一斑。而具體說解時，特重詩篇意旨的細辨，林慶彰先生言其辨析篇旨部分即言：

> 辨正的過程，大抵先列《詩序》、《鄭箋》、《朱傳》和宋代以來各《詩經》學家之說，無法賞同者即列舉理由加以辨正，贊同者則加以申說。各篇之辨正皆細如毫髮，以便求得最正確的詩旨。這是本書最值得稱讚的地方。[13]

不論在《詩經評釋》或是其他各篇論文中，皆可見得先生為了求取各篇篇旨與各章章旨，而進行廣徵博引，而又細如毫髮的辨正，此可謂先生一貫之治學方式與態度。

先生治《詩經》多年，在讀解詩篇、闡發詩旨之實踐上，有豐厚的經驗，同時亦對讀《詩經》、讀書研究之法，有相當的體悟。而針對《詩經》解說，先生以盡可能明確篇章旨義為其目標，但因《詩經》詮釋的多元性與後世大量的說《詩》材料，使得詩之意義有太多種可能性與說法。因此若欲達成目標，則需要讀《詩》者戮力於廣博並深入地了解古往今來各種學術理論、文化思想等知識，運用這些知識材料，方能妥善讀解《詩經》。先生在《詩經評釋》中便已述及此：

> 如何研讀《詩經》？除一般方法導讀所指引者外，則需識源流：辨明其流變沿革，發展途徑，以了解各詩派之所以詮釋不

---

13 林慶彰著：〈評朱守亮《詩經評釋》〉，《漢學研究》第3卷第1期（臺北：漢學研究中心，1985年6月），頁363。

同。明小學：小學不明，則無以通其訓詁注釋，探其詩義詩
旨。故字音字義，訓詁詮釋，當有基本認識。證史地：能證史
地，則知時代背景及地理環境，此對詩之形成與風格，大有影
響。當取證之，以了解詩之本事及特色。考名物：一物之不
識，一名之不解，皆足以妨礙讀詩。當考稽之，以明其所以
然。窺情致：讀詩在得其旨趣，而窺其情致。否則，雖大加考
證辯解，而不得其詩義，以欣賞涵詠之。[14]

歸納以「識源流」、「明小學」、「證史地」、「考名物」、「窺情致」等，
言簡而意賅。此外，先生又撰〈研讀《詩經》應有認知之一──通古
今之變〉一文，專門討論研《詩》的方法與態度，其言曰：

一個讀書人，假如不知今古之變，瞭解每一時代學術理論，文
化思想，技藝特色突顯的歧異情形。想了悉某一問題的演變，
甚至某一書各時代所認知、說解與詮釋的不同，是相當難，相
當有爭議性的。讀《詩經》之所以困難，所謂今文古文不同，
宗派不同，《詩》無達詁等問題。我想就出在這裏。現本司馬
遷〈報任少卿書〉所云「欲以究天人之際，通古今之變，成一
家之言。」特取「通古今之變」以為說而成此文。[15]

在此文中，先生分別就十四個方面，來談《詩經》閱讀、研究上應該
具備的諸面向認識，分別就：一、天授神話；二、學術思想；三、政
治詩教；四、宗教信仰；五、人生哲理；六、陶冶性情；七、賦詩見

---

14 朱守亮著：《詩經評釋》，頁36。
15 朱守亮著：〈研讀詩經應有認知之一──通古今之變〉（1995年5月），發表狀況參本
　　書附錄。

志；八、持家事君；九、風土禮俗；十、戀愛婚姻；十一、詠歌樂舞；十二、美善刺惡；十三、表達方式；十四、其他等十四個面向，說明閱讀《詩經》應具備的知識與能力。而先生所談的這些認知，都是基於輔助《詩經》詮釋實踐的立場而言者。除此之外，先生又認為治學者需要重視現代的研究方法與成果：

> 除所引文字聲韻訓詁外，並須注意近世更多研究學問的方法。有的從文法、修辭方面入手；有的從論證、考辨方面入手；有的從賞析、品評方面入手；有的從比較、探討方面入手，甚至有的從所謂科學方法的歸納、統計方面入手。這些都對，也都有相當可觀的成就，所謂「條條大路通羅馬」。用的適當，都可以得到比較接近真是真非的正確研究結果。

又云：

> 某些問題的解決，是多方面的。運用適切皆可，過或不及都錯。識乎此，太多人圍乎今世之某某方法，排斥前人所有研究成果，而大膽的斷定如何如何，恐怕都有爭議。用甚麼賦、比、興表達方法，採甚麼權威專家觀點，得到的甚麼美刺《詩》教，或甚麼「《詩經》是封建社會官定的對人民的教科書」的結果，恐怕都有問題。瑞典高本漢的權威著作《詩經注釋》對研讀《詩經》貢獻極大；其所以不盡可信者，原因就出在太注重歸納、統計。權威如高本漢者，尚且如此，何況我們？

先生明確提出反對過度重視統計、歸納方法的意見，其實便來自於他詮釋實踐工作的體會，而因之在意義解讀上也較有針對個案探索、分

析的傾向。同時先生也一再強調，學術文化皆有其所從出之源頭與長遠的累積，對於經典的解讀，不可輕易忽略前人之說，或貿然追逐新理論、新方法、新名詞、概念等等，反對動輒以今非古。此外，先生曾撰〈《詩經》國際學術研討會論文簡介〉，旨在針對夏傳才先生擔任《詩經》學會會長時，於1993年主辦之「《詩經》國際學術研討會」中發表之所有論文進行簡介、點評，同時亦有鑑於當時大陸學者因政治情況而習用某哲學理論或方法，而提出尊重學術源流傳統，以歷史客觀的態度，尋求學問的本質和解答之意見，凡此皆展現先生治《詩》之嚴謹、仔細的態度。[16]

(二) 字詞考辨訓釋

先生治《詩》，首重詩旨之辨正，而考釋疑難字詞，訓解名物，即上文所見之「明小學」者，實亦闡明、確定「篇意」、「章旨」之手段，是先生求取詩篇意義過程中一個細心關注之處，先生言：

> 小學不明，則無以通其訓詁注釋，探其詩義詩旨。故字音字義，訓詁詮釋，當有基本認識。[17]

此確為研經之基本觀念，而先生對於《詩經》文本中某些較有爭議之文辭，也多提出一己之意見與看法，以確定其意，亦是基於對文辭意涵讀解之嚴謹與深入態度。對字詞的考究與商榷，除散見在《詩經評釋》與各論文外，亦有以此為題之文章，如〈高本漢《詩經注釋》解

---

16 朱守亮著：〈詩經國際學術研討會論文簡介〉，《第一屆經學學術研討會論文集》（臺北：臺灣師範大學，1994年4月），頁305-360。

17 朱守亮著：《詩經評釋》，頁36。

〈周南・兔罝〉「干」字之再商榷〉一文[18]，旨在針對「干」字，以甲金文材料，提出反對高本漢認為鄭玄之解釋為誤的意見，是先生第一次撰寫文字學屬性之論文。此後，也曾再寫一篇以文字為主題的考察，即〈由文字窺測古時之搶婚習俗〉[19]，文中由《易・屯》之爻辭「匪寇，婚媾」所保留的上古搶婚習俗文化片段開始，羅列古文字「及」、「孚」、「敀」、「奚」、「敏」、「奴」、「妻」、「妥」、「取」、「威」等，或與奴役有關、與女性有關、與武力威逼有關等字，分別從其造字意涵談論古代搶婚之習俗之可能內容。本文篇幅頗長，資料豐富，然先生本未專治古文字學，取用古文字材料與判斷或稍有可議之處，論述亦頗多想像推測，實亦無可厚非，且更可見先生對於新出土材料的接受與挑戰。雖然，先生亦曾自言：「寫得不好，旨在提出問題爾。」惟先生考索古文字，用力費時甚鉅，皆可見其治學之一貫細心；同時亦能基於客觀材料的支持，勇於提出反對前人之說，如〈高本漢《詩經注釋》解〈周南・兔罝〉「干」字之再商榷〉一文之結論中言：

> 確知干為防禦武器之盾牌，或曰盾，或曰單，字形雖有歧異；然義則為扞身蔽目」以自衛也。象形，絕非如《說文》所云：干、犯也，從一，從反入。」會意。[20]

通過新的甲金文材料，先生亦能明辨古書之訛，可見先生在繼承古典治學方法的同時，亦能接受出土文獻之新材料，並勇於自立。不過先

---

18 朱守亮著：〈高本漢《詩經注釋》解〈周南・兔罝〉「干」字之再商榷〉，（彰化：彰化師範大學，1997年3月），頁27-36。

19 朱守亮著：〈由文字窺測古時之搶婚習俗〉，《第七屆中國文字學全國學術研討會集刊》（臺北：東吳大學，1996年4月）。

20 朱守亮著：〈高本漢《詩經注釋》解〈周南・兔罝〉「干」字之再商榷〉，頁31。

生一生，惟此二篇以文字為主題之文，蓋偶一為之耳。至於其運用之方法，亦與治經類同，文獻徵引繁多，考辨仔細，惟判斷上或有可商権之處；此亦同見於《詩經評釋》一書中，林慶彰先生於書評中亦闢「注釋中可斟酌者」一章，所指出者，大多為字詞與名物訓釋之問題，林先生之辨說亦多能提出恰當證據，而使訓解通達，即可說明此一現象，惟治學者本難備能，先生多聞闕疑，慎言其餘，正是學者本色。

（三）上古社會生活主題

　　上文可知先生之以「證史地」、「考名物」，作為辨正詩旨工作中的其中一環，為求取一較為明確之詩篇意旨，不可忽略各方面的相關知識、材料。而這些知識與材料除了作為《詩經評釋》中詩篇解說的基礎之外，先生也曾延伸這些相關材料與問題，進行主題式的學術研究，而撰有學術論文如：〈《詩經》中有關農業事宜之探討〉、〈《詩經》中有關婦女問題之探討〉、〈《詩經》《毛傳》婚期以秋冬為正時之商権〉等文，聚焦於農業、婚姻、婦女等等議題，基於《詩經》材料進行主題式的分析，如此做法，與上引從文字看搶婚習俗一文相當類似，實亦基於上述治《詩經》之結構，而首先推衍闡發於〈讀《詩經·衛風·氓》〉，在此文中，先生以〈氓〉詩之內容，觀察出「貿易以有易無」、「婚姻粗具制度」、「男女地位不平等」，以及詩中人物之家庭背景、社會地位、生活方式、主角之情感變化等等。換言之，在先生看來，作為上古材料之《詩經》詩篇，實有許多有利於探測上古社會型態與生活方式之資源。不過〈讀《詩經·衛風·氓》〉乃針對單一詩篇可供探查者為限，嗣後先生以「農業」、「婦女」、「婚姻」等為主題之論文，則是將《詩經》全文納入材料範圍，綜合論之。

　　先生於〈《詩經》中有關婦女問題之探討〉一文，申論《詩經》中有關婦女之議題。先生以為，上古時期，諸如婦女地位低下，男尊

女卑、聽命父母、屈從丈夫等現象，俱可從《詩經》本文看出，先生皆具體多引《詩》之文以證之。婦女之社會地位，又可藉由其從事家務、祭祀禮儀中之現象觀之，尤其關於「衣食」、「農事」之詩文，皆多方展現婦女所面對之日常工作內容。[21]

除以《詩經》本文材料，觀察婦女之社會地位與工作外，先生所著力者，在於婦女情感之展現，並按照《詩》之文，歸納為：一、婚前：「期會」、「情變」、「堅貞」、「遲婚」、「待嫁」；二、婚後：「新婚」、「和樂」、「閨怨」、「乖違」、「仳離」、「寡居」等。分別詳引《詩》之文以申論之，其所用力，基於對《詩經》全書之熟稔，乃能將眾多獨立單一之文獻，系統性地歸納陳述，先生對文獻資料之精熟，蒐羅考索所費功夫，可見一斑。

另一篇〈《詩經》中有關農業事宜之探討〉，與「婦女」一文同，分別以「遵制」、「相土」、「因時」、「耕治」、「種植」、「除害」、「灌溉」、「采穫」、「報賽」、「效獻」、「儲存」、「績織」、「蓄釀」、「其他」等等類目，羅列詩句，呈現《詩經》中所見之上古農事生活情形。[22]此外，尚有〈《詩經毛傳》婚期以秋冬為正時說之商榷〉，當中以星辰、草木、禽鳥、詩句與其他材料，通過極詳細的考辨，論證《毛傳》以秋冬為婚期之正時不確，應以春秋為正時，亦有所當於理。[23]總的來說，先生無論是以字辭訓解、名物制度或社會生活為主題式的論文，其方法與說解詩篇之「定篇意、明章旨」者，實一以貫之，都

---

21 朱守亮著：〈《詩經》中有關婦女問題之探討〉，收入朱守亮、王更生、羅宗濤、鄔昆如等著：《中國文學新論》（臺北：新中國出版社，1994年8月），頁1-25。在第一屆詩經國際學術研討會發表，該會出版之論文集部分刊出。

22 朱守亮著：〈《詩經》中有關農業事宜之探討〉，《中華學苑》43期（1993年3月），頁1-22。

23 朱守亮著：〈《詩經》《毛傳》婚期以秋冬為正時之商榷〉，漢代文學與思想學術研究研討會（1989年4月），頁569-579。

是通過大量的文獻材料，進行極為細緻的考辨，委實令人讚佩。

（四）文學性語言與生命經驗的投入

通過上文，我們已可曉知先生說《詩》之時，首重在細辨詩旨，而在詩旨被正確認識之後，最重要的部分則是欣賞品評，《詩經評釋》凡例首項即言：

> 本書為使讀者能了悉《詩經》每篇情志旨趣所在，篇章字句之義外，則重在欣賞品評。[24]

是以先生擇眾說之善者以確定指歸，爾後乃發而為欣賞品評之文。先生之欣賞品評盡量使用文學性語言，以感性的方式娓娓而論，此於《詩經評釋》中到處可見，這是先生特別重視《詩經》詩篇中所蘊含的生命情意及其現實意義的表現。而在諸多詩篇中，〈蓼莪〉一詩特別能看到先生將生命經驗投入《詩經》學研究後的深刻體會。先生除了在《詩經評釋》中說解〈蓼莪〉詩外，也曾以之為主題發表數篇論文，將其讀詩的體會發揮得淋漓盡致。

先生於民國77年（1988）與78年（1989）發表〈親情無極的〈蓼莪〉詩〉、〈〈蓼莪〉篇的韻腳及其讀法〉兩篇論文，降至民國89年（2000），又增修為〈讀《詩經·小雅·谷風之什·蓼莪》詩〉，文中先求其文意，論其所感，羅列自《毛傳》、朱熹、嚴粲、方玉潤、魏源以降，至民國程俊英、李辰冬、王靜芝、余培林等諸家說法，而道其篇意曰：

> 此篇之作者、創作年代、政治背景既不得詳考，退而求其次，

---

24 朱守亮著：《詩經評釋》，頁1。

姑且假定為西周末年之作品。斯時也，井田已壞，皇族沒落，秩序蕩然，民生疾苦，本詩之作者思親傷情，儼然道出民族心靈，故而自然流露出如此驚天地，泣鬼神，繚繞萬古猶不絕響之孝思哀音。[25]

「定篇意」然後「明章旨」，先生又以一己之體悟，說解各章詩句，歸結為四點：一、父母期望未能達到之愧恨；二、雙親俱亡無怙無恃之危苦；三、養育親思不及報答之悲傷；四、他人能之己獨不能之哀痛。基本依此四點順序而論，作為各章章旨。以上架構與內容，皆承襲自《詩經評釋》，然而《評釋》畢竟限於篇幅體例，說解上頗有節制，論文則不然，以白話方式，盡情申說。如文中言「無父何怙？無母何恃？」曰：

> 讀〈王風・葛藟〉，「謂他人父」、「謂他人母」、「亦莫我顧」、「亦莫我有」等句。已感因戰亂而流落他鄉乞兒之可哀，又何況是雙親俱亡的孤兒呢？其孤特危苦的情形，就更令人難過了。

又談「蓼蓼者莪，匪莪伊蒿」者，言：

> 因為未能成龍、成鳳，沒達到父母之所期，大負父母生我辛勤、勞苦之初心，而使父母失望，甚而貽父母羞。

皆改用白話之文學性語言，迴還往復，大加渲染。文章情感沛然，似稍失學術論文之體，文末談「南山烈烈，飄風發發」章尤道：

---

25 朱守亮著：〈讀《詩經・小雅・谷風之什・蓼莪》詩〉，此文發表情況參附錄，本文所據版本為先生於2007年7月自行請打字行繕打者。後數段引文俱同。

想想，氣候變了，寒流來了，別人能買件毛衣，買條圍巾，送
或寄給父母禦寒。自己不是沒有錢無力買，而是買到這些衣物
後，送不出去，寄不出去，那是甚麼心情？又今父親節、母親
節，他人都能買點父母所喜歡的禮物送給父母，而自己卻不
能，又是甚麼感覺？

以及結語曰：

> 人之幸而父母健在者，當然不知此詩悲痛；及「養子方知親
> 恩」，而又「子欲養而親不待」時，始深知之；但為時已晚，
> 雖長號短泣，三復流涕，亦僅能抱恨終天。於生我養我劬勞的
> 父母，只能哀之又哀，愧恨悲痛、椎心泣血了。

此皆是以散文筆法，談此詩所觸發之親情之思。此中值得指出的，是
其說《詩》之方法架構雖本側重欣賞品評，然而於《詩經評釋》出版
之後，先生特選此詩，撰述發表，當有其生命經驗影響所在。先生曾
私下言，此文第一版講評人為余培林教授，會前茶敘時，兩先生於休
息室內討論本文，說至激動處，抱頭痛哭。蓋余教授與先生，皆曾遭
逢與父母生離死別，感傷身世，不覺同聲一哭。與先生之生命經驗共
讀，可知其所以對〈蓼莪〉篇情有獨鍾，而談之不輟也。

　　除〈蓼莪〉一詩外，許多情感豐富的詩篇說解亦是，如《小雅·
黃鳥》，先生案語：「夫民之去其鄉土，離其親戚者，勢不得已也。」[26]
理亦同此。本節特舉〈蓼莪〉一詩，以了解先生說《詩》，除細辨義
旨外，因感性之性格，加以自身生命經驗，因而行文生動，情感豐富

---

26 朱守亮著：《詩經評釋》，頁528。

深刻，亦緊扣篇章內容，未嘗鑿空妄說，誠為先生說《詩》之特色。

以上即將先生《詩經》學研究的成果與內涵之作一綜述，而以上所分類之四點，乃先生治《詩》之進路與成果的簡單歸納。先生治《詩》，主要在詩篇意旨的抉發下了甚深功夫，而詩篇意旨的抉發，需要通過理解字詞的正確意義，以及對於上古社會相關知識與材料的認識，方能達致，這樣的方法不能不說是相當具有傳統深度且嚴謹紮實的；而在曉知正確詩旨之後，先生又以文學性的角度，重視詩篇中生命情意的現實意義，在說解上極富情感，而投入一己的生命經驗，可見經典在人性與情感上的永恆價值，先生將自己的生命投入於《詩經》經典文本中，在學術漸趨功利化的現代來說，確實相當難得，亦當為吾人治學、治《詩經》的典範。先生之詮釋實踐成果，皆已見於《詩經評釋》與諸論文，其深入淺出，考證豐富，廣徵博引，詳實賅洽，確乎為吾人閱讀、理解《詩經》所可取徑者之一。而先生在《詩經》學上用力最勤、費時最多者，還是《詩經評釋》一書，對詩篇詮釋實踐之成果也都保留於此書，下文即略述之。

三 朱守亮教授《詩經評釋》述要

上文已將朱守亮先生的《詩經》學研究成果與特質簡述一番，當中《詩經評釋》一書作為先生《詩經》學的代表作，實有必要在本節稍加陳述，以明先生之研《詩》成果。

《詩經評釋》分為上下兩冊，上冊為緒論和十五《國風》，下冊為《小雅》、《大雅》、《周頌》、《魯頌》、《商頌》。緒論共分二十四小節，包括引言、《詩》之來源、《詩》之名稱、《詩》之正變、《詩序》、《詩譜》、《詩》之價值、兩漢、三國、兩晉、南北朝、唐、宋、元、明、清、民國之《詩經》學、總結等。

　　詩篇評釋之法，各體詩前皆有簡單導論，而每一首詩，蓋先標明篇義，大多參考先生大學同學張學波《詩經篇旨通考》一書。然後逐章標明章旨，大多採自王靜芝的《詩經通釋》。每章並加以詳盡的注釋，注釋雜採眾說，因文字多有更動，概不注出處。各詩之後有欣賞品評，多採王鴻緒的《詩經傳說彙纂》、龍起濤的《毛詩補正》、裴普賢的《詩經評注讀本》等。最後是作者案語，稱為「守亮案」，「除有所陳述、說明、申辨外，則雜一己讀詩偶得。」由於本書是撮取各家的詮釋、剖析、評論、欣賞等解說於一書，所以稱為《詩經評釋》。林慶彰先生撰〈評朱守亮《詩經評釋》〉一文，論其得失，刊載在《漢學研究》第三卷第1期，文中對朱守亮先生《詩經評釋》一書之體例、說解與得失都有很細緻而深入的評騭。首先林慶彰先生於書評中，認為一本《詩經》的入門書，應該具備幾個條件，即：

1. 應有導論：敘述《詩經》的作者、作成時代、內容、價值、歷代研究成果、研讀方法等。

2. 立場應客觀：研究《詩經》有漢、宋學和文學派。偏於漢學，則著重文字、訓詁；側重宋學，則忽略小學功夫；長於文學，則善於欣賞品評。一本入門書則應綜合數派之長，而不偏於某一派，或某一家之說。

3. 註解應簡潔扼要：冗長的引文考證，僅能作為學術研究時參考之用，如施之於入門書，徒讓讀者生畏。

4. 能吸收最新研究成果：有修正或推翻前人說法，而卒成定論者，應加以採入，好讓讀者建立正確的觀念。[27]

---

27 林慶彰著：〈評朱守亮《詩經評釋》〉，頁361。

林先生就當時《詩經》通俗讀本的出版狀況，基於此四點，而認為
《詩經評釋》之體例較前人完備：

> 綜計這三十餘年間出版的重要《詩經》通俗讀本，計有屈翼鵬
> 師的《詩經釋義》、糜文開和裴普賢的《詩經欣賞與研究》、王
> 靜芝的《詩經通識》、馬持盈的《詩經今注今譯》、裴普賢的
> 《詩經評註讀本》，和朱守亮的《詩經評釋》等。……各家注
> 解，以朱守亮教授的《詩經評釋》最晚出，體例也較完備。[28]

是以《詩經評釋》在體例上乃一後出轉精，臻於完備之作，是一個相
當好的入門讀本，且先生文辭古雅優美，情感充沛，頗為可觀。而如
上文所言，《詩經評釋》側重在篇旨辨正與欣賞品評，在篇旨辨正
上，林慶彰先生以「細如毫髮」稱之，而林先生也肯定其在詩旨判定
解說上的貢獻，云：

> 朱先生對各詩篇之內容，皆能字斟句酌，所以判定詩旨也較前
> 人準確。有正確的詩旨，詩的欣賞才不致流於附會。研究《詩
> 經》者在這種堅實基礎下，必能對詩義有更深一層的闡發。[29]

能夠準確判定詩旨，來自於嚴謹紮實細膩深入的考辨。先生對於各家
說《詩》之材料，能以較為客觀而有現代意義的眼光進行選擇，並由
此探得詩旨與章旨。同時強調《詩經》詩篇之文學性與章法結構，將
詩篇盡可能地視為一完整而具有嚴謹書寫形式的文本而細玩之，也特
別重視詩篇當中生命情意的抉發，以及詩篇特別處之所在。在詩旨辨

28　林慶彰著：〈評朱守亮《詩經評釋》〉，頁361-362。
29　林慶彰著：〈評朱守亮《詩經評釋》〉，頁365。

正上的實際情形，以下略引數例以示。如其說〈甫田〉詩云：

> 《詩序》云：「甫田，大夫刺襄公也。（下略）」與詩絲毫無關。
> 《朱傳》云：「戒時人厭小而務大，忽近而圖遠，將徒勞而無功
> 也。」似亦由《詩序》來，無甚新義。傅斯年曰：「丈夫行役在
> 外，其妻思之。」屈萬里先生曰：「此蓋喜遠人歸來之詩。」
> 然又與無田甫田，無思遠人句不合。此詩蓋述毋作力不能及之
> 事，以勸慰毋思遠人；否之，則徒勞思念而增憂傷也。[30]

又說〈黍離〉詩曰：

> 《詩序》云：「黍離，閔宗周也。周大夫行役，至於宗周，過
> 故宗廟宮室，盡為禾黍。（下略）」《詩序》之說可從。惟詩中
> 未見有「閔周室顛覆之意。」周為天下所宗，所都皆曰宗周。
> 此宗周即鎬京也。流離老吏，行役而過宗周，見宗廟宮室，荒
> 涼如是。心為之憂，能不搖搖，而如醉如噎乎！

又〈無衣〉詩之案語言：

> 謝枋得謂秦人欲報戎仇，故踴躍從軍，而無退志。然「王于興
> 師」之王稱秦君，舍周王而弗用，終覺難安。方玉潤謂：「秦
> 人樂為王復仇也。」近之，但未言及行動為憾。實則此詩必為
> 已從軍啟行，乃有斯言也。故解為此秦人勤王從軍之詩也。[31]

---

30 朱守亮著：《詩經評釋》，頁286-287。
31 朱守亮著：《詩經評釋》，頁366-367。

此節引數則，頗可見先生對於詩之特質與創作背景以及詩意詩旨的判定，皆是針對詩篇文本字斟句酌之後，考量傳統之說解，定其取捨，其辨正乃言之有據，且有所當於理。

此外，在欣賞品評上，先生多從章法結構與用字遣詞說解詩篇，如說〈野有死麕〉曰：

> 細考末章「舒而脫脫」三句，此當是男求愛於女，女心許之，而乃戒其毋魯莽也。胡適謂男子勾引女子之詩，勾引二字拙。詩既言吉士，言玉女，則無禮云云，勾引云云，皆非其旨矣。詩則妙在一誘字，其所以致此者，蓋原於此一誘字。殊不知此詩關鍵，亦在此一誘字。世多知男以麕鹿之獵物誘女，少知女以三事戒止之言語誘男也。循循善誘，得之於此矣。[32]

又道〈何人斯〉詩云：

> 五用胡字，四用何字，二用誰字，以疑其辭。而以「彼何人斯」詰之，「誰為此禍」難之，「不入我門」，「不入唁我」反覆責之也。雖冷謔巧諷，深疾痛恨。但語委婉，意含蓄，情真痴，不失忠厚也。[33]

又〈民勞〉詩案語言：

> 又每章首句一亦字，見得民勞已久，將不堪矣！故次句接以汔可字，二字何等感人。然又不敢太過侈望，而下接以小字。曰

---

32 朱守亮著：《詩經評釋》，頁92-93。

33 朱守亮著：《詩經評釋》，頁588。

> 小康、小休、小息、小愒、小安，其意亦可哀矣。且「敬慎威
> 儀，已近有德」句，卓然名言，非書生所能道。漢武不冠，不
> 敢見汲黯在此也。字句琢練之工，令人心驚魄動。[34]

凡此從章法結構、遣詞用字出發的品評，皆是深味詩意之後，以文
學性角度解說之高明處。先生之欣賞品評，頗可使讀者循序漸進，循
章細讀，而得詩之指歸，並及其教化，亦不失現實意義，詩之教也正
在此。

　　先生於政大開設「詩經」課程二十餘年，其中十餘年俱以《詩經
評釋》授課，嘉惠學子良多。筆者蒙先生賜示當年授課用書，得見先
生筆記，皆在原書之外者，或徵引其他文獻以補充，如：《召南・野
有死麕》注2：「今言春情發動。」先生旁引沈三白《浮生六記》言：
「遂與比肩調笑，恍同密友重逢，戲探其懷，亦怦怦作跳，因俯其耳
曰：『姊何心春乃爾耶？』芸回眸微笑，便覺一縷情絲，搖人魂魄，
擁之入帳，不知東方之既白。」[35]又《小雅・常棣》之「欣賞品評」
引朱善說，先生旁引〈大學〉曰：「其所厚者薄，而其所薄者厚，未
之有也，朱善說全在此。」[36]以及《小雅・黃鳥》，先生案語：「夫民
之去其鄉土，離其親戚者，勢不得已也。」旁引《呂氏春秋》曰：
「喻父母。《呂氏春秋・遇合》：『人有大臭者，其親戚、兄弟、妻
妾、知識無能與居者，自苦而居海上，海上之人有悅其臭者，晝夜隨
而弗能去。』」[37]

　　或自言經驗以說明，如：《鄘風・蝃蝀》「蝃蝀在東，莫之敢

34　朱守亮著：《詩經評釋》，頁787-788。

35　朱守亮著：《詩經評釋》，頁91。

36　朱守亮著：《詩經評釋》，頁455。

37　朱守亮著：《詩經評釋》，頁528。

指。」注曰：「今北方猶戒小兒勿指虹，否則爛手或手歪。」先生旁記曰：「幼時曾偷指之，並未如此，蓋未公然指之也。虹可製造，帶學生身在虹中。」[38]又如《小雅‧四牡》「翩翩者鵻」注：「鵻，鵓鴣鳥，即今鴿子。」先生旁記曰：「今山東家鄉仍如此呼之。」[39]此等旁記加註，皆為先生授課時所用之補充，皆生動有趣，且富有現實意義，可見先生於教學實踐之精勤。

《詩經評釋》除了是利於課堂講授之教本外，作為民國以來《詩經》全文註解入門書籍之一家，對現今研讀《詩經》者，仍有相當具體而正確的助益，且亦廣泛被海內外之閱讀者、研究者利用，夏傳才先生即曾在1996年於文哲所的演講中言及：

> 臺灣同行的研究是全方位和多層面的，其中又以《詩經》學基本問題、《詩經》學史及歷代名著評介為主要重點，而且起步早，範圍廣，成果多。如對漢今文、古文之爭的宏觀上的評述和各派代表者（原為「著」）的具體研究，對漢、宋之爭的梳理，都做到資料豐富，立論有據，有些研究內容在大陸還是空白（如趙制陽《詩經名著評介》、文幸福《《詩經毛傳鄭箋》辨義》、糜文開、江乾益的《齊詩》研究等等），對明代《詩經》學的研究超越了前人「明學空疏」的成說，具體評述了明人著作。詩義詮釋，既尊重舊說又不落窠臼，博採眾說擇善而從，有些說解已為大陸學人引用（朱守亮《詩經評釋》）。[40]

---

38 朱守亮著：《詩經評釋》，頁164。
39 朱守亮著：《詩經評釋》，頁447。
40 夏傳才：〈現代詩經學的發展與展望〉，《中國文哲研究通訊》第6卷第4期（1996年12月），頁26-27。

以「既尊舊說又不落窠臼，博採眾說擇善而從」二句評《詩經評
釋》，實中肯綮。當然，《詩經評釋》做為一個全注《詩經》的經典註
解本，因其所牽涉各種研究議題如文學理論、上古史、社會學、民族
學與宗教學，或是古文字學等領域，若是能博採更多這些領域的說法
以作為補充輔助，而並非僅有《詩經》相關文獻，其解說或可更為深
廣。不過這些輔助材料的缺乏，並無損於《詩經評釋》的價值，而且
這些輔助的材料或理論，甚或可能有誤用、誤解的反效果，並不必然
善也。歷代《詩經》相關文獻已然多如繁星，《詩經評釋》一書能夠
博觀約文，已具備很高的學術成就，這是需要予以肯定的。

綜合以上，可歸結為數點，首先，《詩經評釋》為一綜合性的
《詩經》入門註解讀本，於1980年代出版後被廣泛地運用。其次，
《詩經評釋》體例完備，後出轉精，廣徵博引，詳實賅洽，予閱讀、
研究者以堅實的解說基礎。其三，《詩經評釋》於欣賞品評部分，用
力甚多，而以淺近文言呈現，既典雅莊重又情感深沉，帶領讀者逐步
深入經典閱讀，並富現實意義。先生研《詩》之成果，俱見於此書，
吾人實應予以重視。

四 結語

通過前文之考察，吾人已可略知先生一生刻苦勤學之經歷，與治
學之成果。先生在《詩經》研究上，以詮釋實踐為主，從《詩經評
釋》一書，可見先生通過紮實的考證功夫，貼合詩文，得出最適當的
說解，其治學之細膩謹嚴，實為學者典範。

《詩經評釋》之外，先生尚撰有多篇關於《詩經》之學術論文，
內容包括詩意的申論、字詞的考辨、主題的分析，以及研讀《詩經》
的方法等，此外，尚有本文中未及提到，題為〈續修四庫全書提要與

續修四庫全書總目提要有關詩經部分之比較說明〉一篇以資料整理比較為主的文章，又或是討論《詩經》句法之小文等。凡此諸多文章，俱為先生以一貫謹嚴之治學方式，與多聞闕疑，勇於提出問題，並運用新材料之學術成果。

先生晚年，尚出版回憶錄《回首來時路》與早年日記《心靈深處》二書，俱可使吾人知悉先生少時流離、苦學之歷程，亦可一窺先生向戰後第一代渡臺學人如屈萬里、王叔岷、高明、熊公哲等人問學，或與學友交流學問之情事。而根據車行健教授研究指出，當時臺灣的中文系與經學教育，如龔鵬程先生所言，分為：「臺大與中研院」、「師大與政大」兩大系統；林慶彰先生亦認為從對後來臺灣經學的影響來說，以屈萬里、高明兩位先生最為重要，而屈先生和高先生即為兩大系統的領袖人物。[41]而早年兩大系統常常是壁壘分明的，朱守亮先生卻能有幸長期親炙二先生[42]，在當時的學人中，實屬少見。車行健教授又言：

> 以熊公哲、高明和王夢鷗為骨幹的第一代學人所培育的經學人才，日後皆茁壯成了經學領域的第二代學人，不只擔任在政大繼續傳授經學的主力，而且也撐開了臺灣經學研究、教育與傳

---

41 見車行健著：〈指南山下經師業，渡船頭邊百年功——政治大學在臺復校初始階段（1954-1982）的經學教育〉，《中國文哲研究通訊》第27卷第2期，頁70-73。

42 朱守亮先生與屈萬里先生之情誼與學術承傳從《詩經》研究中可知（見註8）。據先生言，當時屈萬里和王叔岷先生等乃是受師大國文系主任高鴻縉先生之邀，於師大講學一年，先生方得受教於屈先生等臺大系統學者。至高明先生，本師大授業恩師，後亦為政大同事，《回首來時路》中言：「後來我寫了一部《詩經評釋》，編了一部《詩經目錄彙編》，還有甚多篇關於《詩經》各方面的論文，且在大學及研究所開詩經課，都是老師（謹案：高明）給我打的根基。」（《回首來時路》，頁170-172。）守亮先生曾很驕傲的說：「高先生為我朱家兩代證婚」，師生情誼亦可見一斑。

播的一大片天空。[43]

朱守亮先生便是參與其中的第二代學人之一,且為綜合兩大系統,勤學砥礪,卓然自成一家者,而與其同輩交好之學者,如王靜芝、余培林、趙制陽、李鎏、戴璉璋、曾厚成等,在戰後臺灣早年經學的發展上,一同有著重要的承傳與創造之功。而今先生老矣,不知今之學者幾何,今人亦多不知先生,小子有幸得識先生,將先生《詩經》研究成果撰文報告,又得整理先生之論文而成此書,庶不負先生之教。惟所知者少,所識者淺,未盡之處甚多,則望先生與方家見諒。

後記

本文原稿發表於中央研究院中國文哲研究所於二〇一七年十一月九日主辦之「戰後臺灣的經學研究(1945~現在)」第六次學術研討會,原題為〈朱守亮先生《詩經》研究述要〉,後又以〈亦圃齋《詩經》學記〉為題發表於《中國文哲研究通訊》第28卷第3期(2018年9月)。因《亦圃齋經學論集》所收錄之文章,以先生《詩經》研究為主,乃將此文主要內容轉錄於此,以作為本書之導言;原文所附之朱守亮教授學經歷與著作目錄,亦將其修正後,另作為本書之附錄,使本書在保存先生學術貢獻之外,亦能收知人論世之效。此外,本書除先生一生所撰《詩經》研究相關之學術論文外,尚收錄數篇以《論》、《孟》、〈中庸〉等為主之文章,其研究成果本文未能及之,心甚憾焉。惟此數篇文章寫作年代較早,細讀之,可見先生年輕時治學的歷程,及其博學而審問的態度,與後來之《詩經》學研究,實一以

---

43 車行健著:〈指南山下經師業,渡船頭邊百年功——政治大學在臺復校初始階段(1954-1982)的經學教育〉,頁73。

貫之，讀者讀之可明也。先生一生治學深廣，博涉而多優。讀先生文，則想見其人；見其人，則其文孔昭。今小子既見先生矣，又得觀其文而輯之，何其幸焉。

徐偉軒　二〇一八年九月

輯一　《詩經》研究

壹　研讀《詩經》應有認識之一 ──通古今之變

　　本文在以不貴古賤今，崇己抑人，信偽迷真，亦不入主出奴，黨同伐異，師心自用態度。在求其較能合乎情理、接近詩義，以及某一時代、宗派、個人所以認知之不同原因。除緒言寫作動機，結語應有觀念外，餘分十四項論之。

緒言

　　在四十多年前考師大國文研究所時，論文題目是：「知今不知古，謂之盲瞽；知古不知今，謂之陸沈，試申其義。」當時寫的雖很順手，據說得分也頗不惡。但不知今古，何以竟盲瞽，其弊如此之大？頗有加一探討的必要。檢《論衡・謝短》：「夫儒生之業，五經也。南面為師，旦夕講授章句，滑（演）習義理，究備於五經，可也。五經之後，秦，漢之事無不能知者，短也。[1] 夫知古不知今，謂之陸沈；然則儒生，所謂陸沈者也。五經之前，至於天地始開，帝王初立者，主名為誰，儒生又不知也。夫知今不知古，謂之盲瞽。五經比於上

---

[1] 就文義觀之，「無不能知者，短也」有問題。無，當為有之別。不然，當以裴學海《古書虛字集解》頁903「無、語助也，訓見《經傳釋詞》，《詩・文王》篇『無念爾祖』《毛傳》曰：『無念，念也。』〈抑〉篇『如彼泉流，無淪胥以亡』」之解為妥。

古，猶為今也。徒能說經，不曉上古；然則儒生，所謂盲瞽者也。」
又曰：「溫故知新，可以為師；古今不知，稱師如何。」[2]

　　一個讀書人，假如不知今古之變，瞭解每一時代學術理論、文化
思想、技藝特色突顯的歧異情形。想了悉某一問題的演變，甚至某一
書各時代所認知、說解與詮釋的不同，是相當難，相當有爭議性的。
讀《詩經》之所以困難，所謂今文古文不同，宗派不同，《詩》無達
詁等問題，我想就出在這裏。現本司馬遷〈報任少卿書〉所云：「欲
以究天人之際，通古今之變，成一家之言。」[3]特取「通古今之變」
以為說，而成此文，以請教於方家，祈博雅君子，能不吝賜教。

一　就天授神話言之

　　此就神化其人偉大，為天所授與，任何人不得違逆之傳說方面，
以瞭解對《詩》的認知、說解與詮釋。《大雅・生民》：

> 履帝武敏，歆。(《評釋》：「履：踐也，帝：上帝也，武：足跡
> 也，敏：拇也，足大指也。歆、欣喜也。二句言姜嫄足踐天帝
> 足跡之拇指處，乃歆然心為之動，如有人道之感也。」)[4]

《商頌・玄鳥》：

> 天命玄鳥，降而生商。(《評釋》：「玄鳥：燕也。相傳高辛氏妃

2　〔漢〕王充：《論衡》，《諸子集成》（臺北：世界書局，1955年），頁125。
3　〔南朝梁〕蕭統：《昭明文選》（仿宋影印孫批胡刻，臺北：弘道，1972年），卷41，
　　頁7。
4　朱守亮：《詩經評釋》（臺北：學生書局，1984年），頁751。

簡狄，吞燕卵而生契。生商：謂生契也。契為堯時司徒，佐禹
治水有功，封於商，賜姓子氏，是為商之始祖，故曰生
商。」）[5]

　　不僅周、商始祖誕生有如此神話。夏禹之生，也是這樣。《史
記‧夏本紀》〈正義〉：「帝王紀云：父鯀妻脩己，見流星貫昴，夢接
意感，又吞神珠薏苡，胸坼而生禹。」[6]甚至漢高祖之生，《史記》亦
有「其先劉媼，嘗息大澤之陂，夢與神遇。是時雷電晦冥，太公往
視，則見蛟龍於其上，已而有身，遂產高祖。」[7]至孔子之生，禱於
尼丘。生時「二龍繞室，五老降庭。」[8]耶穌之生，母係童女，生時
滿天星光西移，馬槽云云，想也是如此。今仍有活菩薩轉世，楊二郎
再生等說，又有甚麼奇怪？即今之偉大人物，似亦多如此。假如不像
《詩‧大雅‧假樂》所云「受祿於天，保佑命之，自天申之」[9]涵有
任何人不得懷疑違逆意，怎能統治天下？而說是「馬偕醫院婦產科王
醫師接的生，隔壁阿秀姐護士剪的臍帶，洗的澡」，完了，不神奇
了。一定要編出甚多奇妙神話，富有不可思議性，對吧？讀古書，如
不瞭解這些，是會生氣，讀不通的。

5　朱守亮：《詩經評釋》，頁950。

6　〔漢〕司馬遷著，〔唐〕張守節正義，〔宋〕裴駰集解：《史記》，（影印清乾隆武英殿
　　刊本，臺北：藝文印書館，1955年），卷2，頁1下。

7　《史記》，卷8，頁2上。

8　幼時讀私塾記憶，今無從查出處。【編按：〔金〕孔元措：《孔氏祖庭廣記》（臺北：
　　廣文書局，1970年），卷8，〈先聖誕辰諱日〉：「周靈王二十一年庚戌，歲即魯襄公
　　二十二年，當襄公二十二年冬十月，庚子日，先聖生，十月庚子即之八月二十七
　　日。是夕有二龍繞室，五老降庭，五老者，五星之精也。」（頁1下-2上）】

9　〔漢〕毛公傳，〔漢〕鄭玄箋，〔唐〕孔穎達疏：《毛詩注疏》（影印清嘉慶二十年江
　　西南昌府學刊本，臺北：藝文印書館，1955年），卷17之3，頁1上。

二　就學術思想言之

此就有系統而較專門的學問與思維想法方面，以瞭解對《詩》的認知、說解與詮釋。《中國哲學史‧緒言》：

> 自宋以來，敘述學派源流之書，視古加詳，而門戶之爭亦漸盛，蓋莫不推尊濂、洛，上紹孔、孟，於七十子之徒及漢、唐學者，皆有所絀焉，於是有漢學、宋學之分。晚清漢學之幟復張，其絀宋學也又甚。故同一宋學也，尚時則有洛、蜀之分黨，有朱、陸之異同，有永嘉、永康之雜學。明以後又有朱學、王學之爭，交相非而未有已也。又況宋學之外，又有漢學？漢學之外，又有異端釋、老之說，尤道不同不相為謀者哉？雖敘述源流之書，亦視出於何派之學者，其抑揚進退，恆各殊科。是以學者欲通觀古今學術之變遷，實難得一適當之書也。[10]

《中國文學史》：

> 《詩經》在秦、漢之後，因其地位的抬高，反而失了她的原來的巨大威權，這乃是時代的自然淘汰所結果，非人力所能勉強的。[11]

10　謝无量：《中國哲學史》（臺北：中華書局，1967年），頁3。

11　明倫編輯部：《中國文學史》（臺北：明倫出版社，1969年），頁36。【編按：此書為鄭振鐸（1898-1958）所作。見鄭振鐸：《插圖本中國文學史》（臺北：莊嚴出版社，1991年1月，第四章〈詩經與楚辭〉，頁36】

　　前者是說學術思想，不僅有時代差異，宗派門戶差異，甚而有個人差異。後者是說《詩經》的文學性地位抬高後。其政治《詩》教，學術思想，曾大放異采的權威性就漸失了。時代演變如此，其勢是不可違逆的。試觀《文心雕龍‧時序篇》[12]，可盡得學術思想、文章變化，因時代不同而產生的歧異。識乎此，也瞭解了為甚麼一部《詩經》，一首詩或一句話，甚而一字一音，分別在不同時代，不同宗派，不同個人的著述稱引中，表現在學術思想上有所不同之原因。此在下二節政治《詩》教中尤可看出。漢、宋的學術思想不同，甚而今、古文的立場不同，孟、荀的個人修持不同，所以對《詩》的認知、說解與詮釋，也就各異了。時至今日，很多人動不動仍「子曰」如何如何、「《詩》云」如何如何，否則為離經叛道。說《詩》宗派之所以壁壘分明，個人解說之所以大相逕庭，也由此可以看出了。今日《聖經》的如何如何、《三民主義》的如何如何，甚而憲法律令、國統綱領的如何如何，又何嘗不是如此？

三　就政治詩教言之

　　此就政治的盛衰，與《詩》教的功能方面，來瞭解對《詩》的認知、說解與詮釋。〈詩譜序〉：

> 文、武之德，光熙前緒，以集大命於厥身，遂為天下父母，使民有政有居。其時詩，〈風〉有〈周南〉、〈召南〉，〈雅〉有〈鹿鳴〉、〈文王〉之屬。及成王，周公致太平，制禮作樂，而

12　〔南朝梁〕劉勰著，范文瀾注：《文心雕龍注》（臺北：開明書局，1958年），卷9，頁22-24。

有〈頌〉聲興焉，盛之至也。本之由此〈風〉、〈雅〉而來，故皆錄之，謂之《詩》之正經。後王稍更陵遲，懿王始受譖亨（享）齊哀公，夷身失禮之後，〈邶〉不尊賢。自是而下，厲也、幽也，政教尤衰，周室大壞。……故孔子錄懿王、夷王時詩，訖於陳靈公淫亂之事，謂之變〈風〉、變〈雅〉。[13]

《禮記·經解》：

入其國，其教可知也，溫柔敦厚，《詩》教也。[14]

《淮南子·泰族訓》：

溫惠柔良者，《詩》之風也。[15]

《論語·為政》：

《詩》三百，一言以蔽之，曰：「思無邪。」[16]

《論語·八佾》：

〈關雎〉樂而不淫，哀而不傷。[17]

---

13 《毛詩注疏》，〈詩譜序〉，頁3上-5下。

14 〔漢〕鄭玄注，〔唐〕孔穎達疏：《禮記注疏》（影印清嘉慶二十年江西南昌府學刊本，臺北：藝文印書館，1955年），卷50，頁1上。

15 〔漢〕劉安：《淮南子》（臺北：世界書局，1955年），卷20，頁353。

16 蔣伯潛：《四書讀本》（臺北：啟明書局，1952年），頁13。

17 蔣伯潛：《四書讀本》，頁37。

　　鄭玄的正變說，雖不可取；但時代的盛衰遠近對《詩》的影響，和〈詩大序〉的說法一樣，是可信的。而孔子與劉安對《詩》的功用看法，更是至今不變。雖如此，但因時代盛衰的不同，對《詩》的認知、說解與詮釋，亦時有極大的歧異。所以賴明德先生說：「純粹以宏揚儒家政治教化的立場，在傳布聖功王道的思想，和作詩者的本意有很大的差距。」[18] 識乎此，我們可以瞭解，不僅漢、宋的認知、說解與詮釋有別，即《毛傳》、《鄭箋》、《孔疏》，雖同為一大巨流，也各有不同。《詩序》的「后妃之德」，《集傳》的「淫奔期會」，各有其時代性，現在就詩本身看來，可能全是兩情相悅的純粹愛情詩了。又過去講貞節，說禮教殺人，現在談戀愛出問題而自殺。《詩經》中多以高個子「碩人」為美，現在卻為「苗條」減肥，甚而送命。時尚所趨使然，真正的價值標準，又在那兒呢？

四　就宗教信仰言之

　　此就宗教的尊崇、信仰方面，以瞭解對《詩》的認知、說解與詮釋。《周頌・維清》：

> 維清，緝熙文王之典，肇禋，迄用有成，維周之禎。（《評釋》：「歸功文王，宗祀其德，念茲在茲，惓惓不忘之義。」）[19]

《大雅・大明》

18　賴明德：〈詩經導讀〉，見周何、田博文主編：《國學導讀叢編》（臺北：康橋，1979年），頁180。

19　朱守亮：《詩經評釋》，頁867-868。

小心翼翼，昭事上帝。(《正義》:「小心而恭慎翼翼然，明事上
天之道。」)[20]

《周頌‧我將》

畏天之威，于時保之。(《評釋》:「畏天命之威，敬行天事，保
有天與文王所降予我者也。」)[21]

　　各時代的宗教信仰不同，所崇尚方式亦有異。在《詩經》時代，
是一個一切禍福休咎，乃上天或老祖宗所賜予的，所以常用祭祀祝禱
祈福除害。這種宗教詩，或因自然界迅雷風烈變化而驚恐的祭祀詩，
太多太多了，別僅以現代的眼光，純迷信視之，而予以批評或否定。
要知道時至今日，文明發達如此，除國人仍動不動「老天爺」、「阿彌
陀佛」外，就是科技最發達的先進國家，還不是也「阿拉真主」、「耶
和華」、「阿門」不絕口？更值得注意的，國人的摸骨，與西方的看手
相有何不同？至卜卦、抽籤、拜拜，雖有人不以為然；但西方的講星
座、進教堂望彌撒又如何說呢？這不僅宗教信仰，因時代性不同有而
歧異，甚而又牽涉到空間性了。

五　就人生哲理言之

　　此就個人有積極、消極，樂觀、悲觀等哲理方面，以瞭解對
《詩》的認知、說解與詮釋。《中國文學發展史》:

20　《毛詩注疏》，卷16之2，頁3上。
21　朱守亮:《詩經評釋》，頁874。

「家父作誦，以究王訩。」（《小雅·節南山》）「寺人孟子，作為此詩，凡百君子，敬而聽之。」（《小雅·巷伯》）「心之憂矣，我歌且謠。」（《魏風·園有桃》）「吉甫作誦，以贈申伯。」《《大雅·崧高》）由這些話，我們可以知道作者都是有所為而作，或是贊美，或是諷刺，已經把作者的思想人格放進到作品裏。[22]

《論語·陽貨》：

子曰：「小子，何莫學夫《詩》，《詩》可以興，可以觀，可以群，可以怨。」[23]

由劉大杰的「把作者的思想人格，放進到作品裏」言，可以知道詩能表達一己的思想與人生哲理。而興、觀、群、怨，雖就詩的陶冶性情而言，亦已牽涉到紓發一個人的人生哲理。《莊子·天下》篇「《詩》以道志」[24]，《左傳·襄公二十七年》「鄭伯享趙孟於垂隴，子展、伯有、子西、子產、子大叔、二子石從。趙孟曰：『七子從君，以寵武也。請皆賦以卒君貺武，武亦以觀七子之志。』」[25]由「道志」、「觀七子之志」，可知賦詩能瞭解一個人的人生哲理，說的再清楚不過了。而《詩經》所顯示的人生哲理，或稱人生觀，有積極、消極，樂觀、悲觀，克制、放縱等，當然因個人的心志和感受不同，而

22 劉大杰：《中國文學發展史》（臺灣：中華書局，1956年），頁33。

23 蔣伯潛：《四書讀本》，頁267。

24 〔清〕郭慶藩集釋：《莊子集釋》，《諸子集成》（臺北：世界書局，1955年），頁462。

25 〔晉〕杜預注，〔唐〕孔穎達正義：《春秋左傳注疏》（影印清嘉慶二十年江西南昌府學刊本，臺北：藝文印書館，1955年），卷38，頁12下。

所表現亦異了。如《衛風・淇奧》、《大雅・抑》之克己復禮，敬慎自傲；《大雅・常武》、《小雅・六月》之振奮堅強，克敵有功；《鄭風・蘀兮》、〈女曰雞鳴〉之家居自適，夫妻和樂，在在都流露出積極面而樂觀的人生哲理。《陳風・衡門》、《衛風・考槃》之淡泊明志，隱居自樂；《王風・黍離》、《小雅・正月》之故宮禾黍，憂國將亡；《王風・兔爰》、《檜風・隰有萇楚》之世亂愁苦，厭世悲觀；《魏風・伐檀》、〈碩鼠〉之痛叱尸位素餐，重斂貪殘；也都充滿了否定生命意義和漠視生活目的的人生思想。[26]又《衛風・伯兮》以丈夫出征，為王前驅為榮；《邶風・擊鼓》戍卒遠役，思歸不得為苦，真的「憂樂無準」，各有不同的人生觀了。今日或踴躍從事，或逃避兵役，或競選為公僕，或倦勤不幹了，亦皆如此。即退休後有的喜歡縱樂、遨遊，有的喜歡下棋、打麻將，有的喜歡散步、習畫畫、種花草，皆各適其性，又何獨不如此？

六　就陶冶性情言之

　　此就性情是否溫柔敦厚，純正中和陶冶功用方面，以瞭解對《詩》的認知、說解與詮釋。〈詩大序〉：

　　吟詠情性，以風其上。[27]

　　《文心雕龍・明詩》：

26　「悲觀、消極」以下云云，有就賴明德先生〈詩經導讀〉（《國學導讀叢編》，頁179）為說者。又或採自《詩經評釋》頁176、800、846、495、249、242、376、179、205、547、215、339、309、312等該詩之分析說明。
27　《毛詩注疏》，卷1之1，頁13下。

詩者持也，持人情性，三百之蔽，義歸無邪，詩之為訓，有符焉爾。[28]

〈詩義述聞〉：

詩對於人生社會的作用，是從文藝修養來培育人的品德，是一種潛移默化極優美的教育，可以陶鑄性情。[29]

〈我們為甚麼要讀詩經〉：

因為詩歌是感情的流露，《詩》教即本於性情，注重於純真情志的表達，所以增進文學修養，就有陶冶性情的功能。[30]

又言：

研讀《詩經》，是可從增進文學的修養中，來學作人，而得到性情之正。[31]

或作情性，或作性情，意義無甚不同。一個人的性情，能陶冶至純正中和，溫柔敦厚境地。自會如孔子之「樂而不淫，哀而不傷」[32]、

---

28 《文心雕龍注》，卷2，頁1。

29 熊公哲等著：《詩經研究論文集》（臺北：黎明，1982年），頁86。【編按：〈詩義述聞〉一文為華仲麐先生所撰。】

30 熊公哲等著：《詩經研究論文集》，頁36。【編按：〈我們為什麼要讀詩經〉一文為裴普賢教授所撰。】

31 熊公哲等著：《詩經研究論文集》，頁38。

32 周何、田博文主編：《國學導讀叢編》，頁37。

司馬遷之「國風好色而不淫，小雅怨誹而不亂」[33]之論。而《邶風‧谷風》的「威儀棣棣，不可選也。」謂威儀容止，雍容閒習，甚多可稱，不可數說。《衛風‧淇奧》的「寬兮綽兮，猗重較兮，善戲謔兮，不為虐兮。」謂儀態雍容大方，雖善開玩笑，但並不過分刻毒尖酸。《大雅‧烝民》的「柔嘉維則，令儀令色，小心翼翼，古訓是式，威儀是力。」又「柔亦不茹，剛亦不吐，不侮矜寡，不畏強禦。」謂維以和善為法則，待人善其威儀顏色；又小心恭敬，以古訓為法，勉力修養一己，終至剛柔不偏，純正中和最高境界。[34]今世常云：「某某人有無書卷氣」，亦就此而言。我常這樣想，飽讀詩書的人，絕對能得性情之純正中和，而無過或不及乖戾暴亂之氣。也就因此，〈詩大序〉所說，大至國家社會的「美教化，移風俗」，小至家庭倫理的「經夫婦，成孝敬」，亦皆落眼在此。性情既得陶冶而純正中和後，其效用有時會超乎法、理之上。假如一個家庭太講理，太講法，而說「孩子的奶是太太沖的，先生就應該換尿布。」或「飯菜是太太作的，先生就應該洗碗。」如此嚴守規律的話，那似乎又不善處理家庭問題，遑談讀《詩》，而未能得其純正中和，溫柔敦厚性情之陶冶了。

七　就賦詩見志言之

此就出使四方，能言辭犀利，折衝樽俎，達成任務，不辱君命方面，以瞭解對《詩》的認知、說解與詮釋。《論語‧季氏》：

33　《史記》，卷84，頁2上。

34　「自會如」以下云云，有就簡翠貞先生〈溫柔敦厚與興觀群怨〉（《詩經研究論文集》，頁120）為說者。又或採自《詩經評釋》頁100、頁177、頁831至833等該詩之分析說明。

不學《詩》，無以言。（蔣伯潛〈廣解〉：「《詩》為寫入情事理的文學作品，且多比興之作，故與言辭有關。」）[35]

又《論語‧子路》：

誦詩三百，授之以政，不達。使於四方，不能專對，雖多亦奚以為。（朱熹〈集註〉：「《詩》本人情，該物理，可以驗風俗之盛衰，見政治之得失。其言溫厚和平，長於風諭，故誦之者，必達於政而能言也。」）[36]

讀《詩》可以豐富一己的言辭，而完成外交上的使命。如《左傳》所載，朝聘會盟之時，皆須賦《詩》見志言，即有《左傳‧襄公十六年》載魯大夫穆叔至晉告急，賦《小雅》的〈祈父〉與〈鴻雁〉，感動了晉君，出兵以救魯國的危困。又〈襄公二十年〉載魯季武子報聘於宋，賦《小雅》的〈常棣〉而敦睦了兩國的深厚友誼。又〈襄公三十一年〉戴叔向讚子產的才華，引《大雅‧板》以為辭。《左傳‧昭公二年》載韓宣子報聘於衛，北宮父子賦《衛風‧淇奧》，宣子賦〈木瓜〉，兩國因之和好。又十六年載鄭六卿餞宣子於郊，子產賦鄭之〈羔裘〉，子大（太）叔賦〈褰裳〉，子游賦〈風雨〉，子旗賦〈有女同車〉，子柳賦〈蘀兮〉等，宣子皆有讚語，而後賦〈我將〉以示友好。《左傳‧定公四年》載吳入郢，申包胥如秦乞師，秦哀公賦《秦風‧無衣》，而示出師救楚，[37]在在都說明了賦

---

35 蔣伯潛：《四書讀本》，頁259。
36 蔣伯潛：《四書讀本》，頁194。
37 《春秋左傳注疏》，卷33，頁4下-5上；卷34，頁10下；卷40，頁18下，卷42，頁2下-3下；卷47，頁20上-22上；卷54，頁27下。

《詩》見志的顯例。所以《漢書・藝文志》也有「登高能賦，可以為大夫」[38]的話。登會盟之壇，能賦《詩》見志，而學《詩》能言，不辱君命，當然可以受命為政，達成任務了。即今日辦外交，不能言善道，講幾句蘇格拉底、柏拉圖、莎士比亞，或某某總統、領導重要人物的學說與言論如何如何；又怎能達成協議，發表聯合聲明，進入國際會議場合？

八　就持家事君言之

此就庭訓齊家與事君治國方面，以瞭解對《詩》的認知，說解與詮釋。《論語・陽貨》：

> 子曰：「小子，何莫學夫《詩》，《詩》可以興，可以觀，可以群，可以怨，邇之事父，遠之事君。」（〈蔣伯潛廣解〉：「（《詩》）小之則寫家庭之情感，故近之可以事父；大之則陳政治之美刺，故遠之可以事君。」）[39]

又：

> 子謂伯魚曰：「女為《周南》、《召南》矣乎？人而不為《周南》、《召南》。其猶正牆面而立也與？」（朱熹《集註》：「《周南》、《召南》，《詩》首篇名，所言皆修身、齊家之事。」）[40]

---

38 〔漢〕班固著，〔唐〕顏師古注，〔清〕王先謙補注：《漢書補注》（影印清乾隆武英殿刊本，臺北：藝文印書館，1955年），卷30，頁58。
39 蔣伯潛：《四書讀本》，頁267至268。
40 蔣伯潛：《四書讀本》，頁268。

《大雅・烝民》：

> 夙夜匪解，以事一人。（《正義》「早起夜臥，非有懈倦之時，
> 以常尊事此一人之宣王也。」[41]《正義》又於《孝經・鄉大夫
> 章》云「以事一人，不言天子而言君者，欲通諸侯卿大夫
> 也。」）[42]

　　在《大學》中，關於齊家、事君等說，引《詩》作證明的地方太多了。其在齊家、治國云云，於引《周南・桃夭》下「宜其家人，而后可以教國人」，引《小雅・蓼莪》下「宜兄宜弟，而后可以教國人」，結以《曹風・鳲鳩》「其儀不忒，正是四國」[43]的話，最能說明由事父齊家，推而到事君治國的道理。這與朱注「所言皆修身、齊家之事」，孔穎達「以事一人，不言天子，而言君者，欲通諸侯卿大夫也」等言，是相通的。後來常用的「庭訓《詩》《書》傳家」等，不也是如此嗎？俗話又說：「學琴的孩子不會壞」，那麼讀《詩》的孩子，將來也真的可以由「宜其家人，而後可以教國人」，而能「邇之事父」，先作到齊家；「遠之事君」，再作到治國了。

九　就風土禮俗言之

　　此就史地環境，民情禮俗方面，以瞭解對《詩》的認知、說解與詮釋。《禮記・王制》：

41　《毛詩注疏》，卷18之3，頁14下-15上。
42　〔唐〕李隆基注，〔宋〕邢昺疏：《孝經注疏》（影印清嘉慶二十年江西南昌府學刊本，臺北：藝文印書館，1955年），卷2，頁5上。
43　蔣伯潛：《四書讀本》，〈大學〉，頁16。

命太師陳詩，以觀民風。(《集說》：「詩以言志，采錄而觀覽之，則風俗之美惡可見。」) [44]

《漢書・藝文志》：

古有采詩之官，王者所以觀風俗，知得失，自考正也。[45]

《孔叢子・巡狩》：

古者天子將巡狩，必先告於祖禰。……命史采民詩謠，以觀民風。[46]

由此可知《詩》可充份表現出民間的風土禮俗，觀其美惡得失，除可作修正政治的措施外，亦當可知其風土禮俗之所來也有自。《詩經評釋》：「(《唐風》) 其地土瘠民貧，勤儉質樸，憂深思遠，有唐堯之遺風也。」[47]於最後一語，又深可知《詩》之所以如此的歷史時代性。除《雅》、《頌》許多詩，前人或有明示外，至《國風》的某風之所以多「中正之音」，所以多「憂患意識」，所以多「好強使勇」，所以多「男女之情」，其歷史時代絕不可忽視。因之，古今的發展變遷不同，背景因素有異，當然某些詩所代表的時代意義或內涵情志；甚而後人對此情形的看法，也就多樣化了。復古、疑古、反古的所以壁壘分明，對《詩》的認知、說解詮釋的所以不同，原因想皆緣於此

---

44 〔宋〕衛湜：《禮記集說》(影印粹芬閣藏本，臺北：啟明書局，1956年)，頁69。
45 《漢書補注》，卷30，頁9下-10上。
46 《孔叢子》(臺北：廣文書局，1965年)，頁39。
47 朱守亮：《詩經評釋》，頁315。

吧。我在《韓非子‧五蠹》考評中有「韓非子真真知古、反古、變古，故文中處處古今對舉，明其古今之變，方能因時制宜，而救急世也」[48]的話，也是有感而發的。再說《周南‧葛覃》詩，胡適之以為「描寫女工放假急忙要歸的情景」[49]，此又犯了以今例古的毛病。不知當時有無通用電子公司，花旗銀行的朝九晚五上下班情事？又有沒有國慶日、光復節、教師節，乃至彈性放假，高速公路大塞車的情事？又《召南‧小星》詩，胡適以為「寫妓女生活最古記載」。「然古未有妓，至漢武始置營妓，以待軍士之無妻室者，見漢武外史。」[50]我在《詩經評釋》中，除不同意胡說外；再試想即使那時有妓女制度，妓女能「夙夜在公」嗎？妓女有「抱衾與裯」的嗎？這除忽略了今古不同情事外，也違背常情了。至漢之「后妃之德」云云，宋之「淫奔之女」云云，也是時代不同所引起的認知歧異。《周禮》的「奔者不禁」[51]，視今之「我愛紅娘」、「牽手之旅」、「第二春聯誼」，又有過之而無不及了。了悉到古今的不同，時代的差異，豈祇讀通《詩》可以心領神會而自得之，讀任何書又何獨不然？

---

48 朱守亮：《韓非子釋評》（臺北：五南書局，1992年），頁1755。

49 朱守亮：《詩經評釋》，頁44。

50 朱守亮：《詩經評釋》，頁88。【編按：胡適之言〈葛覃〉、〈小星〉二詩，係出於〈談談詩經〉，原為民國14年在武昌大學演講的講稿，後發表於《藝林旬刊》第20期，復收於《古史辨》中，見顧頡剛：《古史辨》第3冊。然而胡適文中談及〈葛覃〉詩為「女工放假急忙要歸的情景」，周作人在〈談〈談談詩經〉〉（《古史辨》第3冊）一文拈出批評，因此胡適在收錄於《古史辨》之文中，已將該則刪去。今學者們所引述者，多自周作人文中來。】

51 「中春之月，令會男女，於是時也，奔者不禁。」（《周禮‧媒氏》，卷14，頁15上-16上。）

十 就戀愛婚姻言之

此就青年男女的兩情相悅戀愛，成年後的完成終身大事結婚方面，以瞭解對《詩》的認知、說解與詮釋。《詩集傳・序》：

> 凡《詩》之所謂風者，多出於里巷歌謠之作，所謂男女相與詠歌，各言其情者也。[52]

〈詩經導讀〉：

> 《詩經》中有關男女間的相愛和結合這種人類社會的重大課題，不但有詳切的記述，而且所佔的篇章也為數不少。[53]

〈論詩經中的戀愛和婚姻主題〉：

> 《詩經》中寫出了青年男女對愛情的渴望，大膽的求愛、相思、幽會的苦樂，熱戀過程中感情的波瀾，結婚時的歡樂。對於強暴的反抗，對於行役丈夫的思念，個人意志和父母之命的衝突，失戀和被棄的感傷。以及對統治階級荒淫、無恥的揭露等，可以說相當全面地反映了當時社會一般人民及貴族統治階級的愛情婚姻生活。[54]

---

52 〔宋〕朱熹：《詩集傳》（臺北：臺灣中華書局，1969年），頁2。
53 周何、田博文主編：《國學導讀叢編》，頁178。
54 張士驄、李厚基合著：〈論詩經中的戀愛和婚姻主題〉，《文學遺產增刊三輯》（北京：人民出版社，1956年），頁40至41。

　　戀愛是青年男女的大事，有的為此而不要江山帝位，甚而相互犧牲性命殉情者。結婚更是成年男女的大事，除今所謂「愛情結合」外，更是古時所謂的人倫之始。所以《中庸》說：「君子之道，造端乎夫婦。」[55]《易‧序卦》說：「有天地然後有萬物，有萬物然後有男女，有男女然後有夫婦，有夫婦然後有父子，有父子然後有君臣，有君臣然後有上下，有上下然後禮義有所錯（措）。」[56]如此重要。結婚除了《禮記》的諸多規定外，而父母之命，媒妁之言，卜筮吉凶，甚而結婚合適時間，交通工具，亦有詳細記載。[57]《詩經》中的幸福家庭，固然多有，如《鄭風‧女曰雞鳴》的「琴瑟在御，莫不靜好」、《齊風‧雞鳴》的「甘與子同夢」皆是。但〈衛風‧氓〉的「女也不爽，士貳其行；士也罔極，二三其德」、《小雅‧谷風》的「將恐將懼，維予與女（汝）；將安將樂，女轉棄予」，棄婦遇人不淑的痛苦婚姻也不少。[58]至青年男女戀愛，不僅詩多，變化多，且內容豐富；而戀愛自由情形，絕不亞於今日。又《鄭風‧褰裳》的「子惠思我，褰裳涉溱；子不我思，豈無他人？狂童之狂也且。」[59]有「教我低頭，門都沒有，天下又不祇你一個男孩子」那火辣辣的口氣，極似今日的小太妹。而今日諸多少女的蹺家，與古之「奔者不禁」，又有甚麼兩樣？

55　蔣伯潛：《四書讀本》，〈中庸〉，頁11。

56　〔魏〕王弼、〔晉〕韓康伯注，〔唐〕孔穎達疏：《周易注疏》（影印清嘉慶二十年江西南昌府學刊本，臺北：藝文印書館，1955年），卷9，頁12下-13上。

57　《豳風，七月》，卷8之1，頁11下。《齊風，南山》，卷5之2，頁1-2。《衛風，氓》，卷3之3，頁1。

58　朱守亮：《詩經評釋》，頁243、頁271、頁187、頁593。

59　朱守亮：《詩經評釋》，頁252。

十一　就詠歌樂舞言之

此就紓發宣洩人之情志吟詠、歌唱、音樂、舞蹈等方面，以瞭解
對《詩》的認知與詮釋。〈詩大序〉：

> 情動於中而形於言，言之不足，故嗟歎之；嗟歎之不足，故永
> 歌之；永歌之不足，不知手之舞之，足之蹈之也。[60]

《詩集傳·序》：

> 人生而靜，天之性也。感於物而動，性之欲也。夫既有欲矣，
> 則不能無思。既有思矣，則不能無言。既有言矣，則言之所不
> 能盡，而發於咨嗟詠歌之餘者，必有自然之音響節族（奏）而
> 不能已焉，此詩之所以作也。[61]

《鄭風·子衿》〈毛傳〉：

> 古者教以詩、樂，誦之、歌之、絃之、舞之。[62]

《墨子·公孟》：

> 誦詩三百，絃詩三百，歌詩三百，舞詩三百。[63]

---

60 《毛詩注疏》，1之1，頁5上。
61 〔宋〕朱熹：《詩集傳》，頁1。
62 《毛詩注疏》，4之4，頁6上。
63 〔清〕孫詒讓：《墨子閒詁》（臺北：世界書局，1962年），卷12，頁275。

　　由上述知詩為至情之表現，人性之流露。是詩之為作，由於心志情性，詠歌嗟歎，依聲和律，而至手舞足蹈。詩之形成是如此，其紓發宣洩功用亦必如此。所以《詩經》中多的是吟詠、歌唱、音樂、舞蹈的詩篇。這些詩篇，多在紓發個人或群族的悲歡離合、刺惡美善情感，《風》詩中多如此。描繪朝會燕饗的升降進退，禮儀和洽場面，《雅》詩中多如此。增加祝告祭祀的肅穆莊嚴，虔誠敬慎氣氛，《頌》詩中多如此。在吟詠、歌唱方面，如《邶風・柏舟》的「心之憂矣，如匪澣衣」、《魏風，園有桃》的「心之憂矣，我歌且謠」、《小雅・節南山》的「家父作頌，以究王訩」是。在音樂舞蹈方面，如《周南・關雎》的「鐘鼓樂之」、「琴瑟友之」、《邶風・簡兮》的「碩人俁俁，公庭萬舞」、《小雅・伐木》的「坎坎鼓我，蹲蹲舞我」，又〈賓之初筵〉的「籥舞笙歌，樂既和奏」、《大雅・靈臺》的「鼉鼓逢逢，矇瞍奏公」是。[64]我常這樣想，《詩經》中除吟詠、歌唱外，其所以又多音樂、舞蹈者，蓋三者同源，本為一體。吟誦之詞，是詩；拍手、拊髀、擊缶之節拍，是後之音樂；投手頓足之動作，當然就是舞了。所以《禮記・樂記》云：「詩，言其志也；歌，詠其聲也；舞、動其容也；三者本於心，然後樂器從之。」[65]時至今日，又何嘗不是如此。現在諸多的吟唱，音樂會，舞會等，儘管舞具、樂器增多，場地、處所擴大，燈火、設備、布置也更有氣派而不同，但紓發宣洩人之心志情性功用，是絕無兩樣的。

---

64 朱守亮：《詩經評釋》，頁101、頁303、頁545、頁40、頁131、頁458、頁659、頁740。

65 《禮記注疏》，卷38，頁12下。

十二　就美善刺惡言之

　　此就人的善惡，事的優劣，物的良窳而美之刺之方面，以瞭解對
《詩》的認知、說解與詮釋。〈詩大序〉：

　　　　頌者，美盛德之形容，以其成功告於神明者也。[66]

《六藝論》：

　　　　今《詩》所用，誦美譏過。[67]

《周南・兔罝》，朱〈傳〉：

　　　　化行俗美，賢才眾多，雖罝兔之野人，而其才之可用猶如此，
　　　　故詩人因其所事以起興而美之。[68]

《詩・大序》：

　　　　上以風化下，下以風刺上，主文而譎諫，言之者無罪，聞之者
　　　　足以戒，故曰風。[69]

66　《毛詩注疏》，卷1之1，頁16下。
67　〔漢〕鄭玄：《六藝論》，《玉函山房輯佚書》第三冊，輯文下有〈詩譜序・疏〉（影
　　印同治十年辛未濟南皇華書局補刻，京都：中文出版社，1979年），頁2061。【編
　　按：《毛詩注疏》〈詩譜序，疏〉載：「《藝論》所云『今詩所用，誦美譏過。』」（詩
　　譜序，頁1下）】
68　〔宋〕朱熹：《詩集傳》，卷1，頁5。
69　《毛詩注疏》，卷1之1，頁11下。

《魏風‧碩鼠》之〈序〉：

> 碩鼠，刺重斂也。國人刺其君重斂，蠶食於民，不脩其政，貪而畏人，若大鼠也。[70]

　　〈詩序〉、朱〈傳〉所說的美與刺，雖不盡可信，但《詩》中確有太多真真有善可美，有惡可刺的詩篇。以下僅就人或涉及事方面而言。如《鄘風‧淇奧》〈序〉：「〈淇奧〉，美武公之德也。有文章又能聽其規諫，以禮自防，故能入相于周，美而作是詩也。」[71]其所以如此者，當然有其原因所在。徐幹《中論‧虛道》：「昔衛武公年逾九十，猶夙夜不怠，思聞訓道。」[72]《國語‧鄭語》「昔衛武公年數九十有五矣，猶箴儆於國曰：『自卿以下，至于師長士，苟在朝者，無謂我老耄而舍我，必恭恪於朝，朝夕以交戒。我聞一二之言，必誦志而納之，以訓導我。』……於是乎作懿戒，以自儆也。」[73]武公如此，當然要美之了。《齊風‧南山》〈序〉：「〈南山〉，刺襄公也。鳥獸之行，淫乎其妹，大夫遇是惡，作詩而去之。」[74]其所以如此者，也當然有其原因所在。《毛傳》「襄公之妹，魯桓公夫人文姜也。襄公素與淫通。及嫁，公謫之。公與夫人如齊，夫人愬之襄公。襄公使公子彭生乘公，而搤殺之。夫人久留於齊，莊公即位後乃來。猶復會齊侯于

70　《毛詩注疏》，卷5之3，頁12上。

71　《毛詩注疏》，卷3之2，頁10上。

72　《中論》（楊家駱主編，劉雅農總校：《世界文庫‧四部刊要‧中國思想名著》，臺北：世界書局，1958年），頁14。【編按：「昔衛武公年逾九十」一句，一本作「年過九十」，見徐湘霖《中論校注》（成都：巴蜀書社，2000年），頁62。】

73　《國語韋氏解》（楊家駱主編，劉雅農總校：《世界文庫‧四部刊要‧中國史事叢書》，臺北：世界，1958年），頁395。

74　《毛詩注疏》，5之2，頁1上。

禕，于祝丘，又如齊師。齊大夫見襄公行惡如是，作詩以刺之。」[75]
襄公如此，當然要刺之了。此種情形，亦可見於今之報章雜誌，新聞
媒體的報導；以社論、黑白集，玻璃墊上，讀者投書，大家談等為
然。雖然也有溢美或打落水狗的情形，但美刺的基本精神是存在的。

十三　就表達方式言之

此就紓發宣洩人之情志，除前所述偏重在內涵外，又有各種表達
形式上的不同諸方面，以瞭解對《詩》的認知、說解與詮釋。〈詩大
序〉：

> 《詩》有六義焉，一曰風，二曰賦，三曰比，四曰興，五曰
> 雅，六曰頌。[76]

《周禮・春官・大師》：

> 大（太）師教六詩，曰風、曰賦、曰比、曰興、曰雅、曰頌。[77]

六義、六詩，名稱雖有別，次序亦不同，但其實是一樣的。大概
是風、雅、頌三者，依詩之作法而分為三種體別，也就是詩的三種表
達方式。風、雅、頌的界說問題小，賦、比、興的說解、詮釋可就多
了。不僅界說人言人殊，即同一首詩，由於認知的不同，詩義因之迥
異。真的是「仁者見之謂之仁，知（智）者見之謂之知。」[78]而「詩

---

75 《毛詩注疏》，5之2，頁1上。
76 《毛詩注疏》，卷1之1，頁9下-10上。
77 《周禮注疏》，卷23，頁13上。
78 《周易注疏》，卷7，頁12上。

無達詁」[79]了。舉例說：《召南‧野有死麕》一詩，因或賦，或比，或興說法的不同。在詩義內涵上，也就不一樣了。《詩序》云：「〈野有死麕〉，惡無禮也。天下大亂，強暴相陵，遂成淫風；被文王之化，雖當亂世，猶惡無禮也。」[80]朱熹云：「南國被文王之化，女子有貞潔自守，不為強暴所污者，故詩人因所見以興其事而美之。」[81]季本云：「女子有為吉士所誘者，而不忍絕以峻辭，諭使徐徐過從，故詩人樂道之也。」[82]章潢云：「〈野有死麕〉，亦比體也。詩人不遇，記言懷春之女，以諷士之炫才求用；而又欲人勿迫於己者。」[83]方玉潤云：「拒招隱也。……此必高人逸士，抱璞懷貞，不肯出而用世，故託言以謝當世求才之賢也。」[84]姚際恆云：「此篇是山野之民，相與及時為昏姻之詩，……定情之夕，女屬（囑）其舒徐而（勿）使帨感、犬吠，亦情欲之感而不諱也歟！」[85]胡適之先生云：「〈野有死麕〉的詩，也同樣是男子勾引女子的詩。」[86]屈萬里先生云：「此男女相悅之詩。」[87]王靜芝先生云;「此蓋山野男女相戀之詩，因贈女以獵獲之物，而終

79　《春秋繁露注》，（楊家駱主編：《增訂中國學術名著》第1輯，《增補中國思想名著》第3冊臺北：世界書局，1962年），頁68。

80　《毛詩注疏》，卷1之5，頁8上。

81　校注：〔宋〕朱熹：《詩集傳》（北京：中華書局，2017年1月），卷1，頁20。

82　校注：〔明〕季本：《詩說解頤》（景印文淵閣四庫全書本，臺灣商務印書館，1986年），卷2，〈野有死麕〉，頁18上。

83　校注：〔明〕章潢：《圖書編》（景印文淵閣四庫全書本，臺灣商務印書館，1986年）：「〈野有死麕〉，亦比也。……既炫才求用于人，又欲人勿迫于求己也，可乎哉！詩人不過託言懷春之女以諷之耳，何必質言懷春之女不污于強暴之徒歟。」（卷11，〈召南〉，頁42下-43上）上文所引，蓋為方玉潤據其意而改寫者。

84　校注：〔清〕方玉潤：《詩經原始》（臺北：藝文印書館，1960年），卷2，頁255-257。

85　校注：〔清〕姚際恆：《詩經通論》（北京：中華書局，1958年12月），卷2，頁45。

86　校注：胡適：〈談談詩經〉，顧頡剛編：《古史辨》（臺北：藍燈文化，1987年11月），第3冊，頁585。

87　校注：屈萬里：《詩經釋義》（臺北：中華文化出版事業委員會，1953年4月），頁15。

相期會，則婚姻想當繼之而成也。」[88]同門張學波先生云：「此當是男士求愛（廣義之兩情相悅義）於女，女心許之，而仍戒其母魯莽之詩。」[89]詩義之所以如此的分歧，除未明言比、興，託言者外，想皆認為是直敘其事的賦等不同而使然了。魏子雲先生又有〈〈野有死麕〉淫詩也〉[90]一文，《詩經》中幾乎篇篇都有如此的認知不同，說時真難以取捨。我總認為：吾人今日讀《詩》，總宜就詩本文，衡量作者當時狀況，「以意逆志」。[91]而就其心志情性或直敘，或含蓄之比、興，託言之表達方式，再從贊美、歌頌、冷嘲、熱諷、痛叱、怒罵、悲鳴、哀號、低吟、泣訴等諸方面，參以其詩之時代背景，歷史演變諸多因素，去探討推測。能如此，所得結果，雖或偶有小異；當不致因甚麼表達方式不同，而離詩義太遠，發生太多歧異吧？

十四　其他

此就上述在研讀《詩經》諸多認知，須通古今之變後，尚有太多太多方法層面應注意，因不能再一一陳述，特附之於此。《說文解字注‧序》：

> 訓詁聲音明而小學明，小學明而經學明。[92]

---

88 校注：王靜芝：《詩經通釋》（臺北：輔仁大學文學院，1968年7月），頁73。

89 張學波：《詩經篇旨通考》（臺北：廣東出版社，1976年），頁30至31。【編按：〈野有死麕〉諸家說法引文，先生皆轉引自本書。】

90 《國文天地》，9卷5期，1993年10月1日，頁44-47。

91 《孟子注疏》，卷9上，頁10上。

92 〔漢〕許慎撰，〔清〕段玉裁注：《說文解字注》（影印經韵樓藏版，臺北：藝文印書館，1955年），〈序〉，頁1。

《文心雕龍・宗經》：

> 《書》實記言，而訓詁茫昧；通乎《爾雅》，則文意曉
> 然。……《詩》本言志，詁訓同《書》。[93]

　　這很顯然地告訴我們，要明通經學，或狹義說《詩經》，須由文字聲韻等之訓話方面入手。當然，連字的形、音、義都不知，古今的變化不曉，又怎能瞭解當時作者的意旨？而得其所謂真的是，真的真，真的善，真的美呢？除所引文字、聲韻、訓詁外，並須注意近世更多研究學問的方法。有的從文法、修辭方面入手；有的從論證、考辨方面入手；有的從賞析、品評方面入手；有的從比較、探討方面入手，甚至有的從所謂科學方法的歸納、統計方面人手。這些都對，也都有相當可觀的成就，所謂「條條大路通羅馬」。用的適當，都可以得到比較接近真是真非的正確研究結果。但如執著某一點，認為自己的方法最好，而是其所是，非其所非。而入主出奴，黨同伐異，那就又大有問題了。自西學東漸之後，許多人太迷信科學方法，其他皆非正途；特重歸納、統計，甚而所謂實驗。但許多問題都牽涉太多，並非僅此一途，而不多方面考慮，就可以解決一切。舉例說：眼淚的化驗結果，含水分多少，含某某元素多少都一樣，但如不考慮其他牽涉到的問題，誰能分辨出那是「喜極而泣」，那是「悲極而泣」的截然不同呢？我也常這樣想，方法沒有好壞之別，用得其當就對了。又比如治病，也千萬別認為開腦瘤、動心臟手術是大醫生；治青春痘、拉皮整形微不足道。要知道，在治病效果，拯救人的生命意義，身心健康上講，都是一樣，毫無軒輊高下之別的。某些問題的解決，是多方

93　《文心雕龍注》，卷1，頁13。

面的，運用適切皆可，過或不及都錯。識乎此，太多人囿乎今世之某某方法，排斥前人所有研究成果，而大膽的斷定如何如何，恐怕都有爭議。用甚麼賦、比、興表達方法，采甚麼權威專家觀點，得到的甚麼美刺《詩》教，或甚麼「《詩經》是封建社會官定的對人民的教科書」[94]的結果，恐怕都有問題。瑞典高本漢的權威著作《詩經注釋》，對研讀《詩經》貢獻極大，其所以不盡可信者，原因就出在太注重歸納、統計。[95]權威如高本漢者，尚且如此，何況我們？

---

94 曲家源先生撰：〈論詩經的憂患意識〉論文稿本，《詩經》國際學術研討會（河北：石家莊，1993年8月10至14日）。

95 如《周南·兔罝》「公侯干城」。《詩經注釋》：「Ａ毛傳《據爾雅》：干、扞也（守護、保護）。所以，公侯的保護和城垣，這淵源於左傳成公十二年的『此公侯之所以扞城其民』。詩曰『……（這是公侯用來保護和守護（城）人民的，詩經說……）』小雅·采芑：師干（一群保護者）。左傳襄公二十五年：『陪臣干』，（我們這些陪臣守護）。Ｂ鄭箋以為『干』是『干盾』。所以『公侯的干盾和城垣』。兩種解釋都不錯，可是我們沒有理由不用有佐證的Ａ說。」（頁24至25。）高氏採有佐證的Ａ說〈毛傳〉，蓋以為，說〈鄭箋〉無佐證，此大有問題。案《說文通訓定聲》「小爾雅·廣器：干、盾也，方言·九：盾自關而東，或謂之干。」（頁746。）《周南·兔罝》〈疏〉：「干城者、言以武夫自固，為扞蔽如盾，為防守如城然。」（頁40上）《大雅·公劉》：「干戈戚揚。」〈鄭箋〉：「干，盾也。」（頁617。）《禮·明堂位》：「朱干玉戚。」〈注〉：「朱干，赤大盾也。」（頁578。）又〈樂記〉：「比音而樂之，及干戚羽旄謂之樂。」〈注〉：「干、盾也。」（頁662。）又〈儒行〉：「禮義以為干櫓。」〈注〉：「干櫓、小楯，大楯也。」（頁679。）《公羊·宣八年》：「萬者何？干舞也。」〈注〉：「干、謂楯也。」（頁195。）《書，大禹謨》：「舞干羽于兩階。」〈傳〉：「干，楯。」（頁58。）何謂無佐證？就此一端，即可證高氏之說未盡可信，且有可議處。又記憶中，干、古字形作 ，象戰爭所用防禦護身之擋箭牌形，而戈為攻擊武器，故干戈代表戰爭。《史記·伯夷列傳》：「父死不葬，爰及干戈。」（頁851）俗語「化干戈為玉帛」即此義。又因此防禦護身之擋箭牌，在保護身騎的重要部位，而加「目」代表頭部作 ，楷書為盾。古或以（竹）木製，又加木為楯，故注、疏家多盾、楯互用。側面之形為「，正面加裝飾物「 」者則為 ，楷書為單。而戰字亦一手持攻擊武器矛，一手持防禦護身擋箭牌單。是戰字與干戈同，與矛盾同。（韓非子難勢即有矛盾說）而干或作盾，或作楯，或作單，當義無歧異。此得之高師鴻縉文字學課，因案頭無高師著述，特以己意書之於此，此當然

結語

　　經以上粗略的敘述，當可知研讀《詩經》的認知，就通古今的此一方面談，即有這麼多問題。其他方面，似亦可作如是討論。但不管如何，都應該實事求是，期其得到較能合乎情理，接近該詩所含蘊的情志。甚而某一時代，某一宗派，某一人之所以有那樣說法的種種主觀和客觀因素之所在是吧？基於此一觀念，我也想：今後作任何探討、研究，在態度上，絕不可「貴古賤今」、「崇己抑人」、「信偽迷真」。[96]甚而入主出奴、黨同伐異、抱殘守缺、師心自用。如此，始能廣開心胸，取人之長，以補己之短。否之，則必如莊周所言「天下多得一察焉以自好，譬如耳目鼻口，皆有所明，不能相通。……不該不偏，一曲之士也」[97]之識，而不能算是范曄所言「博洽多聞，時稱通儒。」[98]我在《詩經評釋》緒論、結語中說：「總宜摒除門戶學派之囿蔽，成心私見之執著，適度采納前人之研究成果，佐以有關可靠旁證資料，以新知識，新方法，發微鉤玄，推陳出新，承先啟後，光大文化。祈求其真是，而獲得真善、真美。如此研究《詩經》，則本書付梓之微旨，庶幾得之矣。」[99]那也是有感而發的。此〈研讀《詩經》應有認識之一──通古今之變〉一文，是太多太多觀念上的一點點。

　　是高氏所未之知。現筆者已有專文〈高本漢《詩經注釋》解〈周南‧兔罝〉「干」字之再商榷〉詳論此說，見彰化師範大學國文學系與中國文字學會合編：《第八屆中國文字學全國學術研討會論文集》（1997年3月），頁27至36。

96　《文心雕龍注‧知音》：「鑒照洞明，而貴古賤今者，二主是也；才實鴻懿，而崇己抑人者，班、曹是也；學不逮文，而信偽迷真者，樓護是也。」（卷10，頁13）

97　〔清〕郭慶藩集釋：《莊子集釋》，《諸子集成》（臺北：世界書局，1955年），頁463。

98　〔南朝宋〕范曄、〔西晉〕司馬彪撰，〔南朝梁〕劉昭注補，〔清〕王先謙集解：《後漢書》（影印清乾隆武英殿刊本，臺北：藝文印書館，1955年），卷27，頁5上。

99　朱守亮：《詩經評釋》，頁36。

我同好《詩經》的朋友，能否群起就各方而攻之，為共同探討、研究
而努力？

　　本文係筆者於一九九四年五月初，應臺灣師範大學國文學系邀講
演時之初稿，經略加整理而成。後來，請友人於詩經國際會議中代為
宣讀。

貳　讀《詩經‧衛風‧氓》

前言

中國文學確始於《詩經》，故於《詩經》中可了悉吾國早期時間較長，地域較廣之中國文學。除此外，深以為由《詩經》中尚可知其時代背景、社會組織、家庭倫理，甚而男女交往、追求、結合、仳離等諸多悲歡離合情事。某些詩篇，或僅能知曉某一項或某兩項問題，兼而包蘊之者比較少。但《衛風‧氓》詩，似乎含有多方面意義。茲特定其篇義，明其章旨，述其品評，並及其分析，而名之曰〈讀《詩經‧衛風‧氓》〉。

一　篇義

每一詩之篇義，究何所指，眾說紛耘，仁智互見。[1]《詩序》為最早言其每篇之義者，但因多傅會鑿空，甚而杜撰，強為之說，故滋生問題甚多。是以篤守者有之[2]，反對者有之[3]，折衷者亦有之[4]。惟邇

1　以〈關雎〉詩為例，一己所得，即有二十三說之多，將或另為文以言之，不一一詳列。

2　自唐成伯璵《詩說》懷疑《詩序》，宋之歐陽修、蘇轍繼之，興起大波瀾。雖如此，但呂祖謙、嚴粲等又篤守之，其後亦代有興替。即今日，此派學者仍多，不一一詳列。

近說詩，多就詩論詩，擺脫陳陳相因包袱。雖亦有大膽臆說，狂妄不經者[5]，但多能得其所指，接近詩之原意。〈氓〉詩之篇義究何在？問題不甚多，現述之於後。《詩序》云：

> 〈氓〉，刺時也。宣公之時，禮義消亡，淫風大行，男女無別，遂相奔誘。華落色衰，復相棄背，或乃困而自悔，喪其妃耦，故序其事以風焉，美反正，刺淫泆也。[6]

朱子《詩集傳》云：

> 此淫婦為人所棄，而自敘其事以道其悔恨之意也。[7]

歐陽修《詩本義》云：

> 據詩所述，是女被棄逐怨悔，而追序與男相得之初，殷勤之篤，而責其終始棄背之辭。[8]

3　除姚際恆《詩經通論》（臺北：廣文書局，1988年）：「曷言乎釋詩為獨難也？欲通詩教。無論辭義宜詳，而正旨篇題尤為切要。如世傳所謂《詩序》者，不得乎此，則與瞽者之倀倀何異？」（頁10）激烈語外，其他尚多，不一一詳列。

4　凡能以客觀立場，綜合有關佐證，不囿於門戶宗派，唯是是從者，多能如此，繁多不一一詳列。

5　即如〈氓〉詩，李辰冬先生之《詩經通釋》（臺北：水牛出版社，1972年8月）即出「尹吉甫向仲氏求婚時詩篇」（頁879）新義。

6　〔漢〕毛公傳，〔漢〕鄭玄箋，〔唐〕孔穎達疏：《毛詩注疏》（影印清嘉慶二十年江西南昌府學刊本，臺北：藝文印書館，1955年），卷3之3，頁1上。

7　〔宋〕朱熹：《詩集傳》（臺北：臺灣中華書局，1978年），卷3，頁37。

8　〔宋〕歐陽修：《詩本義》（影印通志堂經解本，臺北：大通書局，1969年），卷3，頁8。

　　案《詩序》指為刺，刺淫伕，且落實為「宣公之時」，一無可採。詩明言媒妁秋期，卜筮無咎，車來賄遷。何謂「禮義消亡，淫風大行」？又詩明言「三歲為婦」、「三歲食貧」，知僅結婚三年即被棄。何謂「華落色衰，復相棄背」？朱《傳》雖簡約其詞，去其「宣公之時」，「華落色衰」等語，直撮「棄」、「悔」二字言之，大有進步，但仍著「淫風」二字，似仍未完全脫離《詩序》羈絆，為一憾事。歐陽《本義》去其「淫」字，而著一「追」字、「責」字，遂使詩義大明，後之說詩者多從之，故有簡其辭而為「乃棄婦自傷之詩也」。[9]

二　章旨

　　每章章旨，因各人所定篇義不同而有異[10]。亦有雖確定篇義，但仍不言章旨者[11]，如此，則對註詩將產生諸多不便。〈氓〉之章旨如何？一己所定，當然未必妥切；但似可作一對詩義瞭解之導引，亦述之於后：

　　第一章：

9　屈萬里：《詩經釋義》（臺北：中國文化大學出版部，1980年），頁92。

10　如嚴粲篤守《詩序》。王靜芝先生：「此婦人為男人所棄，而自作之怨詞也。」（《詩經通釋》，頁145）所定篇義不同，章旨亦各有異。〔宋〕嚴粲：《詩緝》（臺北：廣文書局，1970年11月）：「一章、述始者己為男子所誘，而己許之奔也。二章、述己為男子所惑，而遂奔之也。三章、述其既奔而悔也。四章、述其愛弛而見棄也。五章、述其將至家而羞見兄弟也。六章、述其怨而自解之辭。」（卷6，頁12-16）《詩經通釋》（臺北：輔仁大學，1968年7月）：「第一章、寫男女相識之經過，及為媒聘之經過。第二章、敘訂婚至於結婚期間之過程。第三章、言嫁後初期歡娛之情，及見棄自傷之情。第四章、敘色衰而被棄也。第五章、又回憶新婚之後，持家之勞，因而傷悼也。第六章、總結其怨之意也。」（頁145-149）

11　如屈萬里先生之《詩經釋義》，裴普賢先生之《詩經評註讀本》。

> 氓之蚩蚩，抱布貿絲。匪來貿絲，來即我謀。送子涉淇，至于
> 頓丘。匪我愆期，子無良媒。將子無怒，秋以為期。

寫男女相識，發生愛情而欲結合，女子願男子順應時俗所尚，從
事媒妁之介紹，約期婚嫁之經過。

第二章：

> 乘彼垝垣，以望復關。不見復關，泣涕漣漣。既見復關，載笑
> 載言。爾卜爾筮，體無咎言。以爾車來，以我賄遷。

寫定情後、結婚前，女子迎候男子見與不見之悲喜，及欲男子卜
筮得吉、車迎賄遷之企望。

第三章：

> 桑之未落，其葉沃若。于嗟鳩兮，無食桑葚。于嗟女兮，無與
> 士耽。士之耽兮，猶可說也；女之耽兮，不可說也。

寫婚後之情，初極歡娛；但自警勿樂過其節，似已發現男子情或
不專，而暗生悔意。

第四章：

> 桑之落矣，其黃而隕。自我徂爾，三歲食貧，淇水湯湯，漸車
> 帷裳。女也不爽，士貳其行。士也罔極，二三其德。

直寫愛弛見棄，雖處夫家貧苦度日，一無差失；但以男子之行為
變異，二三其德，終遭遺棄，而自返母家。有舊夢如煙，不可追尋之
感。

第五章：

> 三歲為婦，靡室勞矣。夙興夜寐，靡有朝矣。言既遂矣，至于
> 暴矣。兄弟不知，咥其笑矣。靜言思之，躬自悼矣。

寫回憶婚後，持家甚勞，無見棄之理，何男子於言既遂後，而暴
虐相加如是？且歸而依之於兄弟，竟遭譏諷，悲痛惟有一己承擔而已。

第六章：

> 及爾偕老，老使我怨。淇則有岸，隰則有泮。總角之宴，言笑
> 晏晏，信誓旦旦。不思其反。反是不思，亦已焉哉！[12]

寫總結其深怨之意。蓋初婚本意已成怨，往昔愛戀盡消失。且男
子不反思其應反思之昔日旦旦信誓，如不「亦已焉哉」了結之，又能
如何？

三 品評

於了悉詩之篇章情志旨趣後，仍應探討其優劣價值，故後人欣賞
品評文字，似亦有撮其要者附之於此，以作進一步探討、研究參考必
要。此詩前人評論文字甚夥，現僅錄最重要者於後：朱熹云：

> 此淫婦為人所棄，而自敘其事以道其悔恨之意也。夫既與之謀
> 而不遂往，又責其所無以難其事，再為之約以堅其志，此其計

---

12 校注：〈氓〉之詩文，見《毛詩注疏》，卷3之3，頁1下-6下。

亦狡矣。以御蚩蚩之氓，宜其有餘，而不免於見棄。蓋一失其
身，人所賤惡，始雖以欲而迷，後必以時而悟，是以無往而不
困耳。士君子立身，一敗而萬事瓦裂者，何以異此，可不戒
哉！[13]

黃櫄云：

〈虻〉（氓）之一詩，女子自悔之辭也。女子之從夫，其義不
可不明，一失節於人，則終身不可復悔，所謂不待父母之命，
媒妁之言，則國人皆賤之，是故當謹於其始也。不謹之於始，
而悔之於終，其將何及？[14]

輔廣云：

〈谷風〉與〈氓〉二詩皆怨，然〈谷風〉雖怨而責之其辭直，
蓋其初以正也。〈氓〉之詩則怨而悔之耳，其辭隱，蓋其初之
不正也。嘗謂二詩皆出於衛之婦人，其文詞序次，雖後世工文
之士所不能及；然考其行，則一賢一否，如是其不同，所謂有
言者不必有德，豈不信哉！[15]

劉瑾云：

---

13 〔宋〕朱熹：《詩集傳》，卷3，頁37。
14 〔宋〕李樗、黃櫄集解：《毛詩李黃集解》（通志堂經解本，臺北：大通書局，1969
　年），卷8，頁6，總9459。
15 〔宋〕輔廣：《詩童子問》（文淵閣四庫全書本，臺北：臺灣商務印書館，1983年），
　卷2，頁9，總328。

此詩及《邶‧谷風》皆棄婦所作，故其辭意多同。桑之黃隕，
即涇濁之色也，食貧靡勞，即方舟泳游之苦也；至于暴戾，即
有洸有潰之意也；偕老而使我怨，即既生育而比子于毒也；然
則「宴爾新昏，以我御窮」，則其過今在于夫；「女之耽兮，不
可說也」，則其過昔在于己。今之過在夫，故可責其不念昔者
之來墍；昔之過在己，故終于自悔昔者之不思其反。此詩自悔
之深，固不得如〈谷風〉歸怨之深也。[16]

朱善云：

責之以良媒，是欲謀之人也，而不知人之不吾與也。要之以卜
筮，是欲詢之神也，而不知神之不吾告也。及其見棄而歸兄
弟，是欲依其親也，而不知親之醜吾行而不見恤也，亦將如之
何哉？。女之苟合者，色衰而愛弛；士之苟合者，利盡而交
絕。合之不可以苟也如此！彼淫婦之見棄不足恤矣，而士君子
之立身，其可不知所以自重也哉。[17]

　　案朱熹之「一失其身，人所賤惡」云云，黃櫄之「一失節於人，
則身不可復悔」云云，輔廣之「其初不正」，「有言者不必有德」云
云，朱善之「女之苟合者，色衰而愛弛」云云，甚至王肅之「婦人不
慎其行，至於色衰，無以自託」云云[18]，孔穎達之「男子誘之，婦人

16　〔元〕劉瑾：《詩傳通釋》（文淵閣四庫全書本，臺北：臺灣商務印書館，1983
　　年），卷3，頁47，總76-375。

17　〔明〕朱善：《詩解頤》（四庫薈要本，臺北：世界書局，1986年），卷1，頁35，總
　　27-693。

18　《毛詩注疏》，卷3，頁5上。

奔之」云云[19]，皆承《詩序》而來。觀詩中歷言其如何相識，如何戀
愛，如何結婚，如何貧苦度日，如何遭虐待而被棄。除婚前之戀愛及
初婚之極盡纏綿外，餘則字字慘戚，語語悲悔，悽愴傷懷，低徊無
限，何可仍本《序》意而再加苛責？且所責者，又較《詩序》進一
步，除淫佚禮義外，又廣及失身賢德，恐皆無必要。又方玉潤云：
「女殆癡於情焉者耳」、「未免一誤再誤，至於不可說。轉欲援情自
戒，則其情愈可矜已」、「特其一念之差，所托非人，以致不終，徒為
世笑」。[20]「一誤再誤」、「一念之差」，語有責難，不知所指者何？
「徒為世笑」，意涉輕侮，深以為非是。思純真癡情女子，委情相
托，而竟如是；則彼蚩蚩來即我謀之氓之負情背德，其何可恕！而彼
被棄之女，豈僅「情愈可矜」，亦深堪悲恤者也。前人每稱此詩與
〈谷風〉為《詩經》雙璧，既為雙璧，似不必再加「一賢一否」，「此
詩自悔之深，固不得如〈谷風〉歸怨之深。」而再苛求其瑕疵有所軒
輊也。深以為〈谷風〉辭極婉曲，故表現出欲去還留，不忍遽絕，感
傷多於憤慨；而〈氓〉則意甚切直，故表現出痛心疾首，徹底決裂，
怨怒溢于言辭。[21]要之，二者於複雜心理，痛楚情懷，皆能曲盡毫
末，傾瀉無遺，故感人至深。使人讀之，情為之結，意為之凝，久久
不能自已也。喻為雙璧，其更迭於上天，輝耀于大地，雖千古而不減
色泯滅之日月二璧歟？[22]

---

19 《毛詩注疏》，卷3，頁1上。

20 〔清〕方玉潤：《詩經原始》，卷4，頁400-402。

21 周錫（韤）：《詩經選》（臺北：遠流出版社），頁64。

22 〔南朝梁〕劉勰：《文心雕龍‧原道》（臺北：世界書局）：「日月疊璧，以垂麗天之
象。」（卷1，頁1）

四 分析

　　每一詩能作上述暸解，似可作結束。但讀詩除得其所表現之興觀群怨[23]，溫柔敦厚《詩》教外[24]，其所呈現之當時大至社會形態，小至該詩之家庭背景，甚而男女二人之情感變化，以及寫作技巧等諸方面，似又當作進一步探討。〈氓〉詩雖於此諸方面並無完整陳述，但亦頗有可言，亦述之於后：

（一）社會形態

1 貿易以有易無

　　我國最早商業貿易行為，為以有易無，日中為市，在井旁人所會聚之處，以實物交換實物。或以成品交換原料。故古有「古者市朝而無刀幣，各以其所有易無，抱布貿絲而已，後世即有龜貝金錢，交施之也」[25]之言，〈氓〉詩恐仍停留在以物易物時期。至少〈氓〉詩產生地仍如此，蓋詩有「抱布貿絲」句，著一抱字，此布釋為布帛之布[26]，則較釋為布泉之布[27]為善。蓋布帛宜抱，布泉不宜抱。且布絲相對，顯

23　《論語‧陽貨》：「詩可以興，可以觀，可以群，可以怨。」（卷17，頁5上）

24　《禮記‧經解》：「入其國，其教可知也。其為人也，溫柔敦厚，詩教也。」（卷50，頁1上）

25　〔漢〕桓寬：《鹽鐵論‧錯幣》（臺北：世界書局，1955年），頁5。

26　《毛詩注疏》〈傳〉曰：「布、幣也」，〈疏〉曰：「此布幣，謂絲麻布帛之布，幣者，布帛之名。」（卷3，頁134）〔清〕馬瑞辰：《毛詩傳箋通釋》（皇清經解續編本，臺北：漢京文化，1980年）：「布與絲對言，宜為布帛之布。」（卷6，頁13，總2387）〔日〕竹添光鴻：《毛詩會箋》（臺北：臺灣大通書局，1970年9月）：「觀布上加一抱字，明是粗重之物。」（卷3，頁44）糜文開、裴普賢先生：《詩經欣賞與研究》（臺北：三民書局，1964年5月）：「如係泉布（古之貨幣），則不須言抱。」（頁194）。

27　《毛詩注疏》〈傳〉曰：「布、幣也」，〈箋〉曰：「幣者，貿買物也」，〈疏〉曰：「〈外府〉注云：布、泉也。其藏曰泉，其行曰市，取名於水泉，其流行無不偏。」（卷3，頁1下-2上）。

然係以成品交換[28]。又我國古代，女子養蠶繰絲，由〈氓〉詩不僅知此，且知古以物易物，多至市井行之，如持絲至市井，亦可發現當時一般女子活動相當公開，不似後之官宦富貴人家，大門不出，二門不邁情形，《詩經》中所顯現之女子活動多類此。

2 婚姻粗具制度

我國媒妁制度，究竟起於何時，此係研究古代社會學者事。不過由此詩「子無良媒」及《豳風·伐柯》詩「取妻如之何，匪媒不得」，可知西至岐山，東至淇水一帶，今陝西、山西、河南、山東大黃河流域地區，在東遷前後，甚或早至周初即盛行媒妁制度。又關於結婚時間，恐以春秋為正時。蓋吾國係以農立國，初春尚未東作[29]農忙時可結婚，故《周南·桃夭》詩在詠嫁女[30]，秋收後無事時亦可結婚，故此詩有「秋以為期」句。至《邶風·匏有苦葉》詩「士如歸妻，迨冰未泮」，泮解為冰解，謂古時習慣，男女結婚在冰解之前；自不如解泮為合，古時結婚以春秋為正時，謂河結冰尚未封合時為宜。[31]稍遲至初冬尚可，否則結婚時筵客，北方較寒冷地區，時無暖

---

28 屈萬里：《詩經釋義》：「此謂以布易絲也。」（頁92）王靜芝：《詩經通釋》：「抱布帛來以易絲也。」（頁145）

29 校注：《尚書·堯典》：「寅賓出日，平秩東作。」《傳》曰：「歲起於東而始就耕，謂之東作。」見〔漢〕孔安國傳，〔唐〕孔穎達疏：《尚書注疏》（影印清嘉慶二十年江西南昌府學刊本，臺北：藝文印書館，1955年），卷2，頁9下。

30 《毛詩注疏》〈周南，桃夭·序〉：「桃夭……婚姻以時。」（卷1之2，頁14上）。〔清〕方玉潤：《詩經原始》：「此亦咏新昏詩，與〈關雎〉同為房中樂，如後世催妝坐筵等詞。特〈關雎〉從男求女一面說，此從女歸男一面說。」（卷1，頁186）屈萬里：《詩經釋義》：「此賀嫁女之詩。」（頁31）

31 歷來解泮字多就《毛傳》「散也」釋為冰解，謂結婚以秋冬為正時，甚而有申其所以在「迨冰未泮」之理由者，如《詩經通釋》：「士如娶妻，則應及冰之未解之時。蓋冰未解之時，人車都可由冰上行過，不必涉水也。」（頁96）此與下「招招舟子，人涉卬否」不合。深以為即使據《毛傳》釋泮為散，為冰解，仍應採鄭

《箋》：「歸妻、使之來歸於己，謂請期也。冰未散，正月中以前也，二月可以昏矣。」（頁89）是結婚亦在春天。雖如此，但如將泮之冰解義解為封合，謂結婚以春秋為正時，稍遲至初冬冰未封合時亦無不可，則尤佳。聞一多：《古典新義》（臺北：九思出版社，1978年2月）：「半聲字訓分，亦訓合。《周禮・朝士》『凡有責者有判書』，鄭〈注〉曰『判，半分而合者』；〈媒氏〉『掌萬民之判』，〈注〉曰『判，半也，得耦而合，主合其半，成夫婦也』。《儀禮・喪服傳》曰『夫妻判合。』字一作『胖』，《集韻》引《字林》曰『胖合，合其半以成夫婦也』。《楚辭・惜誦》曰『背膺胖合以交痛兮。』（王注訓『胖』為『分』，非是）。又《莊子・則陽篇》曰『雌雄片合』，《釋名・釋首飾》曰『弁，如兩手相合拚時也』，片拚與判胖聲近，亦並有合義。《詩》曰『士如歸妻，迨冰未泮』，泮當訓合，謂歸妻者宜及河冰未合以前也。古音本以春秋為嫁娶之正時，此曰『迨冰未泮』，乃就秋言之，舉凡《詩》中所紀，若瓠葉枯落，渡頭水深，並雄雌雁鳴，皆秋日河冰未合以前景象。審如《傳》說，以冰泮為解凍，則與《詩》中物候相左矣。」（頁184）以下解春秋為正時：「〈夏小正〉『二月，綏多女士』，某氏《傳》曰『綏，安也，冠子娶婦之時也。』《周禮・媒氏》『中春之月，令會男女，於是時也，奔者不禁』，鄭注曰『中春陰陽交，以成昏禮，順天時也』，《白虎通義・嫁娶篇》亦曰『嫁娶必以春，何？春者，天地交通，萬物始生，陰陽交接之時也。』據此，疑自古昏姻本以春為正時，故詩中所見昏期，春日最多。〈野有死麕〉篇曰『有女懷春，吉士誘之』，〈七月〉篇曰『春日遲遲，采蘩祁祁，女心傷悲，殆及公子同歸』，此明著春日者。〈東山〉篇曰『倉庚于飛，熠燿其羽，之子于歸，皇駁其馬』，〈燕燕〉篇曰「燕燕于飛，差池其羽，之子于歸，遠送于野』，〈桃夭〉篇曰『桃之夭夭，灼灼其華，之子于歸，宜其室家』，亦皆春日物候。其以秋為昏期者纔兩見，本篇與〈氓〉篇『秋以為期』是也。（〈綢繆〉篇之『三星』，毛以為『參』，十月始見，鄭以為『心』，三月始見。『參』為晉星，唐亦晉地，或毛說為長，然亦難定，今姑不計。）〈北風〉篇曰『北風其涼，雨雪其雱』，又曰『惠而好我，攜手同車』，蓋親迎之詩（詳〈泉水〉篇『女子有行』條）。此則以冬日為婚期者，特全書只此一見耳。總上所述，春最多，秋次之，冬最少，其所以如此，殆有故焉。嘗試論之，初民根據其感應魔術原理，以為行夫婦之事，可以助五穀之蕃育，故嫁娶必於二月農事作始之時行之。鄭注《周禮》所謂『順天時』，《白虎通》所謂『天地交通，萬物始生，陰陽交接之時』，皆其遺說也。次之，則初秋亦為一部分穀類下種之時，故嫁娶之事，亦或在秋日。然終不若春之盛，則以自農事觀點言之，秋之重要本不若春也。《管子・幼官》篇曰『春三卯，十二始卯，合男女。秋三卯，十二始卯，合男女。』《管子》書雖非古，然此所記春秋合男女之俗，要不失為太古之遺風，以其但言春秋，不及冬時故也。迨夫民智漸開，始稍知適應實際需要，移婚期以就秋後農隙之時。試觀冬行婚嫁之例，如〈北風〉篇所紀者，三百篇中僅此一見，知其時祇偶一

氣設備，冰封後亦不宜行之。至結婚交通工具，仍為一般常用之車，
惟婚車則設有篷幔帳帘綵飾，故此詩有「漸車惟裳」句，碩人詩有
「翟茀以朝」句。如富貴人家婚嫁，大其場面，當然有《召南・鵲
巢》詩「之子于歸、百兩御之」將之、成之，〈何彼穠矣〉詩「曷不
肅雝，王姬之車」等盛大隆重情形。又古者遇重要事，則卜筮以占吉
凶，決可否[32]，婚嫁自屬大事，亦必如此，故詩有「爾卜爾筮，體無
咎言」句，且由「以我賄遷」句，知當時女子已有私人積蓄。除此
外，吾國一向嫁女有陪嫁財物嫁妝一事，恐亦源於此。

3 男女地位似不平等

男女地位，在今二十世紀最文明時代，最先進國家，放眼看去，
仍有太多不平等現象。在《詩經》中，所有男女活動，本極公開自
由，但讀《邶風・谷風》：「有洸有潰，既詒我肆」句，已有大男人意
味存在，但重在言其絕情，男女地位平等不平等，尚不甚清楚。而此
詩之「士之耽兮，猶可說也；女之耽兮，不可說也」，細味之，深可
理解當時男女地位真有不平等現象。

行之，不為常則。降至戰國末年，去古已遠，觀念大變，於是嫁娶正時，乃一反舊
俗，而嚮之因農時以為正者，今則避農時之為正。《荀子・大略》篇曰『霜降逆
女，冰泮殺止。』《家語・本命》篇申其義曰：『霜降而婦功成，嫁娶者行焉，冰泮
而農業起，昏禮殺於此。』此所謂冰泮者，乃斥冰解而言。蓋『冰泮殺止』為相傳
古語，本謂嫁娶正時至冰合而止，今以冰合為冰解者，乃曲解舊術語以迎合新事實
耳，此誠古今社會之一大變也。毛、鄭於各詩之婚時，解說互歧。毛主嚴冬冰盛之
時，說本《荀子》，鄭主仲春解凍之後，制準《周官》。辜較論之，鄭優於毛。獨本
篇所紀，時在初秋，《荀子》《周官》二說俱無所施，然則以本篇論之，毛固自失
之，鄭亦未之為得也。」（頁185、186）。

32 屈萬里：《詩經釋義》：「卜用龜，筮用蓍。古者遇重要事，必卜筮以決可否。」（頁
92）

（二）家庭背景

1 作小生意

　　男方為生意人，稱男為氓，知非本地土著，而為他鄉來此之客。以行商稱之，當無不可[33]。女方如以老闆娘或女店員視之，或嫌過份，即非真正生意人，但養蠶繅絲，起碼為原料供給人。又由「抱布貿絲」句觀之，知無車馬僕役，非懷鉅金、居奇貨之大賈，而為負戴提攜，販賣布匹之小生意人。

2 生活窮困

　　男家似不富有，雖有「以我賄遷」，但對窮困生活，並無任何改善；而仍「自我徂爾，三歲食貧」，且由女處夫家中「三歲為婦，靡室勞矣。夙興夜寐，靡有朝矣」陳述中，使窮困拮据生活，躍然紙上。女方當亦不富有，否則，華年處子，養蠶繅絲，以待行商之來易布，亦云辛勞矣。又明知「匪來貿絲，來即我謀」，何至仍虛與委蛇，勉強周旋下去？

3 人口簡單

　　雖注疏家於「三歲為婦」下注云：「古謂有舅姑曰婦」[34]，但詩中

---

33 《說文解字‧民部》：「氓、民也。」段注：「《詩》『氓之蚩蚩』，《傳》曰：『氓、民也。』《方言》亦曰：『氓、民也。』《孟子》：『則天下之民皆悅而願為之氓矣。』趙注：『氓者，謂其民也。』按此則氓與民小別，蓋自他歸往之民則謂之氓，故字以民亡。」（卷12下，頁31上-31下）《周禮‧天官大宰》注：「行曰商，處曰賈。」（卷2，頁30）

34 《毛詩注疏》〈箋〉：「有舅姑曰婦。」〈正義〉：「公羊傳曰：稱婦，有姑之辭。傳以國君無父，故云有姑。其實婦亦稱舅，故士昏禮云：贊見婦於舅姑是也。」（卷3之3，頁5下-頁6上）

未有公婆出現，亦未有其他人出現，想男方係一人口極簡單家庭。亦即因此，該氓無良好家庭教養，致有個性善變、情感不專、恣意肆行、不守信、少約束以及負情等事發生。女方家庭人口似亦簡單，有兄弟而無父母。何以知之？該女子被棄返家後，無「父兮母兮」哭訴[35]，有「兄弟不知，咥其笑矣」悲鳴。又兄弟當女子昔日與氓交往而結婚時，或曾加反對阻止而無效，以致有傷手足之情。否則，當兄弟見其被棄返回娘家之遭遇不幸，理應代為興師問罪，討回公道；或給予慰恤，以平其創傷始是。何至在不知情實下，竟咥然而譏諷之？

（三）情感變化

1 男

男子一開始即心懷叵測，裝腔作勢，借機會接近。此可由「蚩蚩」，由「來即我謀」，由「信誓旦旦」等見之。在稍獲女子芳心後，即欲速成婚事，免生枝節。詩雖未明言，但可於「將子無怒」句推測之。男子多薄情，不守信諾，不反思已往，尤以此氓為甚。故結婚後即「貳其行」而「二三其德」。於「言既遂矣」後，遂「至於暴矣」。所謂一達到目的，即露出真面目，而暴虐相加。且行為極放恣而無約制，故詩有「淇則有岸，隰則有泮」以極言之。亦就因此，雖有旦旦信誓，多少海誓山盟，此情不渝之言，不僅不信守之，且「不思其反」。該蚩蚩來即我謀之氓，情真薄，愛真不堅也。

2 女

此棄婦初見蚩蚩之氓時，蓋一情竇初開，熾熱奔放，似多主動，

---

35 人在勞苦倦極，疾病慘怛時；常呼天呼父母。如《鄘風‧柏舟》：「母也天只，不諒人只。」又《邶風，日月》：「父兮母兮，畜我不卒」是。

質厚純真，而又不設防，全信賴對方女子。明知其「匪來貿絲，來即我謀」，竟不保持距離，以策安全，終致磨擦生熱，產生愛情，而送迎于頓丘復關。且極委屈一己，明知氓無媒妁之言即請近期為婚之非是，而仍委婉「請其無怒」。又怕氓之懷疑一己在拖延時間，發生誤會，而告以「秋以為期」以堅其志。繼則明示一己頗有積蓄，可為嫁妝，故曰「以爾車來，以我賄遷。」大凡女子一墜入情網，對未來即產生甚多憧憬，此棄婦亦如此，故詩有「及爾偕老」，本期如此願望，但於男子「貳其行」、「二三其德」，情不專時，仍在自問「女也不爽」，一己並無差失，何以有此下場？於男子「言既遂矣，至於暴矣」，拋棄一己時，仍在「靜言思之，躬自悼矣」，將所有悲痛結果，一肩承擔。用一「自」字似又將所有怨恨歸之於己，不可涉及他人也。[36] 又於「反是不思」，女之思氓應反思之事已不肯，不念舊日恩情。故結以「亦已焉哉」，如此了結，尚復何言？讀至此，詩之所謂「溫柔敦厚」者，仍可見之於該「痛心疾首，徹底決裂，怨怒溢乎言辭」之被棄女也。

3 結婚前後

在結婚前交往期間，和柔順遂，晏樂言笑，留下極甜蜜回憶，故有「總角之宴，言笑晏晏」之句。初婚後，愛情已達高潮，而有「其葉沃若」之喻。雖如此，但似已有所感觸，故有鳩「無食桑葚」以致醉，女「無與士耽」以樂過其節之不可說而自警。及至桑之葉而黃落矣，則愛弛見棄；雖處夫家中貧苦度日，一無差失，甚而「三歲為婦」，不以室家之勞為苦；且「夙興夜寐」，而無旦夕休閒之暇，亦不

36　〔日〕竹添光鴻：《毛詩會箋》（臺北：臺灣大通書局，1970年9月）：「一靜字，無限淒涼，迴腸欲絕。」（頁397）江舉謙：《詩國風籀略》（臺中：東海大學，1978年）：「撫躬自思，直覺宇宙雖廣，竟無一同情之人，惟有自悲自痛而已矣。」（頁196）

能倖免於薄情男子之暴虐相加也。至此時，回想送時之殷殷叮嚀，迎
而未見時之「泣涕漣漣」，既見後之「載笑載言」，望其卜筮無咎，祈
其車來賄遷諸多往事，今則盡成雲煙幻夢，追尋莫得，真不知何以為
懷矣。又於女子之稱男子之不一其辭，亦可見其情感變化：首稱曰
氓，乃未有深識，直以悠悠天下之民言之；繼而稱子，則有尊之美之
之義；繼而稱爾，則爾汝相呼，已去其距離；繼而稱士，則大其號而
親之歡之矣，其演進情形如此。[37]然士後復稱爾，爾後復稱士，士後
又復稱爾，失其漸進層次者何在？蓋棄婦情切怨深，何所謂鄙之？又
何所謂尊之美之？親之歡之？於愛恨莫辨之際，故呼之亦無所擇也。

（四）寫作技巧

1 字句

〈氓〉詩雖為《國風》中敘事詩第二長篇，但章句極為整齊。六
章，章各十句，句各四字，一無例外。用字除一般常用者外，多用不
疊不能用之重言複詞如「蚩蚩」、「漣漣」、「湯湯」、「晏晏」、「旦旦」
是。[38]虛字則除「也」字外，三「兮」字，七「關」字，皆表感嘆。[39]

---

37 《毛詩注疏》：「己所未識，故以悠悠天下之民言之。」（卷3之3，頁2上）江舉謙：
　《詩國風籀略》：「氓，則此亦當為對男子鄙賤之稱。」（頁197）〔清〕馬瑞辰：《毛
　詩傳箋通釋》：「氓為盲昧無知之稱，詩當與男子不相識之初則稱氓。約與婚姻則稱
　子，子者、男子美稱也，嫁則稱士，士者、夫也。」（卷6，頁13，總2387）〔元〕
　劉瑾：《詩傳通釋》：「此婦首，稱曰氓，繼而曰子，繼而曰爾，又繼而謂之士，繼
　而復曰落。又復曰士，或鄙之，或親之，或貴之，此所以為怨婦之辭歟。」（頁
　374）。

38 許世瑛：《中國文法》（稿本），頁2。

39 裴學海：《古書虛字集釋》（臺北：廣文書局），頁222、295。《中國文法》，〈附
　錄〉，頁24。又也字共用四次，其在句中者「女也不爽」，「士也罔極」表停頓。其
　在句尾者，《古書虛字集釋》：「也、猶矣也。」（頁231）「也，猶兮也。感嘆之
　詞。」（頁234）【編按：《古書虛字集釋》一書體例，乃分列各虛字並按用法次序引

真滿紙哀嘆，怨至極而恨至極矣。[40]

2 九音韵

〈氓〉詩音韵，雖古無平仄四聲之別，但〈氓〉詩之蚩、絲、謀、淇、丘、期、媒，之部。垣、關、漣、言、遷，元部。落、若，鐸部。葚、耽，侵部。說，月部。隕、貧，文部。湯、裳、爽、行，陽部。極、德，職部。勞、朝、暴、笑、悼，宵藥通韵。怨、岸、泮、宴、晏、旦，元部。思、哉，之部[41]。或平或仄，或陰或陽，頗能「五色相宣，八音協暢」、「宮羽相變，低昂舛節」，而「音韻天成，皆暗與理合」也。[42]

3 鋪敘

〈氓〉詩鋪敘，非詩人代咏，雖類漢樂府〈羽林郎〉、〈陌上桑〉及古詩〈為焦仲卿妻作〉等詩。[43]但開首不採「孔雀東南飛，五步一徘徊」歌謠興體，而用「昔有霍家奴」直敘法。且直敘又僅採用女子怨訴之第一人稱記錄，不加說明，令讀者一己分析、判斷、體味，故最能引人入勝，產生無限妙趣。[44]

古書文例說明之。其「也，猶兮也」一則，歸在「也」之「拋開之詞」用法下，以《韓詩外傳》引《詩・旄丘》「何其處也」一句之「也」作「兮」為證。「也」之「感嘆之詞」用法，則例說於同頁，言：「『也』猶『邪』也，『歟』也，『乎』也」，文例則引《論語》、《史記》，固非「也」、「兮」通用之法。先生於此蓋因例文相近而偶誤。】

40 高葆光：《詩經新評價》（臺中：中央書局，1969年），頁45。

41 王力：《詩經韵讀》（上海：上海古籍出版社，1980年），頁183-185。

42 〔南朝梁〕蕭統編，〔唐〕李善注：《文選・謝靈運傳論》（臺北：藝文印書館，1957年），卷5，頁462。

43 〔清〕方玉潤：《詩經原始》，卷4，頁43。〔清〕陳啟源：《毛詩稽古篇》（皇清經解本，臺北：復興書局，1961年），卷3，頁15，總849。

44 糜文開、裴普賢：《詩經欣賞與研究》（臺北：三民書局，1964年），頁196。

4 稱謂

〈氓〉詩稱謂，多爾吾、子我對稱。此稱謂多在加強語氣，一在表示去其距離，無彼此界限，親之歡之之昵稱；一在表示爾如何，我如何，昔如何，今何如是，兩兩對照，怨之恨之之自白。其以士女對稱者，多在以冷靜態度說理。詩中以爾我對稱者：如「以爾事來，以我賄遷」、「及爾偕老，老使我怨」、「自我徂爾」是。以子我對稱者，如「匪我愆期，子無良媒」是。以士女對稱者：如「女也不爽，士貳其行」、「于嗟女兮，無與士耽。士之耽兮，猶可說也；女之耽兮，不可說也」是。亦有單稱我省去子，或單稱子省去我者，如「（子）來即我謀」、「（我）送子涉淇」是。

5 譬喻

〈氓〉詩譬喻，多在以具體事物表示抽象情感。如以「桑之未落，其葉沃若」喻初婚晏爾之歡。[45]以「桑之落矣，其黃而隕」喻色衰愛弛之憂。[46]以「于嗟鳩兮，無食桑葚」，鳩食葚致醉，喻男女熱戀時易失去理智。[47]而「淇則有岸，隰則有泮」，則喻男子之行為無約制。[48]至「乘彼垝垣，以望復關。不見復關，泣涕漣漣。既見復關，載笑載言。」則又以復關暗喻所歡之氓矣。[49]且多綴拾眼前景物桑之

---

45 〔宋〕朱熹：《詩集傳》：「沃若、潤澤貌。……言桑之潤澤，以比己之容色光麗。」（卷3，頁36）

46 〔宋〕朱熹：《詩集傳》：「隕、落。……言桑之黃落，以比己之容色凋謝。」（卷3，頁36）

47 裴普賢：《詩經評注讀本》（臺北：三民書局，1983年），頁226-227。

48 《毛詩注疏》〈箋〉云：「言淇與隰，皆有厓岸以自拱持，今君子放恣心意，曾無所拘制。」（卷3之3，頁6上）〔清〕王先謙：《詩三家義集疏》（臺北：世界書局，1957年）：「言淇水之盛，尚有岸以為障，原隰之遠，尚有畔以為域。今復關之心，略無拘忌，蓋淇隰之不足喻矣。」（頁108）

49 《毛詩注疏》〈正義〉云：「復關者，非人之名號，而婦人望之，故知君子所近之

沃若、黃隕、桑葚、淇岸、隰泮、復關等言之，使人最具真實感。真
「比類雖繁，以切至為貴」矣。[50]

6 申辯

〈氓〉詩申辯，多表該女子初戀時惟恐發生誤會之解說，將結婚
時追求完美之祈望，以及婚後之勞苦傾訴、被棄之悲痛追悔。「匪我
愆期，子無良媒。將子無怒，秋以為期。」解說請求。「爾卜爾筮，
體無咎言。以爾車來，以我賄遷。」希冀願望。「自我徂爾，三歲食
貧。」「三歲為婦，靡室勞矣，夙興夜寐，靡有朝矣。」訴苦。「女也
不爽，士貳其行，士也罔極，二三其德。」「言既遂矣，至於暴矣。」
「信誓旦旦，不思其反。」深責。「及爾偕老，老使我怨。」追悔。
以上雖多憤恨怨怒不平之鳴，但由「靜言思之，躬自悼矣」、「反是不
思，亦已焉哉」觀之，頗能痛定思痛，自解自慰，一歸於平靜。

結論

《詩經》雖云為我國古代文學總集，但僅就〈氓〉詩分析中，社
會形態一項，即可知其文學外之價值。此歷代哲人學士之所以多就不
同層面以論《詩》教、《詩》用也。識于此，則又不可僅以純文學
論，故於拙著《詩經評釋》中曾將其價值條列之。[51]今讀〈氓〉詩，
益覺其言之不虛。又自五四運動後，多有反對讀經。廢除讀經之論，

地……因其近復關以託號。」（卷3之3，頁2下）〔宋〕朱熹：《詩集傳》：「復關，男
子之所居也，不敢顯言其人，故託言之耳。」（卷3之3，頁37）屈萬里：《詩經釋
義》：「復關，氓所居之處也，此則指氓言。」（頁92）

50 〔南朝梁〕劉勰：《文心雕龍・比興》，卷8，頁2。

51 朱守亮：《詩經評釋》（臺北：臺灣學生書局，1984年10月），頁15-16。

至今似仍有餘唱。深以為吾國流傳至今之文化遺產，或云經典，是否
必須反對，全部廢除，則大有問題。如以理性態度，科學方法，汰蕪
存菁，善加整理，就多方面撮取其價值，實屬必要。若僅為反對而反
對，為廢除而廢除，將千古文化瑰寶，盡以瓦礫視之，則大有商榷之
餘地。此雖與本文無必然關係，但於讀《詩經・衛風・氓》短文草成
後，益感此念之不可忽。

　　本文於民國七十八年（一九八九）八月，刊登於政治大學中文研
究所《中華學苑》第四十期。

參　讀《詩經‧小雅‧谷風之什‧蓼莪》詩

前言

　　1987年，在韓國成均館講學即將期滿返臺前，寫了一篇〈讀《詩經‧小雅‧谷風之什‧蓼莪》詩〉。一九八八年十一月，《國文天地》四卷六期，在詩文評賞欄，以〈親情無極的蓼莪詩〉刊出。題目標得不錯，惟錯別字太多，甚而有錯簡處，大失原作本意。後來三民書局又收入甚麼教師手冊中，因該文沒看到，用甚麼標題不知道，有沒有增刪改寫也不知道。十多年過去了，後又讀袁梅《詩經譯注》「在奴隸主階級的殘酷壓榨下（高亨《詩經今注》作「詩人在統治者的剝削壓迫下」[1]），勞動人民無以為生，難以贍養大恩大德的父母，為人子者，既自愧於父母，又怨恨剝削統治階級。」[2]為甚麼如此解〈蓼莪〉詩？也不知道。在第一屆《詩經》國際學術研討會的文章中，也看到了許多總喜歡用奴隸主貴族、統治階級、農奴、女奴、勞動人民一類字句的詩，甚而：「《詩經》是封建社會官定的對人民的教科書。」[3]《詩經》一書，真的是如此嗎？業師李辰冬先生《詩經通

1　校注：高亨：《詩經今注》（臺北：漢京文化，1984年2月），頁307。

2　校注：袁梅《詩經譯注》（濟南：齊魯書社，1985年1月），頁589。

3　校注：見本書〈《詩經》國際學術研討會論文簡介〉一文。

釋》：「原來衛國也發生了旱災，甚而把尹吉甫的父母餓死，餓死後，尹吉甫逃荒到鎬京，滿以為可以得到幫助；誰知『鞫哉庶正，疚哉家宰，趣馬師氏，膳夫左右，靡人不周，無不能止。』（按：係《大雅·雲漢》詩句，述諸臣救旱災之勞苦及無助。）庶正們連他們自己都還不能照顧，因而尹吉甫方寫出這篇哀痛的詩。」並說《大雅，雲漢》詩中的我，就是〈蓼莪〉詩中的我（按：尚有其他許多例句）。「〈雲漢〉與〈蓼莪〉，都是宣王二十五年大旱時尹吉甫所寫[4]，〈蓼莪〉篇寫在衛國，〈雲漢〉詩則寫在鎬京。」[5]扯到那裡去了，怪不得該書一問世，在臺灣即惹出極大的風波，出現了好多不同意見的文章。本來不應該提這些的，但因黑字寫在白紙上，又確切道出〈蓼莪〉詩的主旨及作者如何如何。〈蓼莪〉詩也真的是如此嗎？現在極願意將校對後的該文，稍事修正增補，仍用原標題提出，看看是否如《詩經譯注》及《詩經通釋》所說的那樣、想看過本文後就可知道了。並在後記中補寫出自己的感受，祈與會博雅君子，同好方家，能有以教我。

篇義

〈蓼莪〉詩的篇義如何？必須先加說明，然後才可以依以論述，

4　業師李辰冬先生〈從〈蓼莪〉篇談文學批評〉文中云：「最後，我要更正《詩經通釋》中的錯誤。在那部書裡，我將〈蓼莪〉篇列在宣王二十五年的大旱，現在與幽王時的各篇詩作一連繫，才知道自己錯了。〈蓼莪〉與〈雲漢〉兩詩，都應列在幽王七年時，就比較更合理了。」又云：「就拿〈蓼莪〉這首詩來說：地點是太行山下，時間是周幽王七年，人物是對餓死的父母，事件是作者被誣而黜官後，又遭到荒年而父母餓死。情感背景是恨荒年，又恨自己的無故被黜，以致父母餓死，由這五種因素組成了這首詩。」【編按：見李辰冬：《詩經研究方法論》（臺北：水牛出版社，1978年11月），頁195、187。】

5　校注：李辰冬《詩經通釋》（臺北：水牛出版社，1972年8月），頁1035-1036。

《詩序》云：「蓼莪，刺幽王也，民人勞苦，孝子不得終養爾。」[6]朱熹《詩集傳》云：「人民勞苦，孝子不得終養，而作此詩。」[7]嚴粲《詩緝》云：「孝子行役而喪其親，故寫其中心之哀。千載之下，讀之者猶感動也。」[8]陳奐《詩毛氏傳疏》云：「孝子不得終養之故，由於王事征役，故以缾罄罍恥為喻。」[9]程俊英、蔣見元《詩經注析》云：「這是一首人民苦於兵役・悼念父母的詩，作者深痛自己久役貧困，不能在父母生前盡孝養之責。」[10]《詩序》所說，就詩論詩，找不出刺義，且落實幽王，從何處又能找出幽王？朱熹除認為「刺幽王」不妥刪去外，僅「民人」易為「人民」，其他竟全本《詩序》之說，似仍含有刺義。所以方玉潤在《逐一駁斥其說之非是：

> 此詩為千古孝思絕作，盡人能識。唯《序》必牽及人民勞苦，以刺幽王，不惟意涉牽強，即情亦不真。蓋父母深恩，與天無極，孰不當報；唯欲報之，而或不能終其身以奉養，則不覺抱恨終天，悽愴之情不能自已耳！若謂人民勞苦，不得終養。始思父母。則遇勞苦，乃念所生；不遇勞苦，即將不念所生乎？又況詩言「民莫不穀，我獨何害」、「我獨不卒」者，明明一己所遭不偶，與人民無關也。[11]

6　校注：〔漢〕毛公傳，〔漢〕鄭玄箋，〔唐〕孔穎達疏：《毛詩注疏》（影印清嘉慶二十年江西南昌府學刊本，臺北：藝文印書館，1955年），頁3下。

7　校注：〔宋〕朱熹：《詩集傳》（北京：中華書局，2017年1月），卷12，頁226。

8　校注：〔宋〕嚴粲：《詩緝》（味經堂刻本，臺北：廣文書局，1970年11月），卷22，頁3。

9　校注：〔清〕陳奐：《詩毛氏傳疏》（影印鴻章書局本，臺北：臺灣學生書局，1968年9月），頁545。先生引陳奐「由於王事征役」一句，「征役」原作「征伐」，下文亦然，今皆據前引書校改。

10　校注：程俊英、蔣見元：《詩經注析》（北京：中華書局，1991年10月），頁625。

11　校注：〔清〕方玉潤：《詩經原始》（臺北：藝文印書館，1960年6月），頁904-905。

方玉潤的駁斥是有力的。而嚴粲的「行役而喪其親」，陳奐的「不得終養之故，由於王事征伐」，程俊英、蔣見元的「民苦於兵役」，暗示所以不得終養，全係「行役」、「王事征伐」、「兵役」使然。此全本《毛傳》：「不得終養者，二親病亡之時，時在役所，不得見也」之說。不知由何處可看出「雙親病亡時，正在服役」、「缾罄罍恥，緣於王事征役」、「苦於兵役」？所以「行役」、「王事征役」、「兵役」等字，是為蛇足，刪去較妥。魏源《詩古微》云：「大夫行役，自傷不得終養之詩。」[12]龍起濤《毛詩補正》云：「此詩皆哭親之辭，是士大夫不得終喪，非民人不得終養也。」[13]余培林《詩經正詁》云：「惟文云：『民不不穀，我獨何害？』『民莫不穀，我獨不卒！』則作者（我）之身分，必非一般人民，而為有民有土之王室貴族可知。」[14]《毛詩會箋》云：「言萬民勞苦於行役也。此賤者之詩，故曰民人。」[15]此又增出「大夫」、「士大夫」、「王室貴族」、「賤者」，表示作者身分，尤屬蛇足。人之孝其親，自天子達於庶人，情無二致，何有貴賤之分？細讀全詩，純是孝子哀父母早逝，自傷不能奉雙親以報養育之恩。與幽王無關，亦與他人無關，更談不上甚麼「大夫」、「士大夫」、「王室貴族」，「賤者」，甚麼勞苦不勞苦、勞苦於行役不勞苦於行役。所以季本《詩說解頤》云：「父母棄背，孝子追悼之而作此詩也。」[16]方玉潤《詩經原始》簡其辭云：「蓼莪、孝子痛不得終養也。」[17]王靜芝《詩

---

12 校注：〔清〕魏源：《詩古微》，〈詩序集義〉（長沙：嶽麓書社，1989年12月），頁798。

13 校注：龍起濤《毛詩補正》（景印刻鵠軒藏板，臺北：臺灣大通書局，1970年6月），頁1042。

14 校注：余培林《詩經正詁》（臺北：三民書局，2005年），頁433。

15 校注：〔日〕竹添光鴻：《毛詩會箋》（臺北：臺灣大通書局，1970年9月），頁1351。

16 校注：季本《詩說解頤》（景印文淵閣四庫全書本，臺灣商務印書館，1986年），卷19，頁25下。

17 校注：〔清〕方玉潤：《詩經原始》，頁904。

經通釋》又申之云：「此孝子哀父母早逝，而自傷不得奉養以報之詩。」[18]詩的篇義當如上述三家所言。深以為：此篇之作者、創作年代、政治背景既不得詳考，退而求其次，姑且假定為西周末年之作品。斯時也，井田已壞，貴族沒落，秩序蕩然，民生疾苦。本詩之作者思親傷情，儼然道出民族心靈，故而自然流露出如此驚天地，泣鬼神，繚繞萬古猶不絕響之孝思哀音。篇義既如此，然此「千古孝思絕作」，「長號短泣，千載如聞其聲」之所以感人者究何在？特就下列數點加以說明。

一　父母期望未能達到之愧恨

父母對子女的希望，多在「望子成龍，聖女成鳳。」但一己不僅沒有成龍，成鳳，甚至變成了烏鴉、泥鰍。父母所期者重，而己所成者薄，未能達其願望，因而感到愧恨。所以詩云：

> 蓼蓼者莪，匪莪伊蒿。（首章）
> 蓼蓼者莪，匪莪伊蔚。（二章）

這幾句詩是說：父母生我，希望我為莪、為美菜、為高尚有用的人；但等長大後，竟不能達成，而為賤草之蒿，甚而尤賤之蔚，實在有負於父母之所期。所以惠周惕《詩說》云：「初以蓼蓼者為莪矣，而不知其實蒿也，哀痛之至。」[19]竹添光鴻《毛詩會箋》云：「開口二句痛極，親無不望子為美材，今匪莪而蒿也，淒然欲絕。」[20]就因為

---

18 校注：王靜芝：《詩經通釋》（臺北：輔仁大學文學院，1968年7月），頁436。
19 校注：〔清〕惠周惕《詩說》，《皇清經解》（臺北：復興書局，1961年），卷191，頁9上。
20 校注：竹添光鴻《毛詩會箋》，頁1352。

未能成龍、成鳳，沒達到父母之所期，大負父母生我辛勤、勞苦之初心，而使父母失望，甚而貽父母羞。所以詩又云：

> 缾之罄矣，維罍之恥。鮮民之生，不如死之久矣！（三章）

這幾句詩是說：以缾汲水貯之於罍，缾子空了，罍就不能滿盈，以比喻人子不能終養父母。有子不能養父母，是為父母之恥，此孝子深切自責語。養子而使父母恥，恐是最最不孝。司馬遷之「太上不辱先」，恐怕就著眼在此。父母已去世，我鮮民孤子之苟活偷生，早已愧恨憂傷。不如死去。所以竹添光鴻《毛詩會箋》又云：「孝子負罪，以為無祿不孝以忝所生，故為是痛切哀慟之辭也。」[21]

二 雙親俱亡無怙無恃之危苦

天下最可悲可憐者，當是孤兒，所以《孟子》稱為「天下之窮民而無告者」[22]。每聞「人皆有父，翳我獨無；人皆有母，翳我獨無」的歌聲，沒有不眩然淚下沾襟的。雙親俱亡。無怙無恃，其危苦哀痛，何可言喻？所以詩云：

> 無父何怙？無母何恃？出則銜恤，入則靡至。（三章）

這幾句詩是說：沒有父親何所依賴？沒有母親何所仗恃？嵇康

---

21 校注：〔日〕竹添光鴻：《毛詩會箋》，頁1354。

22 校注：〔漢〕趙岐注，〔宋〕孫奭疏：《孟子注疏》（影印清嘉慶二十年江西南昌府學刊本，臺北：藝文印書館，1955年），卷2上，頁14上。

「加少孤露，少庇蔭。」[23]僅失嚴父，就有此孤危之言，何況此時又失慈母？人生不幸，未有過於此者。所以在心神恍惚下，走出家門，滿懷憂傷，抱恨終天。回到家中，堂宇空曠，四顧茫然；不見父母，遑遑不安，忽忽若無所歸依！司馬遷在極度悲傷有時候，也有「居則忽忽若有所亡，出則不知所如往」[24]的傾訴。讀〈王風‧葛藟〉：「謂他人父」、「謂他人母」、「亦莫我顧」、「亦莫我有」等句。[25]已感因戰亂而流落他鄉乞兒之可哀，又何況是雙親俱亡的孤兒呢？其孤特危苦的情形，就更令人難過了。所以牛運震《詩志》云：「最難寫是孤兒哭聲，如此拙重惻怛，直將孝子難言之痛攄出，故是悲哀盡頭文字。」

三　養育親思不及報答之悲傷

孤兒哭聲難寫，親恩高如山、深似海更難寫。提攜捧負，勞苦至極，怎能報答？所以孟郊詩有「誰言寸草心，報得三春暉」之句，此尚是親在能報而報不盡的感受，若像《韓詩外傳》所謂「樹欲靜而風不止、子欲養而親不待。」[26]親沒已無從報起，當更為悲傷哀痛了。詩從極細微處寫親恩，又從浩大處寫不能報，所以詩云：

---

23 校注：語出〔晉〕嵇康：〈與山巨源絕交書〉，原文無「少庇蔭」語，見〔梁〕蕭統撰，〔唐〕李善注：《文選》（重刻宋淳熙本，臺北：藝文印書館，1991年12月），卷43，頁613。另「加少孤露」一語於《文選》中作「少加孤露」，檢核其他版本，確有出入，惟就上下文意言，應作「少加孤露」為宜。

24 校注：語出〔漢〕司馬遷：〈報任少卿書〉，見〔漢〕班固撰，〔唐〕顏師古注，〔清〕王先謙補注：《漢書補注》（臺北：藝文印書館，1955年4月），卷62，頁24下。

25 校注：《毛詩注疏》，卷4之1，頁152-153。

26 校注：賴炎元註譯：《韓詩外傳今註今譯》（臺北：臺灣商務印書館，1972年9月），卷9，頁367。

父今生我，母今鞠我，拊我畜我，長我育我，顧我復我，出入
腹我。欲報之德，昊天罔極！（四章）

這章詩乍看，是司空見慣的父母照顧子女所應有的許多瑣屑小
事，有何大驚小怪？殊不知世上的至情至愛，全表現在這些瑣屑小事
上，嚴粲《詩緝》申言之：

鞠、畜、育皆養也，所從言之異耳。父生母鞠，此總言我身是
父母所生養，下乃詳言父母之恩勤也。拊，謂以手摩拊其首，
而防其驚，是初生之時。初生而言畜養，謂乳之也。長謂養
之，稍長則能就口食矣。稍長而言育養，謂哺之也。已而行戲
於地，父母或去之，則回首以顧視之。復謂顧之又顧，是反覆
不能暫捨，愛之至也。在家容其行戲，或自內而出外，或自外
而入內，未可令其自行，則抱之於懷，此曲盡父母愛子之情
也。父母之恩如此，欲報之以德，而父母之恩，如天之無窮。
不知所以為報也。今我不及報之痛，當奈何也！嗚呼！讀此詩
而不感動者，非人子也。[27]

詳言其如天無窮深恩，恨無能可以為報，能不感動落淚嗎？[28]所以姚
際恆《詩經通論》云：「勾人眼淚，全在此無數我字。」[29]竹添光鴻

---

27 校注：〔宋〕嚴粲：《詩緝》，卷22，頁6。
28 「昊天罔極」，《爾雅・釋天》：「夏為昊天」，今引申為天之泛稱，即老天。罔極，
無良也，不惠也。為斥天之語，謂老天狠毒無良，降此鞠凶，奪我父母而去，使不
得終養也。又「極」，千百年來，多作「窮盡」解。獨業師高鴻縉先生，於民國四
十二年上文字學課時，作「心」字解，整句之意，即我想報答父母的大恩大德，老
天啊，你怎麼這樣沒有良心，使我不能如願呀！諸解皆是，此採《集傳》說。
29 校注：〔清〕姚際恆：《詩經通論》（北京：中華書局，1958年12月），卷11，頁221。

《毛詩會箋》云：「一片血淚，在連用九我字。」[30]朱善《詩解頤》云：「念生育之艱，思顧復之勤，罔極之恩，既不可得而報，則無涯之悲，亦孰得而止之哉！」[31]

四　他人能之己獨不能之哀痛

在讀〈鴇羽〉、〈陟岵〉詩時，已感恩念父母而悲傷之痛，但該詩為思念父母尚存之日，所以雖有「不能蓺黍稷，父母何食？」「不能蓺稻梁，父母何嘗」之悲，但仍存有「上慎旃哉！猶來，無止。」「上慎旃哉！猶來，無棄」團聚奉事的一線希望。所以朱善《詩解頤》云：「父母尚存，則雖曠廢於今日，而猶幸來日之一繼也；雖闊略於此時，而猶幸他時之可補也，則是猶有望也。」此詩為父母既早逝，容貌不可復見，音響不可復聞，雖有甘旨輕煖，已無可奉養，追念及此，能不哀痛淚落嗎？所以詩云：

> 南山烈烈，飄風發發。民莫不穀，我獨曷害？
> 南山律律，飄風弗弗。民莫不穀，我獨不卒？（五章）
> 哀哀父母，生我劬勞！（首章）
> 哀哀父母，生我勞瘁！（二章）

上面詩句是說：在險峻的南山烈烈、律律，凜冽的寒風發發、弗弗下，正需子女甘旨輕煖奉養。但他人能之，而「民莫不穀」，己則不能，而「我獨何害」、「我獨不卒」，自有極大的哀痛吧！想想，氣候變

---

30 校注：〔日〕竹添光鴻：《毛詩會箋》，頁1355。
31 校注：〔明〕朱善：《詩解頤》（影印清康熙十九年通志堂經解刻本，臺北：大通書局，1969年），卷2，〈小雅二〉，頁35上。

了，寒流來了，別人能買件毛衣，買條圍巾，送或寄給父母禦寒。自
己不是沒有錢無力買，而是買到這些衣物後，送不出去，寄不出去，
那是甚麼心情？又今父親節、母親節，他人都能買點父母所喜歡的禮
物送給父母，而自己卻不能，又是甚麼感覺？母親節，人家帶回家的
都是紅色康乃馨，自己帶回家的卻是白色的，這時追憶父母上述許多
劬勞、勞瘁的親恩，能不哀之又哀，哀到盡頭嗎？所以嚴粲《詩緝》
云：「歎民莫不得以養其父母，我獨何為遭此害，而不得終養乎？」[32]
牛運震《詩志》云：「至此淚盡聲絕，惟餘噓歎繚繞以終之。」方玉
潤《詩經原始》云：「末二章以眾襯己，見己之抱恨獨深。」[33]

結語

　　大凡至情至性文字，必能入人之心，而深為感動，因為人皆有一
相同的良知本能使然。此詩孝思感人，影響後世極大，所以《晉書·
王裒傳》云：「痛父非命，未嘗西向而坐，示不臣朝廷也。於是隱居
教授，三徵七辟皆不就。廬于墓側，旦夕常至墓所拜跪，攀柏悲號，
涕淚著樹，樹為之枯。母性畏雷，母沒，每雷，輒到墓曰：『裒在
此。』及讀《詩》至『哀哀父母，生我劬勞』，未嘗不三復流涕，門
人受業者，並廢〈蓼莪〉之篇。」[34]李樗、黃櫄《毛詩集解》云：「此
詩辭哀而切，讀之易使人感動。」[35]龍起濤《毛詩補正》云：「〈小
弁〉怨而〈蓼莪〉哀，哀音所感，沁徹心脾，雖使海可枯，石可爛，

---

32 校注：〔宋〕嚴粲：《詩緝》，卷22，頁7。

33 校注：〔清〕方玉潤：《詩經原始》，卷11，頁904。

34 校注：王裒之事，出自《晉書·孝友傳·王裒》，見楊家駱主編：《新校本晉書並附
　　編六種》（臺北：鼎文書局，1980年3月），卷88，列傳第58，頁2278。

35 校注：李樗、黃櫄《毛詩集解》（影印清康熙十九年通志堂經解刻本，臺北：大通
　　書局，1969年），卷26，頁3下。

日星可晦，乾坤可毀，而至性之鬱勃，經歷劫而不磨。宜乎百世而下，讀之者猶復三復流涕也，」[36]方玉潤《詩經原始》云：「詩首尾各二章，前用比，後用興。前說父母劬勞，後說人子不幸，遙遙相對。中間二章，一寫無親之苦，一寫育子之艱，備極沉痛，幾於一字一淚，可抵一部《孝經》讀。」[37]且父母之於子女，本同氣異息，一體而分，自必有心靈相應同感呢！姚際恆《詩經通論》云：「勾人眼淚，全在此無數我字，何必王哀？」[38]胡承珙《毛詩後箋》云：「晉王襃（按：當作哀）、齊顧歡，並以孤露，讀詩至〈蓼莪〉、哀痛泣涕。唐太宗生日，亦以生日承歡膝下，永不可得，因引『哀哀父母，生我劬勞』之詩。」[39]在在都說明了此詩感人之深。詩以「我」字志哀，共用十三次，聲慼氣促，字字椎心。其所以用語淺顯、感人至深者，全在親情真摯使然，在授受此詩時，老師哽咽不能道出一字者有之，學生歔欷淚下者亦有之。至情至性文字之感人，真的如姚際恆所說「何必王哀」了。人之幸而父母健在者，當然不知此詩悲痛；及「養子方知親恩」，而又「子欲養而親不待」時，始深知之；但為時已晚，雖長號短泣，三復流涕，亦僅能抱恨終天。於生我養我劬勞的父母，只能哀之又哀，愧恨悲痛、椎心泣血了。

後記

　　記得在寫《詩經評釋》至此詩案語時，因自幼離開雙親，流亡他

36　校注：龍起濤《毛詩補正》，頁1046。

37　校注：〔清〕方玉潤：《詩經原始》，卷11，頁905。

38　校注：〔清〕姚際恆：《詩經通論》，卷11，頁221。

39　校注：〔清〕胡承珙：《毛詩後箋》，《皇清經解續編》（臺北：漢京文化，1986），卷20，頁4下。

鄉數十年，一面寫，一面流淚，模糊了稿紙上的字跡。最後用「情切淚落，真不知何以為懷矣」作結。又每每講授此詩時，哽咽淚下，甚而嚎啕痛哭失態。學生們似已感到我的所以然的原因所在，不僅不認為是失態，甚至有的也跟著欷歔哽咽淚下呢！至情至性文字的感人，本來就是如此吧！又十多年前返山東老家時，因幾近半世紀的流亡他鄉，父母早已長眠地下。別說奉養不奉養了，竟連親歿後墳墓也沒有呀。當弟弟、妹妹等帶著我在田地裡找父母埋骨處時，都找了又找，斷定不下，「應該在這附近」，最後在地面不深處扒出一塊作標誌的磚頭說：「就是這裡……」他們哭著告訴久已埋骨於此的父母說：「二哥回來了！」而我呢，除哽咽淚下外，竟哭不出聲，說不出話。於生我養我，其恩似天之高，海之深，莫可報答其劬勞的父母，真的至此淚盡聲絕，惟餘噓歎繚繞以終之，而抱恨終天，銜恤靡深了。

　　本文除前言外，並於二〇〇〇年十一月在韓國漢城詩經國際學術會中宣讀，亦收入該論集中，回國後又加修正，於二〇〇一年十月第二屆經學研討會議中宣讀。

附：親情無極的〈蓼莪〉詩

一 蓼莪篇義

　　〈蓼莪〉詩的篇義如何？必須先加說明，然後才可依以論述。〈詩序〉云：「蓼莪，刺幽王也。民人勞苦，孝子不得終養爾。」朱熹《詩集傳》云：「人民勞苦，孝子不得終養而作此詩。」嚴粲《詩緝》云：「孝子行役而喪其親，故寫其中心之哀。千載之下，讀之者猶感動也。」〈詩序〉所說，就詩論詩，找不出刺義，且落實幽王，從何處又找出幽王？朱熹除認為「刺幽王」不妥刪去外，僅「民人」易為「人民」，其他竟全本〈詩序〉之說，似仍含有刺義。所以方玉潤在《詩經原始》中逐一駁斥其說之非是：「此詩為千古孝思絕作，盡人能識，唯序必牽及人民勞苦，以刺幽王。不惟意涉牽強，即情亦不真。蓋父母深恩，與天無極，孰不當報；唯欲報之，而或不能終其身以奉養，則不覺抱恨終天，悽愴之情不能自已耳！若謂『人民勞苦，不得終養。』始思父母，則遇勞苦，乃念所生；不遇勞苦，即將不念所生乎？又況詩首『民莫不穀，我獨何害？』『我獨不卒』者，明明一己所遭不偶，與人民無關也。」方玉潤的駁斥是有力。而嚴粲的「行役而喪其親」暗示所以不得終養，全係行役使然。此全本《毛傳》「不得終養者，二親病亡之時，時在役所，不得見也。」之說。不知由何處可看出雙親病亡時，正在服役？所以「行役」二字，是為蛇足，刪去較妥。魏源《詩古微》云：「大夫行役，自傷不得終養之詩。」日人竹添光鴻《毛詩會箋》又云：「言萬民勞苦於行役也。此賤者之詩，故曰民人。」此又增出「大夫」、「賤者」，表示作者身份，尤屬蛇足。人之孝其親，自天子達於庶人，情無二致，何有貴賤

之分？細讀全詩，純是孝子哀父母早逝，自傷不能奉雙親以報養育之恩。與幽王無關，亦與他人無關，更該不止甚麼勞苦不勞苦、勞苦於行役不勞苦於行役。所以方玉潤《詩經原始》簡其辭云：「蓼莪，孝子痛不得終養也。」王靜芝《詩經通釋》申之云：「此孝子哀父早逝，而自傷不得奉養以報之詩。」詩的篇義既如此，然此「千古孝思絕作」之所以感人者究何在？特就下列數點加以說明：

二　父母期望未能達到之愧恨

父母對子女的希望，多在「望子成龍，望女成鳳。」但一己不僅沒有成龍成鳳，似乎竟變成了烏鴉泥鰍。父母所期者重而己所成者薄，未能達其願望，因而感到愧恨。所以詩云：

> 蓼蓼者莪，匪莪伊蒿。
> 蓼蓼者莪，匪莪伊蔚。

這幾句詩是說：父母生我，希望我為莪、為美菜、為高尚有用的人；但等長大後，竟不能達成，而為賤草之蒿，甚而尤賤之蔚，實在有負於父母之所期。所以竹添光鴻《毛詩會箋》云：「開口一句痛極，親無不望子為美材，今匪莪而蒿也，淒然欲絕。」就因為未能成龍成鳳，沒達到父母之所期，而使父母失望，甚而貽父母羞。所以詩又云：

> 缾之罊矣。維罍之恥。鮮民之生。不如死之久矣！

這幾句詩是說：以缾汲水貯之於罍，缾子空了，罍就不能滿盈，以比喻人子不能終養父母。有子不能養父母，是為父母之恥，此孝子

深切自責語。養子而使父母恥，恐是最最不孝。司馬遷之「太上不辱先」，恐怕就著眼在此。父母已去世，我先民孤子之生，早已愧恨憂傷，不如死去。所以竹添光鴻《毛詩會箋》又云：「孝子負罪，以為無祿不孝以忝所生，故為是痛切哀慟之辭也。」

三　雙親俱亡無怙無恃之危苦

天下最可悲可憐者，當是孤兒，所以孟子稱為「天下之窮民而無告者。」每聞「人皆有父，翳我獨我；人皆有母，翳我獨無。」的歌聲，從沒有不泫然淚下沾襟的。雙親俱亡，無怙無恃，其危苦哀痛，何可言喻？所以詩云：

> 無父何怙？無母何恃？出則銜恤，入則靡至。

這幾句詩是說：沒有父親何所依賴？沒有母親何所仗恃？嵇康有「加少孤露，少庇蔭。」僅失嚴父，就有此孤危之言，何況此詩又失慈母？人生不幸，未有過於此者。所以在心神恍惚下，走出家門，滿懷憂傷，抱恨終天。回到家中，堂宇空曠，四顧茫然；不見父母，遑遑不安，忽忽若無所至！司馬遷在極度悲傷的時候，也有「居則忽忽若有所亡，出則不知所如往」的傾訴。讀《王風‧葛藟》，「謂他人父」、「謂他人母」、「亦莫我顧」、「亦莫我有」等句，已感因戰亂而流落他鄉乞兒之可哀，現又何況是雙親俱亡的孤兒呢？其孤特危苦的情形，就更令人難過了。所以牛運震《詩志》云：「最難寫是孤兒哭聲，如此拙重側怛，直將孝子難言之痛攎出。故是悲哀盡頭文字。」

四　養育親恩不及報答之悲傷

孤兒哭聲難寫，親恩高如山、深似海更難寫。提携奉負，勞苦至

極，怎能報答？所以孟郊詩有「誰言寸草心，報得三春暉」之句。此尚是親在能報而報不盡的感受，若像《韓詩外傳》所謂「樹欲靜而風不止，子欲養而親不待。」親沒已無從報起，當更為悲傷哀痛了。詩從極細微處寫親恩，又從浩大處寫不能報，所以詩云：

> 父兮生我，母兮鞠我，拊我畜我，長我育我，顧我復我，出入腹我。欲報之德，昊天罔極！

這章詩乍看，是司空見慣了的父母照顧子女所應有的小事。有何大驚小怪？殊不知世上的至情至愛，全表現在這些小事上，嚴粲《詩緝》申言之為「鞠、畜、育皆養也，所從言之異耳！父生母鞠，此總言我身是父母所生養，下乃詳言父母之恩勤也。拊，謂以手摩拊其首，而防其驚，是初生之時。初生而言畜養，謂乳之也。長謂養之，稍長則能就口食矣！稍長而言畜養，謂哺之也。已而行戲於地，父母或去之，則回首之顧視之。復謂顧之又顧，是反覆不能暫捨，愛之至也。在家容其行戲，或自內而出外，或自外而入內，未可令其自行，則抱之於懷，此曲盡父母愛子之情也。父母之恩如此，欲報之以德，而父母之恩，如天之無窮，不知所以為報也。今我不及報之痛，當奈何也！嗚呼！讀此詩而不感動者，非人子也。」詳言其如天無窮深恩，恨無能可以為報，能不感動落淚嗎？所以姚際恆《詩經通論》云：「勾人眼淚，全在此無數我字。」竹添光鴻《毛詩會箋》云：「一片血淚，在連用九我字。」朱善《詩解頤》云：「念生育之艱，思顧復之勤，罔極之恩，既不可得而報，則無涯之悲，亦孰得而止之也。」

五 他人能之己獨不能之哀痛

在讀〈鴇羽〉〈陟岵〉詩時，已感思念父母而悲傷之痛；但該詩為思念父母尚存之日，所以雖有「不能蓺稷，父母何食？」「不能蓺稻梁，父母何嘗？」之悲，但仍存有「上慎旃哉！猶來，無止。」「上慎旃哉！猶來，無棄。」團聚奉事的一線希望。此詩為父母既早逝，容貌不可復思，音訊不可復聞，雖有甘旨輕煖，已無所可奉，追念及此，能不哀痛淚落嗎？所以詩云：

> 南山烈烈，飄風發發。民莫不穀，我獨何害？
> 南山律律，飄風弗弗。民莫不穀，我獨不卒？
> 哀哀父母，生我劬勞！
> 哀哀父母，生我勞瘁！

上面詩句是說，在南山烈烈律律、凜冽的寒風發發下，正須子女甘旨輕煖奉養。但他人能之，而「民莫不穀」，己則不能，而「我獨何害？」「我獨不卒？」自有極大的哀痛吧！即今父親節、母親節，他人都能買點父母所喜歡的禮物送給父母，而自己卻不能，將是甚麼感覺？母親節，人家帶回家的都是紅色康乃馨，自己帶回家的卻是白色的，這時追憶父母上述許多劬勞、勞瘁的親恩，能不哀之又哀、哀到盡頭嗎？所以嚴粲《詩緝》云：「歎民莫不得以養其父母，我何為遭此害，而不得終養乎？」牛運震《詩志》云：「至此淚盡聲絕，惟餘噓歎繚繞以終之。」方玉潤《詩經原始》云：「末二章以眾襯己，見己之抱恨獨深。」

大凡至情至性文字，必能入人之心，而深為感動，因為人皆有一相同的良知本能使然。此詩孝思感人，影響後世極大，所以《晉書・

王襃傳》云：「痛父非命，未嘗西向而坐，示不臣朝廷也。於是隱居教授，三徵七辟皆不就。廬于墓側，旦夕常至墓所拜跪攀柏悲號，涕淚著樹，樹為之枯。母性畏雷，母沒，每雷輒到墓曰：襃在此。及讀詩至『哀哀父母，生我劬勞。』未嘗不三復流涕。門人受業者，並廢〈蓼莪〉之篇。」方玉潤《詩經原始》云：「詩首尾各二章，前用比，後用興。前說父母劬勞，後說人子不幸，遙遙相對。中間二章，一寫無親之苦，又何況父母之於子女，本同氣異息，一體而分，自必有心靈相應同感呢！」姚際恆《詩經通論》云：「勾人眼淚，全在此無數我字，何必王襃？一寫育子之艱，備極沉痛，幾於一字一淚，可抵一部孝經讀。」胡承珙《毛詩後箋》云：「晉王襃、齊顧歡，並以孤露，讀詩至蓼莪，哀痛泣涕。唐太宗生日，亦以生日承歡膝下，永不可得，因引『哀哀父母，生我劬勞』之詩。」在在都說明了此詩感人之深。詩以「我」字志哀，共用十三次，聲慘氣促，字字椎心。其所以用語淺顯、感人至深者，全在親情真摯使然。在授受此詩時，老師哽咽不能道出一字者有之，學生欷歔淚下者亦有之。至情至性文字之感人，真的如姚際恆所說「何必王襃」了。人之幸而父母健在者，當然不知此詩悲痛；及「養子方知親恩」，而又「子欲養而親不待」時，始深知之，但為時已晚，雖長號短泣，三復流涕，亦僅能抱恨終天。於生我養我劬勞的父母，只能哀之又哀、愧恨悲痛、椎心泣血了。

肆　《詩經》中有關婦女問題之探討

前言

在今存十三經中，談到婦女問題的，除了《論語》的「唯女子與小人為難養也。」[1]帶有貶抑的意味外；其它書中，即使談到婦女問題，也多為母儀天下的尊貴夫人，玉潔冰清的貞烈女子。再不然就是賢母的如何教子，孝女的如何事親，很少觸及到婦女其它問題。《詩經》雖然於婦女問題無所不談。但可惜的是，過去的人，多從《詩序》所說「后妃之德」[2]的聖女，《朱傳》所講「淫奔期會」[3]的蕩婦以解詩，又完全失掉了原詩的本真，這是極可惜的事。惟邇來說詩者，多已發現此一現象，而就詩論詩，還我婦女同胞其面目。本文就《詩經》原文，佐以前修論著，就婦女的地位、工作、情感、姿容、舉止、懿德、醜行諸方面言之，而為《詩經》中有關婦女問題的探討一文。惟有關原詩本文及篇義部份皆以拙著《詩經評釋》[4]為準，不另加註。現分別述之如下：

1　〔魏〕何晏集解，〔宋〕邢昺疏：《論語注疏》（影印清嘉慶二十年江西南昌府學刊本，臺北：藝文印書館，1955年），卷17，〈陽貨〉，頁11下。

2　〔漢〕毛公傳，〔漢〕鄭玄箋，〔唐〕孔穎達疏：《毛詩注疏》（影印清嘉慶二十年江西南昌府學刊本，臺北：藝文印書館，1955年），卷1之1，〈關雎・序〉，頁3下。

3　《詩集傳・邶風・靜女・序》（臺北：臺灣中華書局，1969年），頁26。

4　朱守亮：《詩經評釋》（臺北：臺灣學生書局，1984年10月）。【編按：今已將所引《詩》文於《詩經評釋》中之頁數一一注出，以便讀者查閱。】

一　地位

《詩經》中婦女的地位，在極公開，任何場合都可出現的情形下，似乎看不出甚麼平等、不平等。雖如此，但詳加觀察，仍有問題存在。

（一）男尊女卑

我國重男輕女的觀念，是否原自《小雅・斯干》詩中的「乃生男子，載寢之牀，載衣之裳，載弄之璋。」「乃生女子，載寢之地，載衣之裼，載弄之瓦。」[5]一出生，男女地位就注定不平等，不得而知。又因為男子在宗法社會中，享有經濟主權而能獨立，婦女則為附屬品，致男尊女卑的情形，更加顯著了。在《邶風・谷風》詩中，有「有洸有潰，既詒我肄」[6]的句子，雖有大男人意味存在；但該詩重在言其絕情，男尊女卑與否，地位平等與否，還不甚清楚。而由《衛風・氓》詩中「士之耽兮，猶可說也；女之耽兮，不可說也。」[7]細細體會，當時確是男尊女卑，地位不平等了。

（二）聽命父母

中國古代婚姻，一向是俗所謂「父母之命，媒妁之言。」在《齊風・南山》詩中，就有「取妻如之何？必告父母」[8]的記載。男的娶妻尚且如此，女的嫁夫，更是惟父母之命是從了。又《衛風・氓》詩有「匪我愆期，子無良媒。」[9]《豳風・伐柯》詩有「取妻如何？匪

5　校注：朱守亮：《詩經評釋》，頁534、535。
6　校注：朱守亮：《詩經評釋》，頁126。
7　校注：朱守亮：《詩經評釋》，頁186。
8　校注：朱守亮：《詩經評釋》，頁282。
9　校注：朱守亮：《詩經評釋》，頁185。

媒不得。」[10]在《詩經》中，如婚姻發生變化時，無由責怪媒人，但多呼父母以自吐悲傷而哀訴之。如《邶風・日月》詩，遇到變心的丈夫時，在呼「父兮母兮，畜我不卒。」[11]《鄘風・柏舟》詩，貞婦有夫早死，其母欲嫁之而不願時，在呼「母也天只，不諒人只。」[12]即《鄭風・將仲子》詩，甚至遇到可愛的男子，當愛而不敢愛時，亦在呼「豈敢愛之，畏我父母」[13]了，這都表明了一切聽命於父母。

（三）屈從丈夫

婦女對婚姻的抱持多是從一而終。所以《邶風・谷風》詩有「及爾同死」[14]，《衛風・氓》詩有「及爾偕老」，《鄭風・女曰雞鳴》詩有「與子偕老」的話。婚姻即使不美滿，也多半是《王風・中谷有蓷》詩的「遇人之艱難矣」，「遇人之不淑矣」，而一切忍耐、認命，不敢怨及他人。但男人自以為享有經濟主權，將婦女視為附屬品。故多喜新厭舊，要如何就如何。有時一腳踢出門的下堂人，在如《邶風，谷風》「宴爾新昏，不我屑以。」「宴爾新昏，如兄如弟。」「宴爾新昏，以我御窮」下，除對新人有「毋逝我梁，毋發我笱。」人去物亦賤，不足迎後人的憤激使氣話，而又用「我躬不閱，遑恤我後。」[15]似是徹悟，實係悲痛的話來安慰自己外；對丈夫是無任何反抗，只是屈從。又有些丈夫，對妻子不僅毫無敬愛之意，甚而肆加狂暴，這在《邶風・終風》詩中有極詳細的陳述。[16]又在《邶風・谷風》詩「不

---

10 校注：朱守亮：《詩經評釋》，頁435。
11 校注：朱守亮：《詩經評釋》，頁109。
12 校注：朱守亮：《詩經評釋》，頁150。
13 校注：朱守亮：《詩經評釋》，頁229。
14 校注：朱守亮：《詩經評釋》，頁123。
15 校注：朱守亮：《詩經評釋》，頁124、126。
16 見《詩經評釋》，頁110-112。

我能慉，反以我為讎。」[17]《邶風・柏舟》詩「覯閔既多，受侮不
少」[18]時，也只有《邶風・柏舟》詩中的「靜言思之，寤辟有摽。」[19]
《衛風，氓》詩中的「靜言思之，躬自悼矣。」[20]而完全無奈、認
命，一無怨尤的屈從丈夫了。

二　工作

《詩經》中婦女的工作，除一般家事外，又因我國係以農立國，
分擔部份農事，此必然者。且遠古時代，特重祭祀，故襄助祭祀之
事，亦在所多有。

（一）農事

在農業社會中，最重要的當然是男耕女織，所以古書中有「一農
不耕，民或為之飢；一女不織，民或為之寒」[21]的話。《詩經》中的婦
女，明著「采葛」、「采艾」、「采葑」、「采麥」諸采字，雖不是直接的
農事耕稼，但都與農事有關。又因婦女體力上的先天限制，太重的工
作或不能勝任；但分擔一些較輕鬆的事，想毫無問題。如《豳風・七
月〉詩中的「同我婦子，饁彼南畝，田畯至喜。」[22]《小雅，甫田》
及〈大田〉詩中的「以其婦子，饁彼南畝，田畯至喜。」[23]《周頌・

17　校注：朱守亮：《詩經評釋》，頁125。
18　校注：朱守亮：《詩經評釋》，頁100。
19　校注：朱守亮：《詩經評釋》，頁101。
20　校注：朱守亮：《詩經評釋》，頁188。
21　〔唐〕尹知章注，〔清〕戴望校正：《管子校正》，《諸子集成》（臺北：世界書局，
　　1955年），卷23，〈輕重甲〉，頁393。
22　校注：朱守亮：《詩經評釋》，頁418。
23　校注：朱守亮：《詩經評釋》，頁634、638。

良耜》詩中的「或來瞻女，載筐及筥。其饟伊黍，其笠伊糾，其鎛斯趙，以薅荼蓼。荼蓼朽止，黍稷茂止。」[24]不僅送飯至田中，探視辛勤工作的男子，還幫忙拔除荼蓼雜草，以期黍稷稻穀的碩茂茁壯，都是最好的例子。而《周頌‧載芟》詩中的「有嗿其饁，思媚其婦。」[25]婦女送食到田中，夫見而欣然迎接，以示媚愛，則是至為樸質的畫面。至於《小雅‧大田》詩中的「此有滯穗，伊寡婦之利。」[26]雖也是婦女的田野工作，但那是孤獨無告的寡婦，拾取田間遺棄的禾穗，以為一己利益，恐怕與上所云和樂畫面相反，而是悲慘的景象了。又說到女織，一定離不開養蠶繰絲，在《豳風‧七月》詩中有「蠶月條桑，取彼斧斨，以伐遠揚，猗彼女桑。」「女執懿筐，遵彼微行，爰求柔桑。」[27]將婦女採桑養蠶的事，說得很清楚。至《衛風‧氓》詩中的「氓之蚩蚩，抱布貿絲。」[28]則又說明婦女將繰成的絲，售予他人。

（二）家務

　　古今中外都是一樣，家務事中最重要的是衣食工作，房舍整理工作。《詩經》中有關衣的記載特多，在《豳風‧七月》詩中有「七月流火，九月授衣。」[29]天一開始冷時，蠶績之功成，即準備材料，製成冬日衣裳，以授予家人禦寒。在過程中，首先是已采得葛麻類的煮、漚，去其膠質，取其纖維等事。所以《周南‧葛覃》詩中有「葛之覃兮，施於中谷。維葉莫莫，是刈是濩。」[30]《陳風‧東門之池》

---

24 校注：朱守亮：《詩經評釋》，頁910、911。

25 校注：朱守亮：《詩經評釋》，頁907。

26 校注：朱守亮：《詩經評釋》，頁637。

27 校注：朱守亮：《詩經評釋》，頁419。

28 校注：朱守亮：《詩經評釋》，頁185。

29 校注：朱守亮：《詩經評釋》，頁419。

30 校注：朱守亮：《詩經評釋》，頁43。

詩中有「東門之池，可以漚麻。」「東門之池，可以漚紵。」[31]《小雅・白華》詩中有「白華菅兮」。[32]經此處理後，接著是紡績，所以《豳風・七月》詩中有「八月載績」。[33]《陳風・東門之枌》詩中有「不績其麻」。[34]紡績後，接著是織布，所以《周南・葛覃》詩中有「為絺為綌」。[35]織成布後，接著是染色，所以《豳風・七月》詩中有「載玄載黃，我朱孔陽。」[36]將自己織好的布，染成最鮮明的顏色。而染色所用的顏料，似乎也都是婦女自己「采綠」、「采藍」[37]等所采得而提煉出的呢？染色後，接著是縫製衣裳，所以《魏風・葛屨》詩中有「摻摻女手，可以縫裳。要之襋之，好人服之。」[38]《豳風・七月》詩中有「為公子裳。」[39]《邶風・綠衣》詩中有「綠兮衣兮，女所治兮。」[40]不僅自己織的布染色縫製衣裳。而男人獵得的皮革也是如此，所以《豳風・七月》詩中有「取彼狐狸，為公子裘。」[41]除縫製衣裳外，再就是洗滌衣裳，所以《周南・葛覃》詩中有「薄污我私，薄澣我衣，害澣害否，歸寧父母。」[42]又婦女本不可參與朝廷之

---

31 校注：朱守亮：《詩經評釋》，頁379。

32 校注：朱守亮：《詩經評釋》，頁688。

33 校注：朱守亮：《詩經評釋》，頁419。

34 校注：朱守亮：《詩經評釋》，頁374。

35 校注：朱守亮：《詩經評釋》，頁42。

36 校注：朱守亮：《詩經評釋》，頁419。

37 校注：《小雅・采綠》詩，有「終朝采綠」、「終朝采藍」之語。鄭玄箋「綠」為「王芻」，「藍」則為「染草」，蓋皆為染料作物。見《毛詩注疏》，頁512、513。又近人考證認為「綠」即今之「藎草」，「藍」則今之「蓼藍」。藎草可藥用，亦可染黃、染綠；蓼藍則可染藍、染綠，是中國主要的藍染植物，「青出於藍」之「藍」，亦即此草。見潘富俊：《詩經植物圖鑑》（臺北：貓頭鷹出版社，2014年1月），頁175、181。

38 校注：朱守亮：《詩經評釋》，頁299。

39 校注：朱守亮：《詩經評釋》，頁419。

40 校注：朱守亮：《詩經評釋》，頁103。

41 校注：朱守亮：《詩經評釋》，頁420。

42 校注：朱守亮：《詩經評釋》，頁43。

事，而竟參與，以致停止其蠶織本事時，則有如《大雅・瞻卬》詩中的「婦無公事，休其蠶織。」[43]或役頻賦重，人們呼天訴其哀怨時，則有如《小雅・大東》詩之「跂彼織女，終日七襄」[44]的反常外，婦女在家務事縫製衣裳工作，大抵是如此。以上是衣事。除衣外，婦女的家務事工作，當然是所謂主中饋的食了。所以《小雅・斯干》詩中有「無非無儀，惟酒食是議，無父母貽罹。」[45]婦女別無可談，作妥酒食，無遺父母憂就好了。這在前面提到的「饁彼南畝」中，就可充份證明。又關於食物，除主食外，菜蔬有的是婦女自己采來的野菜，像許多「采薇」[46]、「采蕨」[47]、「采唐」[48]、「采藚」[49]等諸有關采字的都是。至於魚肉方面，一則是婦女自己捕的魚，由《邶風・谷風》詩「毋逝我梁，毋發我笱。」[50]可以推知。一則是婦女自己所養的家畜家禽，如《王風，君子于役》詩中的「雞棲于塒」，「雞棲于桀」的雞；「牛羊下來」，「羊牛下括」的牛、羊。[51]一則是《豳風・七月》詩中的「言私其豵，獻豜于公。」[52]歸為私有的小獸。再不然就是丈夫

43　校注：朱守亮：《詩經評釋》，頁853。

44　校注：朱守亮：《詩經評釋》，頁602。

45　校注：朱守亮：《詩經評釋》，頁535。

46　校注：《小雅・采薇》：「采薇采薇，薇亦作止。」「薇」即野碗豆苗，可煮食，此外，潘富俊認為「《詩經》中提及的『薇』可能亦指小巢菜、大野碗豆、大巢菜等。」見《詩經植物圖鑑》，頁31。

47　校注：《召南・草蟲》：「陟彼南山，言采其蕨。」蕨亦可食用，然有毒，必須煮熟。見《詩經植物圖鑑》，頁29。

48　校注：《鄘風・桑中》：「爰采唐矣，沬之鄉矣。」「唐」即「菟絲」。見《詩經植物圖鑑》，頁113。

49　校注：《魏風・汾沮洳》：「彼汾一曲，言采其藚。」「藚」，應為「澤瀉」，藥用植物。見《詩經植物圖鑑》，頁105。

50　校注：朱守亮：《詩經評釋》，頁124。

51　校注：朱守亮：《詩經評釋》，頁207、208。

52　校注：朱守亮：《詩經評釋》，頁420。

獵得的野味。如《鄭風‧女曰雞鳴》詩中的「弋言加之，與子宜之；
宜言飲酒，與子偕老。」[53]丈夫弋獵而得的鳧雁，和以滋味之所宜的
鹽、糖、醬油等調味品，而烹調為菜肴。又北方冬月少鮮菜，多製乾
菜禦冬，如《邶風‧谷風》詩的「我有旨蓄，亦以御冬。」[54]以上是
食事。婦女家務事，除衣食外，整理房舍，也是必然的。像《豳風‧
七月》詩中的「晝爾于茅，宵爾索綯。」[55]雖未明言婦女從事此工作，
但協助治理茅草，搓製繩索，在小家庭中，婦女必參與其事。至於同
詩中的「穹窒熏鼠，塞向墐戶，嗟我婦子，曰為改歲，入此室處。」[56]
雖為男子口氣；但以《豳風‧東山》詩中的「鸛鳴于垤，婦嘆于室。
灑埽穹窒，我征聿至」[57]例之，婦女也必須協助，甚至主動參與了。

（三）祭祀

《詩經》中婦女工作，除農事、家務事外，比較特殊一點的是襄
助祭祀之事。我國古代很重視祭祀。在祭祀時諸多瓜果籩實的剝菹，
牛羊犧牲的宰烹等工作，必有婦女的襄助。而《小雅‧楚茨》詩中，
又有「諸宰君婦，廢徹不遲」[58]的記載，也說明了婦女的參與。具體
的工作，則為《周頌‧良耜》詩中的「百室盈止，婦子寧止。殺時犉
牡，有捄其角。」[59]婦女襄助宰殺牛羊，作為犧牲祭品，想是必然的
事。又《小雅‧楚茨》詩中的「君婦莫莫，為豆孔庶。」[60]主婦謹謹

---

53 校注：朱守亮：《詩經評釋》，頁243。
54 校注：朱守亮：《詩經評釋》，頁126。
55 校注：朱守亮：《詩經評釋》，頁422。
56 校注：朱守亮：《詩經評釋》，頁421。
57 校注：朱守亮：《詩經評釋》，頁430。
58 校注：朱守亮：《詩經評釋》，頁626。
59 校注：朱守亮：《詩經評釋》，頁911。
60 校注：朱守亮：《詩經評釋》，頁624。

慎慎的準備妥眾多祭品，以備祭祀。再說許多可供祭祀的菜蔬，如
《召南・采蘩》詩中「于以采蘩」[61]，可供祭祀之蘩；《召南・采蘋》
詩中「于以采蘋」[62]，可供祭祀之蘋等，都是婦女從野外采來的。二
詩又說明在何處采，作何用途，如何盛裝，如何烹煮，放在甚麼器皿
內，置於何處祭祀的詳細情形。[63] 又較特別的，是婦女不僅襄助祭
祀，有時自身也變為受祭品的尸主。如《召南・采蘋》詩中的「誰其
尸之，有齊季女。」[64] 不管齊讀為莊敬的齋，還是齊國的齊，但此童
貞少女之為尸主，則是毫無疑問的事。

三　情感

　　《詩經》中的婦女情感，是多元性的，少女相思的淒苦，成年待
嫁的欣喜，乖違仳離的悲戚，甚而死別寡居的寂寞哀痛，無不包括，
現就婚前婚後，分別言之。

（一）婚前

　　婚前婦女情感問題，《詩經》中所呈現者有六，即相思、期會、
情變、堅貞、遲婚、待嫁等，現述之於下：

1 相思

　　在男女交往過程中，有時因某種客觀環境上的限制而兩地相隔，
甚或雖朝夕相見，但默默無言，於是相思之苦，便縈繞心頭了。如

---

61 校注：朱守亮：《詩經評釋》，頁69。
62 校注：朱守亮：《詩經評釋》，頁73
63 見《詩經評釋》頁69-71、頁73-75。
64 校注：朱守亮：《詩經評釋》，頁74。

《鄭風‧子衿》詩的「青青子衿，悠悠我心。縱我不往，子寧不嗣
音？」「青青子佩，悠悠我思。縱我不往，子寧不來？」[65]心儀的男
子，不來身邊，頗有負氣相責意味。又如《鄭風‧褰裳〉詩的「子惠
思我，褰裳涉溱。」「子惠思我，褰裳涉洧。」[66]希望心儀男子的相
愛，有動作來會，頗有《王風‧采葛》詩的「一日不見，如三月兮」[67]
的苦相思。又《檜風‧素冠》詩的「庶見素冠兮，棘人欒欒兮，勞心
慱慱兮。」「庶見素衣兮，我心傷悲兮，聊與子同歸兮。」「素見素韠
兮，我心蘊結兮，聊與子如一兮。」[68]想見著素冠、素衣、素韠的男
子，而同歸其家，同生共死如一人，竟不可得，自必情為之傷，神色
憔悴，形銷骨毀了。唐詩有「思君如滿月，夜夜減清輝。」[69]當與此
同。又金谷詩「白首同所歸」，[70]蘇子卿詩「與子同一身」，[71]所述雖
非男女之情，但也同似此處的同歸、如一吧？相思情切之苦，自可想
像得知了。

2 期會

期會詩雖有不期而遇，如《鄭風‧野有蔓草》詩所謂「邂逅相
遇」[72]的豔遇情形。也有期而不遇者，如《鄭風‧山有扶蘇》詩的

---

65 校注：朱守亮：《詩經評釋》，頁260。

66 校注：朱守亮：《詩經評釋》，頁252。

67 見《詩經評釋》，頁220。

68 校注：朱守亮：《詩經評釋》，頁397、398。

69 〔唐〕張九齡：〈賦得自君之出矣〉，〔清〕清聖祖御定：《全唐詩》（臺北：明倫出
　　版社，1971年5月），卷49，頁609。

70 〔晉〕潘岳：〈金谷集作詩〉，丁福保編：《全晉詩》（臺北：世界書局，1962年），
　　頁374。

71 蘇子卿：〈骨肉緣枝葉〉，〔南朝梁〕蕭統編，〔唐〕李善注：《文選》（重刻宋淳熙
　　本，臺北：藝文印書館，1957年），卷第29，〈雜詩上〉，頁421。

72 校注：朱守亮：《詩經評釋》，頁265。

「山有扶蘇，隰有荷華。不見子都，乃見狂且。」「山有橋松，隰有游龍。不見子充，乃見狡童。」[73]除未見到所期子都、子充，而遇到狂且、狡童惡徒，自是傷感的事外，但都為相期而會者。蓋男女相悅，因相悅而思相會，此必然現象。在前節中，多是愁苦，而在此節中，例多喜詞。然亦有因所期的不來，焦心苦等，產生煩苦情事。至期會之地，多是清靜幽美，風景名勝處。所以《邶風・靜女》詩有「俟我於城隅」。[74]《鄘風・桑中》詩有「期我乎桑中，要我乎上宮，送我乎淇之上矣。」[75]《鄭風・山有扶蘇》詩有「山有扶蘇，隰有荷華。」「山有橋松，隰有游龍。」[76]《陳風・東門之楊》詩有「東門之楊，其葉牂牂。」「其葉肺肺。」[77]《小雅・隰桑》詩有「隰桑有阿，其葉有難。」「其葉有沃。」「其葉有幽」。甚而《王風・丘中有麻》詩的丘中有麻之處[78]，都是期會的最好所在了。見面後，當然是《陳風・東門之池》詩的「可與晤歌」，始則遙與之合曲而歌。「可與晤語」，繼則近與之對語相答述。「可與晤言」，終則去其距離與之對言傾訴。[79]《小雅・隰桑》詩的「既見君子，其樂如何？」「云何不樂」、「德音孔膠」。[80]《衛風・氓》詩的「既見復關，載笑載言」。[81]至《鄭風・溱洧》詩中所謂秉蕑縱情往遊於「洧之外，洵訏且樂」之處，而「維士與女，伊其相謔」戲樂，且將別時，而「贈之以勺藥」

---

73 校注：朱守亮：《詩經評釋》，頁247-248。

74 校注：朱守亮：《詩經評釋》，頁141。

75 校注：朱守亮：《詩經評釋》，頁157。

76 校注：朱守亮：《詩經評釋》，頁247、248。

77 校注：朱守亮：《詩經評釋》，頁381。

78 校注：朱守亮：《詩經評釋》，頁225。

79 校注：朱守亮：《詩經評釋》，頁379、380。

80 校注：朱守亮：《詩經評釋》，頁685、686。

81 校注：朱守亮：《詩經評釋》，頁186。

以為紀念亦是極自然的事。[82]此處是「贈之以勺藥」，《王風·丘中有麻》詩謂「貽我佩玖」[83]，《政風·女曰雞鳴》詩謂「雜佩以贈之」、「雜佩以問之」、「雜佩以報之」。[84]甚而《衛風·木瓜》詩謂「木瓜」、「木桃」、「木李」之投，「瓊琚」、「瓊瑤」、「瓊玖」之報[85]，物雖不同，目的只是在借饋贈，以結恩情之好罷了，這是期會既已見面的情形。假如像《陳風·東門之楊〉詩中的，本「昏以為期」而候至「明星煌煌」、「明星晢晢」[86]，仍未見面，當然是《衛風·氓》詩中的「不見復關，泣涕漣漣。」[87]或《陳風·澤陂》詩中的「寤寐無為，涕泗滂沱。」[88]失望愁苦，以淚洗面了。

3 情變

男女相互愛悅，當然是情之至美者，但有時也會情海揚波而思分手，產生悲苦的事。有的情場之變的發生，是懷疑對方嫌自己醜惡，所以《鄭風·遵大路》詩有「遵大路兮，摻執子之袪兮。無我惡兮，不寁故也。」「遵大路兮，摻執子之手兮。無我魗兮，不寁好兮。」[89]除此情形之外，也有因別人挑撥離間而發生問題的。所以《陳風·防有鵲巢》詩有「誰侜予美，心焉惕惕。」[90]本無問題，但因受謠言所惑而產生裂痕呢？！也有些情形，本來是好好的，只是鬧彆扭，嘔氣

---

82 校注：朱守亮：《詩經評釋》，頁267、268。

83 校注：朱守亮：《詩經評釋》，頁224。

84 校注：朱守亮：《詩經評釋》，頁243、244。。

85 校注：朱守亮：《詩經評釋》，頁202。

86 校注：朱守亮：《詩經評釋》，頁381。

87 校注：朱守亮：《詩經評釋》，頁186。

88 校注：朱守亮：《詩經評釋》，頁391。

89 校注：朱守亮：《詩經評釋》，頁241。

90 校注：朱守亮：《詩經評釋》，頁385。

而發生問題，也會使人不食不睡，氣為之結。所以《鄭風・狡童》詩有「彼狡童兮，不與我言兮。維子之故，使我不能餐兮。」「彼狡童兮，不與我食兮。維子之故，使我不能息兮。」[91]這種不與我共食，不與我談話，絕情而去，精神制裁的情形，至今仍有，也是最能使人淒苦難受的。

4 堅貞

在男女既已相愛，正常發展，無違離情事，而志確不渝，心堅不改，專於所愛，不移其心者，當然多有。所以《鄘風・柏舟》詩有「髧彼兩髦，實維我儀，之死矢靡它。母也天只，不諒人只！」[92]這種堅貞於所愛，有極壯烈哀痛的悲鳴，使人如聞號泣之聲的至上愛情，當然是最可詠歌的了。又假如遇到像《鄭風・出其東門》詩的「出其東門，有女如雲。雖則如雲，匪我思存。縞衣綦巾，聊樂我員。」「出其闉闍，有女如荼。雖則如荼，匪我思且。縞衣茹藘，聊可與娛。」[93]所陳雖是情有獨鍾，能專愛的男子，但如女子不堅貞，想也未必能致此吧！？至於像《唐風・羔裘》詩的「羔裘豹袪，自我人居居。豈無他人？維子之故。」「羔裘豹褎，自我人究究。豈無他人？維子之好。」對棄舊情而去的男子，亦惟有以故舊之情是念、是愛，絲毫無所改變，也至為感人。

5 遲婚

正常的交往，然後在適婚年齡結婚，那是再好也沒有的了，但事與願違的事仍很多。即如現在，有甚多條件極佳的婦女，竟因某些原

---

91 校注：朱守亮：《詩經評釋》，頁250、251。

92 校注：朱守亮：《詩經評釋》，頁149。

93 校注：朱守亮：《詩經評釋》，頁263、264。

因，使年華虛度，青春徒逝，而耽誤了婚事的亦不少。試看《召南‧摽有梅》詩，「摽有梅，其實七兮。求我庶士，迨其吉兮。」「摽有梅，其實三兮。求我庶士，迨其今兮。」「摽有梅，頃筐墍之。求我庶士，迨其謂之。」[94]詩中以梅之實七、實三、頃筐墍之，以喻女子盛年之漸逝；而以迨吉、迨今、迨謂，以言女子遲婚之畏懼。首言青春所餘尚多，無甚可怕，願及其吉日良辰。次言青春逝去過半，漸感緊張，可不待吉日良辰，今天就好。到最後，已青春殆盡，時不我與，而興遲婚之感告語之，隨便講一句求婚的話就好了，充分寫出女子遲婚、懼嫁不及時心理。五古詩有「傷彼蕙蘭花，含英揚光輝。過時而不采，將隨秋草萎。」[95]意與此詩相類。又〈折楊柳枝歌〉：「阿婆不嫁女，那得孫兒抱。」[96]〈地驅樂歌〉：「老女不嫁，蹋地喚天。」[97]雖同為遲婚，懼嫁不及時，然如此疾急激切，似乎失卻女子矜持之感，而少溫柔敦厚之情了。

6 待嫁

在交往中，也許一帆風順，也許經過許多挫折；但能衝破萬難，步上紅地毯，如《豳風‧東山》詩「之子于歸，皇駁其馬。親結其縭，九十其儀。」[98]充份準備妥當而歸嫁的事，當是最幸福而令人欽羨的了。但在臨上花轎或禮車的當兒，有太多值得回憶、追訴的事情，那複雜的心理，恐不是他人所能寫出的。試看《齊風‧著》詩「俟我於著乎而，充耳以素乎而，尚之以瓊華乎而。」「俟我於庭乎

---

94 校注：朱守亮：《詩經評釋》，頁85。
95 〔漢〕無名氏：〈冉冉孤生竹〉，《文選》，卷29，〈古詩一十九首〉，頁418。
96 〈折楊柳枝歌〉，《樂府詩集》（臺北：里仁書局，1980年12月），第25卷，頁370。
97 〈地驅歌樂辭〉，《樂府詩集》，第25卷，頁366。
98 校注：朱守亮：《詩經評釋》，頁431。

而，充耳以青乎而，尚之以瓊瑩乎而。」「俟我於堂乎而，充耳以黃乎而，尚之以瓊英乎而。」[99]新郎來迎娶時，每到一處，準新娘即連掛耳環一小事，即緊張的不知掛甚麼顏色，刻甚麼花的好。心情緊張到竟不知所以為飾，如此描寫婦女待嫁時的心情，確也太細膩生動了。又《鄭風・丰》詩「子之丰兮，俟我乎巷兮，悔予不送兮！」「子之昌兮，俟我乎堂兮，悔予不將兮！」「衣錦褧衣，裳錦褧裳。叔兮伯兮，駕予與行。」「裳錦褧裳，衣錦褧衣。叔兮伯兮，駕予與歸。」[100]竟連婦女見新郎來親迎時，自喜得如此良人，而悔前者相見之時，曾故作矜持而不送、不將，實有負於新郎，而感愧疚的微妙心理亦描寫出，多古樸真實。最後是穿上嫁者禮服而呼「叔兮伯兮」送嫁者，駕而與之同行、同歸，將完成終身大事了。

（二）婚後

婚後婦女的情感問題，《詩經》中所呈現者亦有六，即新婚、和樂、閨怨、乖違、仳離、寡居現述之於下：

1 新婚

有情人終成眷屬，乃世人所馨香祝禱，希望達成者，新婚時新娘被贊美漂亮，應古今皆然。試看《鄭風・有女同車》詩「有女同車，顏如舜華。將翱將翔，佩玉瓊琚。彼美孟姜，洵美且都。」「有女同車，顏如舜英。將翱將翔，佩玉將將。彼美孟姜，德音不忘。」[101]贊美同車來嫁的新婦漂亮的像舜華一樣。即行動也或翱或翔，也像鳥飛舞般輕盈，且有瓊琚佩玉，益顯其美麗。又由最後兩句，知不僅有婦

99　校注：朱守亮：《詩經評釋》，頁275、276。
100　校注：朱守亮：《詩經評釋》，頁254、255。
101　校注：朱守亮：《詩經評釋》，頁245、246。

容，且有婦德。新娘被新郎如此贊美，真是欣幸至極了。來嫁後，自是《小雅‧車舝》詩的「式燕且喜」、「式燕且譽」，燕飲以相喜樂歡娛。「式歌且舞」，歌舞相樂。「鮮我覯爾，我心寫兮。」「覯爾新婚，以慰我心。」夫婦新婚舒暢而又得慰藉了。[102]至於新婚之夜的甜美呢？《唐風‧綢繆》詩「綢繆束薪，三星在天。今夕何夕？見此良人！子兮子兮，如此良人何！」「綢繆束芻，三星在隅。今夕何夕？見此邂逅。子兮子兮！如此邂逅何！」「綢繆束楚，三星在戶。今夕何夕？見此粲者！子兮子兮，如此粲者何！」[103]這將新婚之夜，都覺得對方漂亮，喜不自禁，大有不知如何是好驚喜之情都描繪出了。又由星之在天，轉而在隅，又轉而在戶，終夜纏綿情形，亦描繪盡出。不僅有唐詩的「今夕復何夕，共此燈燭光」[104]的夢寐之想，也有「春宵一刻值千金」[105]的歡情呢？！再說《小雅‧車舝》詩「鮮我覯爾，我心寧兮。」「覯爾新婚，以慰我心。」[106]雖係男子的口氣，但新婚夫婦，丈夫有此喜悅之心，作妻子的自也不例外了。

2 和樂

在《周南‧關雎》詩所謂「窈窕淑女，君子好逑。」[107]佳偶天成，新婚夫婦喜悅歡樂的蜜月期過後，最主要的是家庭的和樂。所以《周南‧桃夭》詩有「之子于歸，宜其室家。」[108]《小雅‧常棣》詩

---

102 校注：朱守亮：《詩經評釋》，頁653、654。
103 校注：朱守亮：《詩經評釋》，頁325、326。
104 〔唐〕杜甫：〈贈衛八處士〉，《全唐詩》，卷216，頁2257。
105 〔宋〕蘇軾：〈春夜〉，《蘇東坡全集（下）》（臺北：河洛圖書，1975年），頁64。
106 校注：朱守亮：《詩經評釋》，頁654。
107 校注：朱守亮：《詩經評釋》，頁39。
108 校注：朱守亮：《詩經評釋》，頁52。

有「宜爾室家，樂爾妻帑。」[109]即《大雅・韓奕》言「韓侯取妻」，
最後也落在「韓姞燕譽」的詳和安樂上。[110]又《周南・樛木》詩的
「南有樛木，葛藟藟之。樂只君子，福履綏之。」[111]樛木喻夫，葛藟
自喻，言婦之於夫，猶葛藟之繞樛木，而祝福丈夫，亦在求家庭成員
的健康和樂。在《王風・君子陽陽》詩的「君子陽陽，左執簧，右招
我由房。其樂只且。」「君子陶陶，左執翿，右招我由敖。其樂只
且。」[112]寫家庭夫婦的共舞，由「其樂只且」一語，「陽陽」、「陶
陶」二詞，就可看出夫婦家庭自得和樂的生活美境了。又《齊風・雞
鳴》詩的「甘與子同夢」[113]，著一「甘」字，不僅寫盡夢中美境，也
充分將夫婦家庭生活的和樂情形，全部描繪出了。又《鄭風・女曰雞
鳴》詩的「弋言加之，與子宜之。宜言飲酒，與子偕老。琴瑟在御，
莫不靜好。」「知子之來之，雜佩以贈之。知子之順之，雜佩以問之。
知子之好之，雜佩以報之。」[114]除將丈夫獵得的鳧雁，如何作成菜
肴，與丈夫共食野味，而飲酒相樂，期於偕老，並有雜佩贈送深結恩
好外。而「琴瑟在御，莫不靜好」二句，又充分的寫出，古士無災患
喪病，不徹琴瑟。《小雅・常棣》詩所謂「妻子好合，如鼓琴瑟」[115]
的夫婦安詳和樂之情了。

3 閨怨

人很難長相廝守，如烽火起，狼煙興，戰爭發生，征人遠役。必

---

109 校注：朱守亮：《詩經評釋》，頁454。
110 校注：朱守亮：《詩經評釋》，頁838、839。
111 校注：朱守亮：《詩經評釋》，頁47。
112 校注：朱守亮：《詩經評釋》，頁209、210。
113 校注：朱守亮：《詩經評釋》，頁271。
114 校注：朱守亮：《詩經評釋》，頁243、244。
115 校注：朱守亮：《詩經評釋》，頁454。

然是久戍於外，音訊全無，而歸期莫卜。即不如此，離家他去討生
活，久出不歸，亦難免不懷念遠人。或憂其安全，或憂其飢渴，或憂
其寒冷，或憂其忮求，而生哀怨之情了。如《周南・卷耳》詩的「采
采卷耳，不盈頃筐，嗟我懷人，寘彼周行。」[116]卷耳易采，頃筐易盈，
其所以采之又采，而不盈滿者，心繫征人奔馳於周道之上，而有所
憂，無心從事卷耳采擷之工作呀！《小雅・采綠》詩的「終朝采綠，
不盈一匊。」「終朝采藍，不盈一襜。」[117]也與此相同。又《衛風・伯
兮》詩的「伯兮朅兮，邦之桀兮。伯也執殳，為王前驅。」「自伯之
東，首如飛蓬。豈無膏沐？誰適為容。」「其雨其雨，杲杲出日。願
言思伯，甘心首疾。」「焉得諼草，言樹之背。願言思伯，使我心
痗。」[118]先述夫之武壯，為邦家英傑，執兵器為王先鋒，敘之頗有驕
矜自得之感。再述愛情堅篤，別後無心妝飾。《小雅・采綠》詩的「予
髮曲局，薄言歸沐。」[119]欲歸而沐髮，以待君子之還，想平時雖髮亂
捲曲，也是不梳理沐洗的。但終因丈夫要回來了，而竟未回來，最後
仍「願言思伯，甘心首疾。」「願言思伯，使我心痗。」想呀想的，
終致抑鬱成疾了。在《召南・殷其靁》詩的「殷其靁，在南山之陽。
何斯違斯，莫敢或遑。振振君子，歸哉歸哉。」[120]聞雷鳴，感風雨將
作，只希望從未敢稍事偷閒逸的丈夫，能早日歸來，回到自己身邊就
好了。但天下事那有如此稱意的呢？所以閨人不得不思，而有所牽
掛。《小雅・杕杜》詩的「女心傷止，征夫遑止。」「女心悲止，征夫
歸止。」「征夫不遠」，「征夫邇止」。[121]征夫久久不能回到身邊，也是

---

116 校注：朱守亮：《詩經評釋》，頁45。
117 校注：朱守亮：《詩經評釋》，頁680。
118 校注：朱守亮：《詩經評釋》，頁197、198。
119 校注：朱守亮：《詩經評釋》，頁680。
120 校注：朱守亮：《詩經評釋》，頁82。
121 校注：朱守亮：《詩經評釋》，頁473、474。

如此。又如《王風‧君子于役》詩的「君子于役，不知其期。曷至
哉？雞棲于塒，日之夕矣，羊牛下來。君子于役，如之何勿思？」[122]
行役無期，不知何時可歸，此不得不思者。牛羊牲畜等的出入，尚有
旦暮之節；丈夫的久役於外，而無止息之時，真是情之所不能堪者
了。感時念征夫，日落憶歸人。似可見「枯藤、老樹、昏鴉，小橋、
流水、人家」中懷想天涯斷腸人，久佇望遠的閨婦了。[123]又「苟無飢
渴」一語，最令人神傷。行役之人，僅此而已嗎？但閨中人所知者，
所念者，只此罷了。所以《衛風‧有狐》詩中的「有狐綏綏，在彼其
梁。心之憂矣，之子無裳。」[124]寫閨婦見狐之緩行，氣候漸寒時，想
起征人遠役在外，天寒無衣，不免心為之憂，而思其無禦寒衣裳；古
時不是有孟姜女送寒衣的感人故事嗎？又有時先生的外出，全係一己
造成，所以《邶風‧雄雉》詩有「我之懷矣，自詒伊阻。」[125]一己未
阻止丈夫的遠行，自遺此憂戚，大有「悔教夫婿覓封侯」[126]之感受。
又「展矣君子，實勞我心。」「道之云遠，曷云能來。」「不忮不求，
何用不臧。」[127]想到在外的君子，實心為之憂勞，但道路遙遠，只有
希望「不忮不求，何用不臧？」能不嫉妒，不貪求，全身而歸，回到
自己的身邊就好了。假如能如願出乎意料的回到自己身邊，那又是甚
麼情形？《鄭風‧風雨》詩中有「風雨淒淒，雞鳴喈喈，既見君子，
云胡不夷。」「風雨蕭蕭，雞鳴膠膠，既見君子，云胡不瘳。」「風雨
如晦，雞鳴不已，既見君子，云胡不喜。」[128]在「空館相思夜，孤獨

---

122 校注：朱守亮：《詩經評釋》，頁207。
123 〔元〕馬致遠：〈天淨沙〉，《東籬樂府》（古籍），頁11。
124 校注：朱守亮：《詩經評釋》，頁200。
125 校注：朱守亮：《詩經評釋》，頁118。
126 〔唐〕王昌齡：〈閨怨〉，《全唐詩》，卷143，頁1446。
127 校注：朱守亮：《詩經評釋》，頁118、119。
128 校注：朱守亮：《詩經評釋》，頁258。

照雨聲」[129]中，突然看到久別之丈夫平安歸來，說甚麼不因懸念之心既平，抑鬱之病既癒，而驚喜，而怡悅呢？《召南‧草蟲》詩也有「未見君子，憂心忡忡；亦既見止，亦既覯止，我心則降。」「我心則說」、「我心則夷」[130]，同樣的描繪。當然，在丈夫既回到一己身邊後，多不願再離己他去。所以《周南‧汝墳》詩有「未見君子，惄如調飢。」「既見君子，不我遐棄」[131]的記載。至「魴魚赬尾，王室如燬。雖則如燬，父母孔邇」[132]云云。此係怨婦不願夫再離己遠去的藉口，題目雖然正大，但著筆確是相當哀怨傷痛呢！又《秦風‧小戎》詩，寫了太多太多出征時的瑣事後，而由「亂我心曲」，「胡然我念之」，可見其心靈深處的悲惋。最後用「厭厭良人，秩秩德音。」[133]只希望良人平安，寄以音信就好，又是何等的痛苦嗟怨呢？至於《豳風‧東山》詩的「鸛鳴于垤，婦嘆於室。洒掃穹窒，我征聿至。」「倉庚于飛，熠燿其羽。之子于歸，皇駁其馬。親結其縭，九十其儀。其新孔嘉，其舊如之何？」[134]戰後解甲歸田，自幸生還，想像中與妻子重相聚，相互戲語以為樂，返家征夫喜出望外的情形，那真是有「夜闌更秉燭，相對如夢寐」[135]少之又少的事情了。

4 乖違

　　閨怨一節，多係遠去他鄉，兩地相思的悲痛。但也有雖廝守在一起，而丈夫變心，同床異夢，鬧家庭糾紛，將婦女所有優點好處，全

---

129 龍起濤：《毛詩補正》（臺北：臺灣大通書局，1970年6月），〈鄭風‧風雨評〉，頁423。
130 校注：朱守亮：《詩經評釋》，頁71、72。
131 校注：朱守亮：《詩經評釋》，頁61。
132 校注：朱守亮：《詩經評釋》，頁61。
133 校注：朱守亮：《詩經評釋》，頁351、352。
134 校注：朱守亮：《詩經評釋》，頁430、431。
135 杜甫：〈羌村之一〉，《全唐詩》，卷217，頁2277。

部忘掉的。所以《秦風‧晨風》有「如何如何？忘我實多。」[136]何以丈夫竟有負我之事如此，而忘我之善，又如是過甚？既「忘我實多」，必不能好好相處，善加照顧，所以《邶風‧日月》詩有「乃如之人兮，逝不古處。胡能有定，寧不我顧。」「胡能有定，寧不我報。」「胡能有定，俾也可忘。」[137]丈夫變心到了不能相處如故的地步，忐忑不定，而不顧我、理我，使我成為可忘卻之人，在此情形下，不呼「父兮母兮，畜我不卒。」[138]哭訴父母的生我不辰，又能如何呢？又《邶風‧終風》詩「終風且暴，顧我則笑。謔浪笑敖，中心是悼。」「終風且霾，惠然肯來。莫往莫來，悠悠我思。」「終風且曀，不日有曀。寤言不寐，願言則嚏。」「曀曀其陰，虺虺其靁。寤言不寐，願言則懷。」[139]描寫丈夫的急暴無常，戲謔不敬，只有一己悼傷後，尚希望能幡然改悟，「惠然肯來」，但「莫往莫來」，思之增憂，最後到「寤言不寐，願言則嚏。」真的病倒了。在乖違意見不合，琴瑟失調有問題家庭中的婦女，也是相當痛苦的。

5 仳離

　　婦女境遇尤慘的，恐怕是身遭休棄的哀痛了。有些仳離情事，如緣於婦女本身的劣點或缺失，那也就無話可說了。但《詩經》中所陳，多起於丈夫的喜新厭舊，無情背德。芳華稍逝，花未落而視為色衰，就棄之如遺，最為可恨。又因世間薄倖男子特多，所以仳離棄婦也就不少了。在《小雅‧白華》詩的「之子無良，二三其德。」「之子之遠，俾我獨兮。」「之子之遠，俾我厎兮。」「視我邁邁」，「之子

---

136 校注：朱守亮：《詩經評釋》，頁363。
137 校注：朱守亮：《詩經評釋》，頁107、108。
138 校注：朱守亮：《詩經評釋》，頁109。
139 校注：朱守亮：《詩經評釋》，頁110、111。

不猶」。[140]丈夫不能守其專一不變之德，三心二意，棄己遠去，使一己過著孤獨痛苦的生活。只有「維彼碩人，實勞我心。」「嘯歌傷懷，念彼碩人。」[141]心仍念繫負心人，為之憂戚，而痛苦莫名了。在《召南・江有汜》訂的「江有汜，之子歸，不我以；不我以，其後也悔。」「江有渚，之子歸，不我與；不我與，其後也處。」「江有沱，之子歸，不我過；不我過，其嘯也歌」[142]中。丈夫回家後，不與己相親、相共，作妻子的也只有怕將來你會後悔，會由後悔而痛苦，由痛苦而狂歌當哭的無奈的自解自慰了。又在所謂的《詩經》雙璧[143]的《邶風・谷風》[144]與《衛風・氓》[145]二棄婦悲怨自傷詩中，寫盡丈夫的情薄，喜新厭舊，可共患難，不可共安樂，一己並無過失，而竟遭遺棄。真是字字慘戚，語語悲悔，悽愴傷懷，低徊無限了。〈谷風〉詩因俞平伯有〈讀詩雜說邶風谷風〉[146]，〈氓〉詩因本人有〈讀詩經衛風氓〉，皆可參閱，在此就不再贅述了。又《王風・中谷有蓷》詩有「有女仳離，慨其嘆矣。慨其嘆矣，遇人之艱難矣。」「有女仳離，條其歗矣！條其歗矣」遇人之不淑矣。」「有女仳離，啜其泣矣，啜其泣矣，何嗟及矣。」[147]命不好，遇人不淑，「啜其泣矣，何嗟及矣。」不啜其泣，嘆嗟之亦何及於事，又能如何？至《小雅・谷風》詩的「將恐將懼，維予與女。將安將樂，女轉棄予。」「將恐將懼，

---

140 校注：朱守亮：《詩經評釋》，頁688-690。

141 校注：朱守亮：《詩經評釋》，頁689。

142 校注：朱守亮：《詩經評釋》，頁89。

143 校注：將《邶風・谷風》與《衛風・氓》二詩並稱為《詩經》中「棄婦詩雙璧」者，或即以朱守亮先生為最早，然亦未可確知也。

144 校注：朱守亮：《詩經評釋》，頁123-127。

145 校注：朱守亮：《詩經評釋》，頁185-190。

146 俞平伯：〈讀詩雜說邶風谷風〉。【編按：見俞平伯著：《俞平伯全集》第三卷（石家莊：花山文藝出版社，1997年11月），頁50-55】

147 校注：朱守亮：《詩經評釋》，頁213、214。

實予於懷。將安將樂，棄予如遺。」「忘我大德，思我小怨。」[148]此
與《邶風・谷風》「昔育恐育鞫，及爾顛覆；既生既育，比予于毒」[149]
全同，皆言可共患難，不可共安樂。至「女轉棄予」，「棄予如遺」，
視《衛風・氓》的「至於暴矣」為尤甚。又「忘我大德，思我小怨」
二語最重要，薄倖人的所以無情無義，背德負心由此。婦女遭此離的
最不幸也由此。

6 寡居

　　人生最大的悲痛，當然是生離死別了。前三節所言，雖原因不
同，但皆係生離。此節所言，在夫妻情本篤厚，而喪其配偶，孤獨寂
寞，自必有悲切情傷的死別了。《邶風・綠衣》詩，在寫男子的追訴
亡妻匡其不逮，使無過尤許多往事。並睹物思人，心憂不能自已，已
極感人。[150]而《唐風・葛生》詩的「葛生蒙楚，蘞蔓于野。予美亡
此，誰與？獨處！」「葛生蒙棘，蘞蔓于域。予美亡此，誰與？獨
息！」「角枕粲兮，錦衾爛兮。予美亡此，誰與？獨旦！」[151]一二章
首兩句寫至墓地祭掃，觸目荒煙蔓草，倍增淒涼。第三章見粲爛角
枕，鮮明錦衾，驟添睹物思人悲痛。下為不忍顯言其死，而僅云：予
所美之夫去此，與誰共同而生活？唯有獨自居處，獨自止息，獨自至
於天明而已。且亡字連美字，何等慘痛？三誰字，三獨字，又觀之心
悲，其有彩鸞獨舞，羅衾生寒，惋惻慘淒，哀哀欲絕之感。至此則知
寂寞淒涼，苦楚何堪，此情又將向誰傾訴呢？真令人不忍卒讀。且
「夏之日，冬之夜。百歲之後，歸于其居。」「冬之夜，夏之日。百

---

148 校注：朱守亮：《詩經評釋》，頁593、594。

149 校注：朱守亮：《詩經評釋》，頁125。

150 見《詩經評釋》，頁102-104。

151 校注：朱守亮：《詩經評釋》，頁337、338。

歲之後，歸于其室」[152]云云，夏日晝長，冬日夜長，其所以如此落筆者，在說夏日遲遲，冬夜漫漫，哀思無已，度日如年呀！至「百歲之後，歸于其居。」「百歲之後，歸于其室。」除生不能同室，但願死能同穴，一如《王風·大車》詩所說「穀則異室，死則同穴」[153]外，似乎也有婦女專愛，義至情盡的含義呢？！至其物質生活，由《小雅·大田》詩中的「此有滯穗，伊寡婦之利。」[154]就可推知其窮困無告、悲苦失養的情形了。

四　姿容

《詩經》中婦女的姿質容貌，此又可就生質之美，所謂天生麗質；靈性之美，所謂顧盼有神；氣度之美，所謂雍容高貴；妝飾之美，所謂打扮入時等言之。雖如此，但也有分不清，介乎兩者之間的。

（一）生質

一生下來就是美人胚子，像現在所謂的身高多少，體重多少，三圍多少者是。在《詩經》中，也許是因為詩多產自北方，而少江南嬌小玲瓏的身材記載緣故，似乎喜歡高大型的婦女，所以《衛風·碩人》詩有「碩人其頎」、「碩人敖敖」[155]，身材高大，長麗姣好的描寫。《陳風·澤陂》詩有「碩大且卷」、「碩大且儼」[156]，身材高大，美麗端莊的陳述。除寫身材高大外，也有從某一部位寫的，如《衛風·碩人》詩的「手如柔荑，膚如凝脂，領如蝤蠐，齒如瓠犀，螓首

152　校注：朱守亮：《詩經評釋》，頁338、339。
153　校注：朱守亮：《詩經評釋》，頁222。
154　校注：朱守亮：《詩經評釋》，頁637。
155　校注：朱守亮：《詩經評釋》，頁181、182。
156　校注：朱守亮：《詩經評釋》，頁391、392。

蛾眉。」[157]手的尖柔滑膩之美如何，皮膚的白嫩膜潤之美如何，脖子的白晳柔婉之美如何，牙齒的潔白整齊之美如何，額頭的廣而方正，眉毛的細而長曲之美又如何，無不譬喻妥切得體。又《鄘風‧君子偕老》詩的「揚且之晳也」[158]，也是描寫眉之上，髮之下額眉之美。又如《小雅‧都人士》詩的「彼君子女，綢直如髮。」「彼君子女，卷髮如蠆。」「匪伊卷之，髮則有旟。」[159]《鄘風‧君子偕老》「鬒髮如雲，不屑髢也。」[160]都在寫頭髮之美。而《魏風‧葛屨》詩的「摻摻女手」，摻摻同纖纖，是在寫婦女手的細長之美。「好人提提」，提提同媞媞，是在寫婦女腰的曼婉之美。[161]這些都是用具體的實物，來比喻婦女某一部位的生質之美。現在仍有烏黑頭髮、瓜子臉、楊柳腰等形容婦女的字眼呢?!

（二）靈性

一位婦女，不能具體說出那一部位美，但一眼望去，就感到有一種豔麗逼人的味道，那恐怕又是另一種美了。如《衛風‧碩人》詩的「巧笑倩兮，美目盼兮。」[162]「巧笑倩兮」及《衛風‧竹竿》詩的「巧笑之瑳」[163]，是笑時的腮頰所呈現的嫣然泛紅，牙齒瑳然鮮白之美。「美目盼兮」，是眼睛黑白分明，顧盼有神之美，這當然皆屬於靈性之美了。《鄭風‧野有蔓草》詩的「有美一人，清揚婉兮。」「有美一人，婉如清揚。」[164]《鄘風‧君子偕老》詩的「子之清揚，揚且之

---

157 校注：朱守亮：《詩經評釋》，頁182。
158 校注：朱守亮：《詩經評釋》，頁154。
159 校注：朱守亮：《詩經評釋》，頁677、678。
160 校注：朱守亮：《詩經評釋》，頁154。
161 校注：朱守亮：《詩經評釋》，頁299。
162 校注：朱守亮：《詩經評釋》，頁182。
163 校注：朱守亮：《詩經評釋》，頁191。
164 校注：朱守亮：《詩經評釋》，頁265、266。

顏也。」[165]這些大眼睛，眉清目秀，形容婦女眼睛之美的字眼，似乎已由天生麗質之美，轉為顧盼有神，靈性之美了。唐人詩有「回眸一笑百媚生」[166]的句子，不僅是「巧笑倩兮，美目盼兮」的注腳，也更能描繪出靈性之美的所在了。

（三）氣度

也有一些婦女，長的並不怎麼豔麗，但一眼望去，溫文爾雅，高貴大方，故俗有所謂「大家閨秀」，「小家碧玉」之稱，這恐怕就是氣度之美了。如《周南·關雎》詩的「窈窕淑女」[167]，《邶風·靜女》詩的「靜女其姝」，「靜女其孌」[168]，《陳風·月出》詩的「佼人僚兮，舒窈糾兮。」「佼人懰兮，舒懮受兮。」「佼人燎兮，舒夭紹兮。」[169]這些淑、姝、孌、佼、僚、懰、燎，尤其是窈糾、懮受、夭紹等，都有輕盈曼妙，嬋娟作姿容的意味，皆是氣度之美。《大雅·大明》詩的「俔天之妹」[170]，以譬如天仙形容。《召南·野有死麕》詩的「有女如玉」[171]，以玉質溫潤形容，也似乎都由天生麗質之美，轉為氣度都雅之美了。所以《鄭風·有女同車》詩有「彼美孟姜，洵美且都。」[172]說孟姜之生質既美，而又能都雅高貴。《邶風·柏舟》詩有「威儀棣棣，不可選也。」[173]該棄婦[174]自謂威儀雍容閑習有常

---

165 校注：朱守亮：《詩經評釋》，頁155。
166 〔唐〕白居易：〈長恨歌〉，《全唐詩》，卷435，頁4819。
167 校注：朱守亮：《詩經評釋》，頁39。
168 校注：朱守亮：《詩經評釋》，頁141、142。
169 校注：朱守亮：《詩經評釋》，頁386、387。
170 校注：朱守亮：《詩經評釋》，頁712。
171 校注：朱守亮：《詩經評釋》，頁91。
172 校注：朱守亮：《詩經評釋》，頁245。
173 校注：朱守亮：《詩經評釋》，頁100。
174 校注：：「威儀棣棣，不可選也」，本〈柏舟〉詩句，原文誤植為《邶風·谷風》，

度，甚多可稱，不可數說，這都該落在氣度之美上。

（四）妝飾

　　已有生質、靈性，氣度之美後，但或濃妝，或淡抹，再稍事打扮妝飾一番，也多為婦女所注意。如《衛風‧碩人》詩有「庶姜孽孽」[175]，《召南‧采蘩》詩有「被之僮僮」，「被之祁祁」[176]，以孽孽、僮僮、祁祁，形容婦女首飾盛多。《鄘風‧君子偕老》詩有「玼兮玼兮，其之翟也。」「瑳兮瑳兮，其之展也。」[177]以玼兮、瑳兮，形容王后服飾鮮盛。而「象服是宜」、「蒙彼縐絺，是紲袢也。」[178]《鄭風‧出其東門》詩的「縞衣綦巾」「縞衣茹藘」[179]《召南‧野有死麕》詩的「無感我帨兮」[180]，所寫的不管是何種身份服飾，多少都有打扮成分在內。又《鄘風‧君子偕老》詩有「副笄六珈」、「玉之瑱也」[181]，《衛風‧竹竿》詩有「佩玉之儺」[182]，《鄭風‧有女同車》詩有「佩玉瓊琚」、「佩玉將將」[183]，《王風‧丘中有麻》詩有「貽我佩玖」[184]，以及《齊風‧著》詩中的「瓊華」、「瓊瑩」、「瓊英」[185]等

今已改正。惟〈柏舟〉之作，朱熹以為乃「婦人不得於其夫，故以柏舟自比」，守亮師亦采其說（《詩經評釋》，頁102），然則此詩中之婦是否可逕視為如〈谷風〉一般之「棄婦」，尚有討論空間。

175　校注：朱守亮：《詩經評釋》，頁183。

176　校注：朱守亮：《詩經評釋》，頁70。

177　校注：朱守亮：《詩經評釋》，頁154、155。

178　校注：朱守亮：《詩經評釋》，頁153、155。象服者，法度之服，此指王后及夫人所服。縐絺，葛布。紲袢，內衣也。

179　校注：朱守亮：《詩經評釋》，頁263、264。

180　校注：朱守亮：《詩經評釋》，頁91。

181　校注：朱守亮：《詩經評釋》，頁153、154。

182　校注：朱守亮：《詩經評釋》，頁191。

183　校注：朱守亮：《詩經評釋》，頁245、246。

184　校注：朱守亮：《詩經評釋》，頁224。

185　校注：朱守亮：《詩經評釋》，頁275、276。

等，知《詩經》中妝飾多用玉石。又除玉石外再就是象牙。所以《鄘風·君子偕老》詩有「象之揥也」[186]，《魏風·葛屨》詩有「佩其象揥」[187]。除金銀飾物，也許因時代性，尚未精製成妝飾品，《詩經》中少見外；所言玉石象牙，至今仍為婦女重要妝飾物。

五　舉止

上述姿容，雖也有涵養陶鑄成分在內，但多偏重在生之本質上。此所謂舉止，則偏重在性格、修養上，現就所表現的冷嚴、莊矜、溫婉、輕佻等不同特質諸點言之。

（一）冷嚴

《詩經》中婦女，多的是顏如桃李的記載，但冷若冰霜的卻甚少。在《陳風·澤陂》詩中有「有美一人，碩大且儼。」[188] 儼字自有不可侵犯意味。《召南·行露》詩的「誰謂女無家，何以速我獄？雖速我獄，室家不足。」「誰謂女無家，何以速我訟？雖速我訟，亦不女從。」[189] 雖使我陷入爭是非，與獄訟之中，然仍不從之。這種儼然不可侵犯的態度，就今日婦女的不屈服於惡勢力，卑劣手段的冷嚴態度言之，仍然是可取的。

（二）莊矜

婦女的端莊，不苟言笑，甚而有適當的矜持，也是重要的，古人談詩教本來就注意這些。如《大雅·思齊》詩中的「思齊大任，文王

---

186 校注：朱守亮：《詩經評釋》，頁154。
187 校注：朱守亮：《詩經評釋》，頁299。
188 校注：朱守亮：《詩經評釋》，頁392。
189 校注：朱守亮：《詩經評釋》，頁78、79。

之母。」[190]以思齊寫大任的莊敬。《周南・關雎》詩中的「窈窕淑女，君子好逑。」[191]以窈窕寫淑女的幽閑貞靜。《邶風・靜女》詩中的「靜女其姝」、「靜女其孌」[192]，雖以姝、孌寫其漂亮美麗，但著一「靜」字，自含有莊矜意味。而《邶風・燕燕》詩中的「淑慎其身」[193]，亦是寫立身行事，持善而謹慎，端莊不隨便；至「其心塞淵，終溫且惠。」[194]此又由謹慎端莊，轉而至於誠實深遠，溫婉惠順了。

（三）溫婉

　　一位婦女，有溫柔的性情，文雅的舉動，亦極重要。《詩經》除直接描寫婦女，如《邶風・燕燕》詩「終溫且惠」及〈竹竿〉詩「佩玉之儺」的性情及行動溫柔文雅外，則多就希冀所喜愛的男士別太粗魯莽撞，有逾越禮俗行動的叮囑語上可以看出。如《召南・野有死麕》詩的「舒而脫脫兮，無感我帨兮，無使尨也吠。」[195]大有古詩「雞鳴狗吠，兄嫂當知之」[196]的顧慮。《鄭風・將仲子》詩的「將仲子兮，無踰我里，無折我樹杞。」「無踰我牆，無折我樹桑。」「無踰我園，無折我樹檀。」[197]大有別像孟子所說的「踰東家牆，而摟其處子」[198]的告誡。《王風・丘中有麻》詩的「將其來施施」[199]，祈其行動

---

190 校注：朱守亮：《詩經評釋》，頁728。

191 校注：朱守亮：《詩經評釋》，頁39。

192 校注：朱守亮：《詩經評釋》，頁141、142。

193 校注：朱守亮：《詩經評釋》，頁106。

194 校注：朱守亮：《詩經評釋》，頁106。

195 校注：朱守亮：《詩經評釋》，頁91。

196 〔漢〕無名氏：〈有所思〉，《樂府詩集》，第16卷，頁230。

197 校注：朱守亮：《詩經評釋》，頁229、230。

198 〔漢〕趙岐注，〔宋〕孫奭疏：《孟子注疏》（影印清嘉慶二十年江西南昌府學刊本，臺北：藝文印書館，1955年），卷第12上，〈告子下〉，頁2上。

199 校注：朱守亮：《詩經評釋》，頁224。

紓緩不失節，都有溫婉的意味。至於《衛風‧氓》詩的「將子無怒，秋以為期。」[200]《邶風‧谷風》詩的「黽勉同心，不宜有怒。」[201]那商量祈盼的口氣，就更能表現出溫婉之意了。

（四）輕佻

《詩經》中也有些少女，任性撒野，無檢束，少收斂，有似現在的小太妹。雖也頗有輕倩、活潑、調皮美之感，但終難說不佻而失雅。像《鄭風‧狡童》詩的「彼狡童兮，不與我言兮！維子之故，使我不能餐兮！」「彼狡童兮，不與我食兮！維子之故，使我不能息兮！」[202]一開口就用「狡童」，責叱書罵口氣躍然紙上。又以不與己交言、共食，而竟使其食不下嚥，不能安息，也充份表現出一己的不夠穩重。又《鄭風‧褰裳》詩的「子惠思我，褰裳涉溱；子不我思，豈無他人？狂童之狂也且。」「于惠思我，褰裳涉洧；子不我思，豈無他士？狂童之狂也且。」[203]此用「狂童」，較上用狡童又有過之，且口氣又火辣辣的大表不滿，並以責叱且帶有要脅的口氣而思有所報復。此固可逞一時之快，實則有失前所云莊矜、溫婉，而成為不穩重的輕佻小太妹了。又《鄭風‧子衿》詩的「縱我不往，子寧不嗣音？」「縱我不往，子寧不來？」[204]自己已經理虧，但不檢討，反而責怪別人不嗣音、不來，亦充份表現出輕佻不講理。也難怪接著就有「挑兮達兮，在城闕兮」的頓足跳躂，極不文雅的舉動了。

---

200 校注：朱守亮：《詩經評釋》，頁185。

201 校注：朱守亮：《詩經評釋》，頁123。

202 校注：朱守亮：《詩經評釋》，頁250、251。

203 校注：朱守亮：《詩經評釋》，頁252。

204 校注：朱守亮：《詩經評釋》，頁260。

六 懿德

《詩經》中婦女的美德，其特殊表現，也是多方面的，現就憂國、輔君、相夫、教子等分別言之。

(一) 憂國

據有關文獻記載，衛懿公為狄人所滅，國人分散，露於漕邑。許穆夫人閔衛之亡，傷許之小，力不能救，思歸唁其兄文公，但未能如願。[205]所以《鄘風‧載馳》詩有「載馳載驅，歸唁衛侯。驅馬悠悠，言至于漕。」思歸唁其兄文公。並欲「控于大邦」，祈有所協助，報亡國之讎，而救復祖國。但「許人尤之」，不以此行為善，罪而過責之，且「大夫跋涉」，以阻止夫人返衛，所以許穆夫人也只有「我心則憂」了。[206]夫人中途被攔阻回許，故多憂憤之思。詩之語意雖吞吐含蓄，但情詞實迫切異常。其所以時而激怒，時而憤恨，時而哀懇，時而責罵，無不低徊無盡者，全在思救復祖國而為未得的憂愁悲傷呀！

(二) 輔君

在《邶風‧燕燕》詩中的「先君之思，以勖寡人。」[207]是衛君之妹仲氏，勉衛君常思先君之德，以善治其國，於此即可看出婦女輔弼君主的一斑。此是兄妹關係，當然夫妻關係就更多了。古時的君主，常思得嘉偶，輔弼自己治理天下。當然《詩序》的文王后妃等說不盡可信。但《大雅‧大明》詩中，有「摯仲氏任，自彼殷商，來嫁于

---

205 〈載馳‧序〉，《毛詩注疏》，卷3之2，頁6下-7上；《詩集傳》，頁33。
206 校注：朱守亮：《詩經評釋》，頁171、172。
207 校注：朱守亮：《詩經評釋》，頁106。

周。曰嬪于京，乃及王季，維德之行。」[208]自殷商來嫁于周之太任，德與王季齊等。既有大德，當可輔弼王季。在《大雅·緜》詩中，有「爰及姜女，聿來胥宇。」[209]就太王同其妃太姜遷至岐山下，一齊觀察建築宮室地址一點，就可很清楚的看出有大德的配偶，輔弼君主，治理天下的事情了。在《大雅·大明》詩中，有「大邦有子，俔天之妹。文定厥祥，親迎于渭。造舟為梁，不顯其光。」文王造舟為梁，大其光采，親近太姒，目的亦在得嘉偶，輔弼自己，所以下文接著說「纘女維莘，長子維行。」[210]（《大雅·思齊》詩也有「大姒嗣徽音。」[211]繼承太任美德，與文王齊等。）既有大德，當然可以輔弼文王。於是下文接著說「篤生武王，保右命爾，燮伐大商。」[212]在生武王後，得天之助，而伐商有天下了。這都是輔弼君主的最好例證。至於《商頌·玄鳥》及〈長發〉言簡狄生商始祖契，《魯頌·閟宮》言姜媜生周始祖后稷等許多神話。[213]目的都在異其事，奇其文，以神權誇張之，而取民之信服崇拜。許多建國先祖，開國元君，多是如此，無甚可怪，皆非事實，所以也就不再多說什麼了。

（三）相夫

時下有一句俗話說：「男人成功的背後，必有一位不平凡的女性。」那是指賢妻良母的偉大女性而言。良母下節再說，賢妻就是此所謂襄助丈夫的賢內助了。在上節所說的輔君中，本來也多是襄助丈夫，但因丈夫是或君或王的一國領袖人物，所以在此再另立子目。要

---

208 校注：朱守亮：《詩經評釋》，頁710。
209 校注：朱守亮：《詩經評釋》，頁716。
210 校注：朱守亮：《詩經評釋》，頁712。
211 校注：朱守亮：《詩經評釋》，頁728。
212 校注：朱守亮：《詩經評釋》，頁712。
213 見《詩經評釋》，頁950-957、935-941。

知道，婦女在家庭中辛勤勞動，以及敦親睦鄰，都是極重要的。所以
《衛風・氓》詩有「三歲為婦，靡室勞矣。夙興夜寐，靡有朝矣」[214]
的不以家事為勞苦。《邶風・谷風》詩有「就其深矣，方之舟之；就
其淺矣，泳之游之。何有何亡，黽勉求之。凡民有喪，匍匐救之」[215]
的悉心家務與關愛鄰里。在《齊風・雞鳴》詩的「雞既鳴矣，朝既盈
矣。」「東方明矣，朝既昌矣。」以會朝之臣已盈滿盛多，一再促其
夫起而早朝，但夫竟漫然以「匪雞則鳴，蒼蠅之聲。」「匪東方之
明，月出之光」答之而不起床。終至「蟲飛薨薨，甘與子同夢。會且
歸矣，無庶予子憎。」[216]蟲飛聲薨薨，天真亮後，雖願與子同夢而
寢，然會朝將歸，如亟起而往，尚可參與之。且以「無庶予子憎」的
柔婉摯語，促夫早起，將襄助丈夫的苦心全部描繪出來了。《鄭風・
女曰雞鳴》詩的所以夫婦相敬愛，家庭和樂，想婦人對丈夫的襄助扶
持之助，也不可少吧。[217]又《小雅・采綠》詩中有「之子于狩，言韔
其弓；之子于釣，言綸之繩。」[218]佐助丈夫狩獵漁釣，雖是設想之詞
小事，但亦可發現襄助之義。

（四）教子

　　在《詩經》中記載母之教養子女的，多從子女的追念懷想方面描
寫。如《小雅・蓼莪》詩的「蓼蓼者莪，匪莪伊蒿。哀哀父母，生我
劬勞。」「蓼蓼者莪，匪莪伊蔚。哀哀父母，生我勞瘁。」父母生
我、養我、教我的劬勞、勞瘁，未及報答，愧恨悽愴，只有哀而又
哀，言雖簡，但意已盡。以上所談，多父母連言。雖下文亦單言「無

---

214 校注：朱守亮：《詩經評釋》，頁188。
215 校注：朱守亮：《詩經評釋》，頁125。
216 校注：朱守亮：《詩經評釋》，頁271。
217 校注：朱守亮：《詩經評釋》，頁242-244。
218 校注：朱守亮：《詩經評釋》，頁680。

母何恃」,「母兮鞠我」;實亦與「無父何怙」,「父兮生我」連言,不
是單單表明母愛。[219]《小雅‧小宛》詩的「明發不寐,有懷二人。」
「夙興夜寐,無忝爾所生」[220]的許多追念,也是父母連言。本來養育
子女,就是雙親的責任。《詩經》中單言母愛的是《邶風‧凱風》詩
的「凱風自南,吹彼棘心。棘心夭夭,母氏劬勞。」以長養萬物的和
煦南風喻母愛。而母親的養育七子,由幼嫩的棘心,漸長而天天茁
壯,這中間有多少心血,多少眼淚,多少愛。所以下文即有「母氏劬
勞」,「母氏勞苦」的陳述。[221]又由「母氏聖善」一語,就可知《小
雅‧蓼莪》詩的「欲報之德,昊天罔極」了。

七　醜行

上節引「男人成功的背後,必有一位不平凡的女性。」但「男人
失敗的背後,似乎也有一位不平凡的女性。」前面的不平凡,指賢妻
良母偉大女性,後面的不平凡,則是女戎亂階的尤物禍水了。《詩
經》中婦女雖亦有如《小雅‧我行其野》詩的「不思舊姻,求爾新
特」[222]之婦女的喜新厭舊情事,但不是大醜行,現就禍國,亂君,姦
宄,淫穢等較大醜行分別言之。

（一）禍國

任何一個朝代的滅亡,除有相關的許多因素外,似乎都離不開禍
國的妖女。夏代如此,商代如此,周之國祚中斷也是如此。所以《小

---

219 校注:朱守亮:《詩經評釋》,頁595-599。
220 校注:朱守亮:《詩經評釋》,頁571、572。
221 校注:朱守亮:《詩經評釋》,頁115-117。
222 校注:朱守亮:《詩經評釋》,頁530。

雅・正月》詩有「赫赫宗周，襃姒威之。」[223]周幽王之所以亡西周，厥在寵襃姒而遭犬戎之亂，這是不爭的事實。同詩「豔妻煽方處」[224]，艷冶的襃姒與幽王共處，怎能不蠱惑之而亂天下。《大雅・瞻卬》詩中有「懿厥哲婦，為梟為鴟。婦有長舌，維厲之階。亂匪降自天，生自婦人。匪教匪誨，時維婦寺。」[225]襃姒一如惡鳥梟鴟，出多言撥弄是非，這就是形成禍亂的階梯根源。最後又用「哲婦傾城」總結，豈僅禍乎邦國，簡直把整個天下都顛覆了。詩中所用的豔妻、哲婦、長舌、厲階、傾城等，道盡婦女醜行禍亂邦國的可怕。

（二）亂君

　　陳靈公與其臣孔寧、儀行父君臣淫乎夏御叔妻夏姬事，《左傳》上記載的很清楚，並有懷其褻衣宣淫於朝，大夫洩冶諫而被殺事。又三人飲於夏氏家，夏姬之子徵舒在，靈公對行父說；「徵舒似你」。行父對靈公說；「亦似君」。徵舒病之，在靈公走時，自馬房射而殺之。《春秋》上也記載：「陳夏徵舒弒其君乎國」。徵舒因弒君，後亦為楚莊王所誅。[226]事極淫蕩，為當時人所盡知者。但在《陳風・株林》詩中，卻極隱晦含蓄地如此下筆；「胡為乎株林？從夏南；匪適株林，從夏南。」「駕我乘馬，說于株野。乘我乘駒，朝食于株。」[227]先言陳靈公去株林何所為？是過從夏南。此但稱徵舒之字而不直斥所從之

223　校注：朱守亮：《詩經評釋》，頁551。

224　校注：朱守亮：《詩經評釋》，頁557。按：「艷妻煽方處」實為〈十月之交〉第四章末句，所言亦襃姒幽王事。〈十月之交〉次於〈正月〉之後，先生蓋因詩文次第相接、句義相近而誤。

225　校注：朱守亮：《詩經評釋》，頁852。

226　〔晉〕杜預注，〔唐〕孔穎達疏：《左傳注疏》（影印清嘉慶二十年江西南昌府學刊本，臺北：藝文印書館，1955年），卷22，〈宣公九年〉、〈宣公十年〉，頁10上-14上。

227　校注：朱守亮：《詩經評釋》，頁388、389。

人夏姬，是在諱母而言子。次言過往之密，亦僅言所至之地，而不直指其人，雖亦重在謔。但既駕且乘，非復微行；有馬有駒，更非單騎。且說野則終日，朝食則達旦。是見之之亟，而非一往；恣行無已，毫無所忌。夏姬醜行如此，也難怪吳季札聞歌〈陳風〉，而有「國無主，豈能久乎」[228]的感嘆了。

（三）姦宄

衛宣姜，本許配給宣公之子伋為妻，但宣公聞其美，作新臺於河上要而自取之，《左傳》及《史記》皆有記載。[229]毛《序》及朱《傳》也說得很清楚。[230]宣公之所以納子伋妻，成其鳥獸之行，宣姜其女子，使宣公能遂其意者，一己也有大不韙者在。就《邶風·二子乘舟》及《鄘風·牆有茨》詩，朱《傳》「宣姜愬伋於公」，「宣公卒，惠公幼，其庶兄頑烝於宣姜。」[231]及《鄘風·君子偕老》，毛《序》「夫人淫亂」[232]云云，知宣姜確也是一個不知羞恥、非善類的尤物，其亂乎父子的醜行，也是該口誅筆伐的。上面所引的話，雖係他人之言，但多可信。如《邶風·新臺》詩的「燕婉之求，蘧篨不鮮。」「燕婉之求，蘧蔭不殄。」「魚網之設，鴻則離之。燕婉之求，得此戚施。」[233]魚網鴻離，本求美貌之夫，今乃逢此老而不死醜物，顯然是指宣公。若以《鄘風·牆有茨》詩的「中冓之言，不可道也。

228　《春秋左傳注疏》，卷39，〈襄公二十九年〉，頁13下。
229　《春秋左傳注疏》，卷7，〈桓公十六年〉，頁22上。及〔漢〕司馬遷著，〔唐〕張守節正義，〔宋〕裴駰集解：《史記》，（影印清乾隆武英殿刊本，臺北：藝文印書館，1955年），卷37，〈衛康叔世家〉，頁3上-4下。
230　《陳風·株林·序》，《毛詩注疏》，卷7之1，頁255；及《詩集傳》，頁94。
231　《詩集傳》，頁27、28。
232　《毛詩注疏》，卷3之1，頁4上。
233　校注：朱守亮：《詩經評釋》，頁143、144。

所可道也，言之醜也」[234]等羞辱可恥的宮中污穢淫亂事，坐實為宣姜，也許不公平。但就《鄘風‧鶉之奔奔》詩看，除有甚多惡濁形容詞，描繪公子頑與宣姜淫亂外。「人之無良，我以為兄。」「人之無良，我以為君。」[235]《鄘風‧君子偕老》詩的「子之不淑，云如之何？」[236]詩人以惠公口吻，不齒其異母兄公子頑及國小君宣姜醜行，則至為明著。衛國宮庭中之所以穢行醜聞，屢見不鮮，宣姜其女子的姦乎父子，是不能沒有責任的。

（四）淫穢

文姜是齊襄公的異母女弟，襄公素與之淫通。嫁給魯桓公後，仍不改前行。桓公至齊，文姜愬之襄公，襄公使公子彭生搤殺之，竟久留齊而不歸。莊公即位後雖歸魯，但仍多次與襄公私會。《左傳》、《毛序》、《鄭箋》都言之鑿鑿，甚為明著。[237]《齊風‧南山》詩的「南山崔崔，雄狐綏綏。魯道有蕩，齊子由歸。既曰歸止，曷又懷止？」「曷又從止？」「曷又鞫止？」「曷又極止？」[238]雖言襄公為人君而有淫行，文姜已嫁於魯，不應該仍懷思而眷戀之。相從之如故，不改其淫行，窮困文姜使不得遂其夫婦之道。但文姜如不從襄公，成其鳥獸之行，襄公又能如何？是文姜其女子，亦大有不題者在。又《齊風‧敝笱》詩的「敝笱在梁，其魚魴鰥。齊子歸止，其從如雲。」[239]魴鰥等大魚，非敝敗之笱所能制，喻魯桓公不能制文姜，使

---

234 校注：朱守亮：《詩經評釋》，頁151。

235 校注：朱守亮：《詩經評釋》，頁159、160。

236 校注：朱守亮：《詩經評釋》，頁153。

237 《左傳注疏》，卷7，〈桓公十八年〉，頁130；卷8，〈莊公二年〉、〈莊公五年〉，頁5下、頁10上；及《毛詩注疏》，卷5之2，頁1上-2下。

238 校注：朱守亮：《詩經評釋》，頁281-283。

239 校注：朱守亮：《詩經評釋》，頁289。

齊子淫縱無忌，出入齊魯之間，有如雲如雨之盛。又《齊風・載驅》詩，寫文姜馳會襄公之疾，車馬之盛，態度之從容，神情之自得，宣淫於通道大都，不顧行人訕笑，真不知人間尚有羞恥事。今汶水上仍有文姜臺，與衛之新臺，所紀念者，一為淫乎兄長，一為姦乎父子。當可並臭千古。[240]又齊泱泱大國，本應選入甚多詩篇，今則不然，已可怪。而所選者，又多為南山、敝笱、載驅類，盡為文姜與襄公醜惡事，難道編詩者別有用心，故意揚其醜行？不知吳季札觀樂時，環坐聽者他邦名公子與三桓子孫，有何感想？

結論

綜上所述，可知《詩經》中的婦女，無論在那一方面，都因行動自由，而無參與的限制。雖在男尊女卑，地位稍不平等的社會制度下，但因扮演著不同的角色，從事著不同的任務，所以呈現出來的，當然和現代婦女相同，也是多樣的了。有愛有恨，有幻夢，有玄想，有成功，有失敗，有喜樂欣幸，有悲哀愁苦，有可讚美表揚的，也有可詆諆毀輕賤的。但不管如何，經此整理，應較清楚、客觀的看出《詩經》中的一半同胞，即所謂婦女同胞的本來面目，其真實活動的情形了。

本文於一九九三年（民國八十二年）六月發表新中國《中國文學新論》，並於八月十日至十四日，在河北省石家莊市舉行之「詩經國際學術研討會」中宣讀，亦部分收入河北大學出版社，中國詩經學會所編《詩經國際學術研討會論文集》中。

---

240 見《詩經評釋》，頁291-294，及〔清〕方玉潤：《詩經原始》（臺北：藝文印書館，1960年6月），卷6，頁529。

伍　《詩經》《毛傳》婚期以秋冬為正時說之商榷

前言

　　《毛傳》於《邶風・匏有苦葉》「士如歸妻，迨冰未泮。」下云：「泮、散也。」[1]謂冰未釋解，係嚴寒隆冬季節。又於《陳風・東門之楊》「東門之楊，其葉牂牂」下云：「言男女失時，不逮秋冬。」[2]這都很清楚地表明了男女不失時，正常的結婚季節，當以秋冬為準，所以孔《正義》云：「毛以秋冬為昏之正時。」[3]但《詩經》中婚期，是否真的是「婚娶正時，必以秋冬」[4]為準呢？恐怕尚有甚多問題，深以為《詩經》中的婚期，以春秋為正時，《毛傳》只對了一半，現舉例說明於下：

一　證之星辰

　　我國古代，相當重視星象之學，所以在《鄘風・定之方中》詩

1　〔漢〕毛公傳，〔漢〕鄭玄箋，〔唐〕孔穎達疏：《毛詩注疏》（影印清嘉慶二十年江西南昌府學刊本，臺北：藝文印書館，1955年），卷2之2，頁9上。

2　《毛詩注疏》，卷7之1，頁9下。

3　《毛詩注疏》，卷7之1，頁9下。

4　〔清〕陳奐：《詩毛氏傳疏》（臺北：廣文書局，1979年），卷12，頁33。

中，衛武公營建宮室時有「定之方中，作于楚宮，揆之以日，作于楚室。」[5]此由星辰的出現可以推知營建宮室的季節。同理，亦可由星辰的出現，推知結婚的季節。《陳風・東門之楊》「東門之楊，其葉牂牂，昏以為期，明星煌煌」、「明星晢晢」。[6]「煌煌」、「晢晢」僅能表示啟明星的光度如何，未可看出甚麼季節。但有的星辰就不同了。如《唐風・綢繆》詩，不管是朱熹的「此但為婚姻者相得而喜之詞。」[7]或是姚際恆的「如今人賀人作花燭詩。」[8]王靜芝的「細審原詩，愚意以為，當是新婚夫婦感婚姻結合之難，新婚之夜，驚且喜者也。」[9]還是張學波的「此當是新婚之夜，男女相得而喜之詞。」[10]知其為婚嫁詩無疑。詩有「三星在天」，「三星在隅」，「三星在戶」之三星。《毛傳》云：「三星，參也。在天，謂始見東方也。」孔《正義》云：「言在天，謂始見東方，十月之時。」《鄭箋》云：「三星，謂心星也。」又云：「今我束薪於野，乃見其在天，則三月之末，四月之中，見於東方矣」[11]聞一多曰：「參為晉星，唐亦晉地，或毛說為長。然亦難定，今姑不計。」[12]何以不論？即使從《毛傳》，也僅是季秋或孟冬，並未至冰釋解嚴冬季節。

5　《毛詩注疏》，卷3之1，頁14上-14下。

6　《毛詩注疏》，卷7之1，頁9下-10下。

7　〔宋〕朱熹：《詩序辨說》（文淵閣四庫全書本，臺北：臺灣商務印書館，1983年），總69-23。

8　〔清〕姚際恆：《詩經通論》（臺北：廣文書局，1988年），卷6，頁132-133。

9　王靜芝：《詩經通釋》（臺北：輔仁大學文學院，1968年7月），頁245。＋

10　張學波：《詩經篇旨通考》（臺北：廣東出版社，1976年），頁144。

11　《毛詩注疏》，卷6之2，頁1上-2下。

12　聞一多：〈詩經新義——邶風〉，《古典新義》（臺北：九思出版社，1978年2月），頁185。【編按：原引文將「不計」作「不論」，今據前引書校改。】

二　證之河川

　　在《毛傳》解「泮、散也。」意謂婚期在冬日冰未釋解溶化時，但檢視詩經中有關婚嫁的詩，所有河川，竟未發現有冰未釋解的記載。就拿《毛傳》釋「泮、散也」之〈匏有苦葉〉[13]詩來說吧！第二章即有「有瀰濟盈，有鷕雉鳴；濟盈不濡軌，雉鳴求其牡」的記載，既泲水瀰然而盈滿不濡軌，明未有結冰。又第一章有「濟有深涉，深則厲，淺則揭。」末章又有「招招舟子，人涉卬否；人涉卬否，卬須我友」的記載，有這些涉字，亦明未有結冰現象。再看《邶風・新臺》詩，雖非正式婚嫁詩，但〈詩序〉有「刺衛宣公納伋之妻」之說。[14]而詩文有「魚網之設，鴻則離之，燕婉之求，得此戚施。」「燕婉之求，蘧篨不鮮。」「燕婉之求，蘧篨不殄。」云云，似與婚嫁不能完全脫離關係，故王質有「當是此地（新臺）之人娶妻，不如始言，故下有不悅之辭。本求燕婉，乃得惡疾者，為可恨也。」[15]但詩有「新臺有泚，河水瀰瀰。」「新臺有洒，河水浼浼。」「瀰瀰」、「浼浼」，不是解為「水盛」，就是解為「水滿」[16]，那有結冰的現象？又《衛風・碩人》，不管是豐道生的「衛莊公取於齊，國人美之。」[17]或是姚際恆的「安知莊姜初嫁時何嘗不盛？……孫文融亦曰：『此當是莊姜初至衛時，國人美之而作者。』」[18]或是崔述的「其第三章云：大夫夙退，無使君勞，方且代體莊公『晏爾新婚』之情，而惟恐其過

13　校注：〈匏有苦葉〉詩文見《毛詩注疏》，卷2之2，頁5下-9下。
14　《毛詩注疏》卷2之3，頁14下。
15　〔宋〕王質：《詩總聞》（文淵閣四庫全書本，臺北：臺灣商務印書館，1983年），總72-470。
16　《毛詩注疏》卷2之3，頁15上-15下。
17　引張學波《詩經篇旨通考》，頁74。
18　〔清〕姚際恆：《詩經通論》，卷4，頁83-84。

勞。」[19]還是屈萬里的「此當是莊姜嫁時，衛人美之之詩。」[20]知其為婚嫁詩無疑。詩有「河水洋洋，北流活活，施罛濊濊，鱣鮪發發。」「洋洋」是水盛大的樣子，「活活」是水流的聲音，而「濊濊」乃是魚網撒入水中碍阻水流所成的聲音，「發發」竟連鱣鮪魚初出水時撥動其尾的聲音也形容出了[21]，那有結冰的現象？又《衛風‧氓》「淇水湯湯，漸車帷裳。」[22]屈萬里謂「二語追思來嫁時之情景。」[23]這「湯湯」，不管是「水盛貌」還是「水流聲」，有「漸」字的漬濕意，又那有結冰的現象，這也都未至冰未釋解嚴冬季節。

三 證之草木

在四季分明的黃河流域大平原地區，草木的發芽、抽葉、開花、結果、枯黃、飄落，最能表現出四季更替的變化。在有關婚嫁詩的草木中，從未發現有後凋於歲寒的松柏，越冷越開花的梅花，知婚嫁正時不在冬天。又如《周南‧桃夭》[24]詩，不管是《毛傳》的「男女以正，昏姻以時。」[25]或是方玉潤的「咏新昏」[26]，還是屈萬里的「賀嫁女」[27]，知其為婚嫁詩無疑。但「桃之夭夭，灼灼其華」，自是初春時節，至第二章的「有蕡其實」，第三章的「其葉蓁蓁」，也當在暮

---

19 〔清〕崔述：《讀風偶識》（臺北：學海書局，1979年），卷2，頁33。

20 屈萬里：《詩經釋義》（臺北：華岡書局，1967年），頁89。

21 朱守亮：《詩經評釋》（臺北：臺灣學生書局，1988年8月），頁183。

22 《毛詩注疏》，卷3之3，頁4下。

23 屈萬里：《詩經釋義》，頁93。

24 校注：〈桃夭〉詩文見《毛詩注疏》，卷1之2，頁14上-15下。

25 《毛詩注疏》，卷1之2，頁14上。

26 〔清〕方玉潤：《詩經原始》（臺北：藝文印書館，1960年6月），頁186。

27 屈萬里：《詩經釋義》，頁31。

春，最遲至初夏，沒有冬天的跡象。又《鄭風·有女同車》[28]詩，不管是季本的「蓋國君始娶夫人，妾媵同時俱至。」[29]或是黃中松的「此夫婦新昏而誇美之也」。[30]還是屈萬里的「此蓋婚者美其新婦之詩」[31]，亦知其為婚嫁詩無疑。但「有女同車，顏如舜華。」「有女同車，顏如舜英。」舜為木槿花，木槿的開花在春季，沒有冬天的跡象。又《齊風·南山》詩的「蓺麻如之何？衡從其畝；取妻如之何？必告父母。」[32]明言娶妻，自是婚嫁，但蓺麻又是在春天，沒有冬天的跡象。婚期可推為秋季的，如《衛風·碩人》詩有「葭菼揭揭」[33]，蘆荻高而挺秀，尚未開花，是秋季。即使蘆花滿野，也是深秋季節，未有冰未釋散嚴冬跡象。而《齊風·南山》詩的「析薪如之何？匪斧不克；取妻如之何？匪媒不得。」[34]《豳風·伐柯》詩的「伐柯如何？匪斧不克。取妻如何？匪媒不得。」[35]明言取妻，自是婚嫁。但「析薪」、「伐木」的劈柴或伐樹，就「斧斤以時入山林」觀之，仍是深秋，最不得也是剛至初冬。這也都未至冰未釋解嚴冬季節。

四　證之禽鳥

在冷暖分明的黃河流域大平原地區，最能表現季節更替變化的是

28　校注：〈有女同車〉詩文見《毛詩注疏》，卷4-3，頁7上-8下。

29　〔明〕季本：《詩說解頤》（文淵閣四庫全書本，臺北：臺灣商務印書館，1983年），總79-104。

30　〔清〕黃中松：《詩疑辨證》（文淵閣四庫全書本，臺北：臺灣商務印書館，1983年），總88-291、88-292。

31　屈萬里：《詩經釋義》，頁117。

32　《毛詩注疏》，卷5之2，頁4下。

33　校注：《毛詩注疏》，卷3之2，頁18下。

34　《毛詩注疏》，卷5之2，頁5下。

35　《毛詩注疏》，卷8之3，頁3下。

候鳥，在有關婚嫁詩的禽鳥中，也找不出專鳴於嚴冬的禽鳥，知婚嫁正時不在冬天。再拿《毛傳》解「泮、散也」之《邶風·匏有苦葉》詩來看。首章有「有鷕雉鳴」，《毛傳》云：「鷕，雌雉聲也。」[36]雌雉聲自是春日的求偶鳴聲。[37]在「士如歸妻，迨冰未泮」同章，首句即為「雝雝鳴鴈」，但鴈係候鳥，冬寒南飛，春暖北回，故有「雁陣驚寒，聲斷衡陽之浦」[38]之言，絕無在結冰嚴寒的冬天裏，北方黃河流域尚有雝雝和鳴的鴈聲。又《邶風·燕燕》[39]詩，不管是王質的「此詩當是國君送女弟適他國之詩。」[40]還是崔述的「詩稱『之子于歸』者，皆指女子之嫁者言之。恐係衛女嫁於南國，而其兄送之之詩。」[41]知其為婚嫁詩無疑。詩前三章首二句皆寫燕燕飛姿鳴聲，但燕又係候鳥，冬寒南飛，春暖北回，故有「舊時王謝堂前燕，飛入尋常百姓家」[42]之句，也絕無在結冰嚴寒的冬天裏，北方黃河流域尚有「差池其羽」，「頡之頏之」，「下上其音」正在飛鳴的燕子。又《豳風·東山》詩，有「倉庚于飛，熠耀其羽。之子于歸，皇駁其馬。親結其縭，九十其儀。其新孔嘉，其舊如之何？」[43]描寫初婚時的情形，至為詳盡。倉庚或謂黃鳥，黃鳥在詩經中出現者雖五詩十四見，[44]很難

36　《毛詩注疏》，卷2之2，頁7下。

37　校注：前文二「雌雉聲」，原文皆誤作「雌雄聲」，今據《毛詩注疏》校改，觀同章詩文有「雉鳴求其牡」句，可知此「雌雉聲」確為「求偶鳴聲」。見《毛詩注疏》，卷2之2，頁7下。

38　校注：語出王勃：〈滕王閣序〉，見〔清〕董誥等編：《欽定全唐文》（臺南：經緯書局，1965年6月），第4冊，卷181，頁2328。

39　校注：〈燕燕〉詩文，見《毛詩注疏》，卷2之1，頁12上-13上。

40　〔宋〕王質：《詩總聞》，總72-458。

41　〔清〕崔述：《讀風偶識》卷2，頁22。

42　校注：〔唐〕劉禹錫：〈烏衣巷〉，見〔清〕清聖祖御定：《全唐詩》（臺北：明倫出版社，1971年5月），第6冊，卷365，頁4117。

43　《毛詩注疏》，卷8之2，頁10下。

44　裴普賢：《詩經研讀指導》（臺北：東大圖書，1977年3月），頁98。

看出明確的季節。但就《豳風‧七月》「春日載陽，有鳴倉庚。」[45]
《小雅‧出車》「倉庚喈喈，采蘩祁祁。」[46]與此「倉庚于飛，熠燿其
羽」並觀之。則此熠燿其羽而于飛的倉庚，亦必是「春日載陽」，「采
蘩祁祁」而鳴聲喈喈的倉庚了。又《召南‧鵲巢》詩，不管是何楷的
「太姒來嫁於周，與媵俱來，詩人美之。」[47]是姚際恆的「大抵為文
王公族之女，往嫁于諸大夫之家，詩人見而美之。」[48]是吳闓生的
「止是嫁女之樂歌。」[49]是屈萬里的「此祝嫁女之詩。」[50]還是王靜
芝的「詩中所咏，祇為諸侯嫁女耳。」[51]說雖稍異，但為婚嫁詩無
疑。詩三章首二句分別為「維鵲有巢，維鳩居之。」「維鵲有巢，維
鳩方之。」「維鵲有巢，維鳩盈之。」鳩居鵲巢，當為春天，又無異
議。[52]又《周南‧關雎》詩，如採用方玉潤的「此蓋周邑之咏初昏
者。」[53]屈萬里的「此祝賀新婚之詩。」[54]宮玉海的「婚禮贊歌。」[55]
甚而朱熹雖語有不妥，但也以為是咏新昏等說。[56]也是婚嫁詩。詩有

---

45 校注：《毛詩注疏》，卷8之1，頁11下。

46 校注：《毛詩注疏》，卷9之4，頁5上。

47 〔明〕何楷：《詩經世本古義》（文淵閣四庫全書本，臺北：臺灣商務印書館，1983
年），總81-93。

48 〔清〕姚際恆：《詩經通論》，頁33。

49 吳闓生：《詩義會通》（臺北：河洛圖書），頁10。

50 屈萬里：《詩經釋義》，頁37。

51 王靜芝：《詩經通釋》，頁56。

52 「鳩，鴶鵴（即八哥）也。鵲每歲十月後遷巢，其空巢則鴶鵴居之。嚴粲、毛奇
齡、焦循、馬瑞辰等，皆有此說。」（《詩經釋義》，頁37）惟《毛傳》「鳲鳩不自為
巢，居鵲之成巢。」《鄭箋》「鵲之作巢，冬至架之，至春乃成。」《正義》「言維鵲
自冬歷春，功著乃有此巢窠，鳲鳩往居之。」（《毛詩注疏》，卷1之3，頁13上-13
下）即如《詩經釋義》說，也不過是深秋或初冬。至後說則又為春天了。

53 〔清〕方玉潤：《詩經原始》，頁167。

54 屈萬里：《詩經釋義》，頁25。

55 宮玉海：《詩經新論》（長春：吉林人民出版社，1985年），頁8。

56 〔宋〕朱熹：《詩集傳》：「周之文王，生有聖德，又得聖女姒氏以為之配。宮中之
人，於其始至，見其有幽閒貞靜之德，故作是詩。」（頁1）

「關關雎鳩，在河之洲。」《毛傳》云：「關關，和聲也。」[57]《朱傳》云：「關關，雌雄相應之和聲。」[58]仍是雎鳩鳥春日的求偶和鳴聲，也都未至冰未釋解嚴冬季節。

五　證之本書原有詩句

《詩經》中婚期究以何時為正時，雖有上述四項，可證明是在春、秋，不是《毛傳》所說的秋、冬，但皆事係推測，如能再從《詩經》原詩句中，找出直接的證明，誰也就無可訾議了。關於此點，詩中很難找出類似今諺語所說的「有錢沒錢，娶個媳婦好過年」，歲聿其暮[59]、冬日婚嫁的記載。《詩經》中雖有「雨雪」，「履霜」詩句，聞一多謂：「〈北風〉篇曰：『北風其涼，雨雪其雱』，又曰：『惠而好我，攜手同車』，蓋親迎之詩，詳〈泉水〉篇女于有行條，此則以冬日為婚期者，特全書僅此一見耳。」[60]惟〈泉水〉及〈北風〉詩，雖有「同行」，「同歸」，「同車」，「女子有行」字眼。但〈泉水〉詩，自《毛序》起，即認為是「衛女嫁於他國，思歸寧之詩。」[61]後人多無異說。而〈北風〉詩，王靜芝以為「此衛人避亂政，相偕出行之詩。」[62]《毛傳》、《朱傳》亦有類似之言，二詩皆非聞一多所說的婚嫁詩。至《魏風·葛屨》詩，詩有「糾糾葛屨，可以履霜，摻摻女手，可以縫裳。」《毛傳》云：「婦人三月廟見，然後執婦功。」《鄭

57　《毛詩注疏》，卷1之1，頁20上。

58　〔宋〕朱熹：《詩集傳》（臺北：臺灣中華書局，1969年），頁1。

59　校注：指年將終，見《唐風·蟋蟀》。亦作「歲聿云莫」，見《小雅·小明》。

60　聞一多：《古典新義》（臺北：九思出版社，1978年），頁185。

61　《毛詩注疏》卷2之3，頁101。編按：《毛序》原文為：「〈泉水〉，衛女思歸也。嫁於諸侯，父母終，思歸寧而不得，故作是詩以自見也。」

62　王靜芝：《詩經通釋》，頁109。

箋》云：「言女手者，未三月，未成為婦。」《孔正義》云：「魏俗趨利，言糾糾然夏日所服之葛屨，魏俗利其賤，至冬日猶謂之可以履寒霜；摻摻然未成婦之女手，魏俗利其工，新來嫁，猶謂之可以縫衣裳，又深譏魏俗。」[63]霜係深秋所有，即如《孔正義》所說，也是初冬。未至冰未釋解嚴冬季節。所可喜者，《詩經》中竟有明著春秋婚嫁的記載。如《豳風‧七月》詩曰：「春日遲遲，采蘩祁祁，女心傷悲，殆及公子同歸。」[64]有此記載，誰能有異議？又《衛風‧氓》詩曰：「匪我愆期，子無良媒。將子無怒，秋以為期。」[65]有此記載，誰能有異說？由此知《毛傳》解「泮、散也。」而謂冰未釋解，婚期以秋冬為正時，是真有可商榷的必要了。

六　證之其他相關論著

古時婚期所以以春秋為正時者，恐怕尚有其他理由，即所謂著重在「順天時」，「合男女之道」，聞一多於此考之甚詳，其言曰：「〈夏小正〉『二月，綏多女士，』某氏傳曰『綏，安也，冠子娶婦之時也』，《周禮‧媒氏》『中春之月，令會男女，於是時也，奔者不禁，』鄭注曰：『中春陰陽交，以成昏禮，順天時也』《白虎通義‧嫁娶》篇亦曰：『嫁娶必以春，何？春者，天地交通萬物始生，陰陽交接之時也。』據此，疑自古昏姻本以春為正時，故詩中所見昏期，春日最多。〈野有死麕〉篇曰：『有女懷春，吉士誘之』，〈七月〉篇曰『春日遲遲，采蘩祁祁，女心傷悲，殆及公子同歸』，此明著春日者。〈東山〉篇曰：『倉庚于飛，熠燿其羽，之子于歸，皇駁其馬』，

63　《毛詩注疏》，卷5之3，頁2下-3上。
64　校注：《毛詩注疏》，卷8之1，頁11下-12上。
65　校注：《毛詩注疏》，卷3之3，頁1下。

〈燕燕〉篇曰：『燕燕于飛，差池其羽，之子于歸，遠送于野』，〈桃夭〉篇曰：『桃之夭夭，灼灼其華，之子于歸，宜其室家』，亦皆春日物候。其以秋為昏期者纔兩見，本篇（指〈匏有苦葉〉詩）與〈氓〉篇『秋以為期』是也。〈綢繆〉篇之三星，毛以為參，十月始見，鄭以為心，三月始見，參為晉星，唐亦晉地，或毛說為長，然亦難定，今姑不計。〈北風〉篇曰：『北風其涼，雨雪其雱』，又曰：『惠而好我，攜手同車』，蓋親迎之詩。詳〈泉水〉篇女子有行條。此則以冬日為婚期者，特全書只此一見耳。（〈泉水〉及〈北風〉皆非婚詩，見前。）總上所述，春最多，秋次之，冬最少，其所以如此，殆有故焉。嘗試論之，初民根據其感應魔術原理，以為行夫婦之事，可以助五穀之蕃育，故嫁娶必於二月農事作始之時行之。鄭注《周禮》所謂『順天時』，《白虎通》所謂『天地交通，萬物始生，陰陽交接之時』，皆其遺說也。次之，則初秋亦為一部分穀類下種之時，故嫁娶之事，亦或在秋日。然終不若春之盛，則以自農事觀點言之，秋之重要本不若春也。《管子・幼官》篇曰：『春三卯，十二始卯，合男女。秋三卯，十二始卯，合男女。』《管子》書雖非古，然此所記春秋合男女之俗，要不失為太古之遺風，以其但言春秋，不及冬時故也。迨夫民智漸開，始稍知適應實際需要，移婚期以就秋後農隙之時。試觀冬行婚嫁之例，如〈北風〉篇所紀者，三百篇中僅此一見，知其時祇偶一行之，不為常則。降至戰國末年，去古已遠，觀念大變，於是嫁娶正時，乃一反舊俗，而嚮之因農時以為正者，今則避農時之為正。《荀子・大略》篇曰：『霜降逆女，冰泮殺止』，《家語・本命》篇申其義曰：『霜降而婦功社會之成，嫁娶者行焉，冰泮而農業起，昏禮殺於此。』此所謂冰浮者，乃斥冰解而言。蓋『冰泮殺止』為相傳古語，本謂嫁娶正時至冰合而止，今以冰合為冰解者，乃曲解舊術語以

迎合新事實耳，此誠古今社會之一大變也。」[66]裴普賢〈詩時代嫁娶季節平議〉一文，附束晳《五經通論》中〈論嫁娶之候〉一篇，[67]於聞氏說或有補充匡正，但評為「聞一多所論雖有未當，且不知春秋時代四時聽婚，詩經中亦有夏婚，是其疏失；但其論《詩經》以春婚最多，秋婚次之，追論初民婚期與農作之關係，以為春秋合男女之俗，乃太古之遺風，其說亦持之有故，言之成理也。」[68]馬之驌也有「自出生到弱冠或及笄而婚姻甚至一生，凡人力所能控制的活動，無不應時而動，以求順適，男婚女嫁，如陰陽媾合，天地交泰，故必在萬物力生的春天為吉時，以示恪遵應天順時的原則。」[69]皆深可證明前五項論點之不謬。

結論

在〈讀《詩經·衛風·氓》〉一文中，關於《詩經》中的結婚時間，即未採取《毛傳》只對了一半，以秋冬為婚期正時的說法，而認為應以春秋為正時，當時的體認，是我國係以農立國，在初春尚未東作農忙時可結婚，稍遲至暮春，甚或初夏農事不太忙時亦無不可。另一合適的時間就是秋收後無事時亦可結婚，稍遲至初冬，當然也沒有甚麼不可。但《毛傳》解泮為冰解，謂古時習慣，男女結婚在冰解之前，當然不如解泮為合，古時結婚以春秋為正時，謂河結冰尚未封合時為宜。[70]假如結婚時為冰未釋解的嚴寒時節，恐有諸多不

66　聞一多：《古典新義》，頁184-186。

67　裴普賢：《詩經研讀指導》，頁156-158。

68　裴普賢：《詩經研讀指導》，頁158。

69　馬之驌：《我國婚俗研究》（臺北：經世書局，1979年），頁9。

70　「半聲字訓分，亦訓合。《周禮·朝士》『凡有責者有判書。』鄭注曰：『判，半分而合者。』〈媒氏〉『掌萬民之判。』注曰：『判，半也，得耦而合，主合其半，成

便。[71]現在就以上六點證之，知詩經中婚期，確是以春秋為正時，而不是《毛傳》的以秋冬為正時。又所謂正時，是以此季節為準的意思，並不是沒有任何權宜之計，絲毫不能改變，所以在古文獻中，亦多歧說，任何季節都有，只是春天最多，秋次之，夏又次之，冬最少罷了。春最多，冬最少，但《毛傳》卻捨春而言冬，所以才寫此文，以補其說之不足。

一九八九年（民國七十八年）四月於漢代文學思想學術討論會宣讀，並收存於該論文集中。[72]

夫婦也。』《儀禮・喪服傳》曰『夫妻判合。』字一作牉，《集韻》引《字林》曰：『牉合，合其半以成夫婦也。』《楚辭・惜誦》曰：『背膺牉合以交痛兮。』（王注訓牉為分，非是）又《莊子・則陽》篇曰：『雌雄片合。』《釋名・釋首飾》曰：『弁，如兩手相合拼時也。』片拼與判牉聲近，亦並有合義。《詩》曰：『士如歸妻，迨冰未泮。』泮當訓合，謂歸妻者宜及河冰未合以前也。古者本以春秋為嫁娶之正時，此曰：『迨冰未泮』，乃就秋言之。舉凡《詩》中所紀，若瓠葉枯落，渡頭水深，並雌雉雁鳴，皆秋日河冰未合以前景象。審如《傳》說，以冰泮為解凍，則與《詩》中物候相左矣。」（聞一多：《古典新義》，頁184。）

71 即結婚宴客一事，在冰未釋散的嚴寒時節裏，當時無大飯店，無暖氣設備、想舉行〈小雅・車攻〉詩所謂「觀爾新婚」、「式燕且喜」。〈豳風・伐柯〉詩所謂「我覯之子，籩豆有踐。」以酒食燕飲執事者或嘉賓，恐有許多不便。

72 校注：《漢代文學與思想學術研討會論文集》（臺北：文史哲出版社，1991年10月），頁455-469。

陸　《詩經》中有關農業事宜之探討

引言

　　中國以農立國，有關農業的記載，始於西元前三千年左右的神農氏。《易‧繫辭下》云：「神農氏作，斲木為耜，揉木為耒，耒耨之利，以教天下。」[1]《漢書‧食貨志上》云：「神農之世，斲木為耜，煣木為耒，耒耜之利，以教天下而食足。」[2]於此，知神農為我先民上古之世，注重農業的偉人。舜之為天子，舉自畎畝，耕於歷山。[3]周之始興，述其先祖后稷偉業，也以農起家。[4]《管子》的「務五穀，則食足，養桑麻，育六畜，則民富。」[5]孔子的所重民食[6]，《孟

1　〔魏〕王弼、〔晉〕韓康伯注，〔唐〕孔穎達疏：《周易注疏》（影印清嘉慶二十年江西南昌府學刊本，臺北：藝文印書館，1955年），卷8，頁5上。

2　〔漢〕班固著，〔唐〕顏師古注，〔清〕王先謙補注：《漢書補注》（影印清乾隆武英殿刊本，臺北：藝文印書館，1955年），卷4上，頁511。【編按：《漢書》「以」皆作「已」，「耒已之利」之「已」，王先謙考不同版本，認為作「耜」為是。】

3　《孟子‧告子下》：「舜發於畎畝之中。」趙注：「舜耕歷山，三十徵庸。」〔漢〕趙岐注，〔宋〕孫奭疏：《孟子注疏》（影印清嘉慶二十年江西南昌府學刊本，臺北：藝文印書館，1955年），卷12下，頁12上-12下。

4　《孟子‧滕文公上》：「后稷教民稼穡，樹藝五穀，五穀熟而民人育。」《孟子注疏》，卷5下，頁3上-3下。

5　〔唐〕尹知章注，〔清〕戴望校正：《管子校正‧牧民》，《諸子集成》（臺北：世界書局，1955年），卷1，頁2。

6　《論語‧顏淵》：「子貢問政。子曰：『足食、足兵、民信之矣。』」〔魏〕何晏集

子》的「不違農時」⁷，商鞅的壹民於農⁸，李悝的盡地力⁹，《尹文子》的「農桑以時，倉廩充實。」¹⁰《韓非子》的「急耕田墾草，以厚民產。」¹¹凡此，皆無不重視農業。是農業一事，凡我先民，欲治國安民者，無不列為首要之務。《詩經》為《春秋》作前之最古典籍，於此當有所記述，特剌取其說，以成此文。

一 遵制

遵行農業制度。《詩經》時代的農業政策制度，一因時間過長，前後約五百多年，不屬於某一朝代；又因地區過廣，包括整個大黃河流域，甚而南及汝、漢、江、淮，不屬於某一地區，很難找出較明著的政策制度。不過入周後，似乎也有一、二端倪可循，從《呂氏春秋·士容論·上農》的「古先聖王之所以導其民者，先務於農，民農非徒為地利也，貴其志也。」¹²似無甚政策，而到《詩經·豳風·七月》的「同我婦子，饁彼南畝，田畯至喜」¹³的田畯，已經有了粗略制度。田畯係勸耕者教田之官，或稱農大夫、農正，深以為類今之農

解，〔宋〕邢昺疏：《論語注疏》（影印清嘉慶二十年江西南昌府學刊本，臺北：藝文印書館，1955年），卷12，頁3下。

7 《孟子·梁惠王上》：「不違農時，穀不可勝食也。」《孟子注疏》，卷1上，頁7上。

8 《商君書·農戰》「壹之農，然後國家可富，而民力可摶也。」〔清〕嚴萬里：《商君書新校正》，《諸子集成》（臺北：世界書局，1955年），頁7。

9 《漢書·食貨志上》：「李悝為魏文侯作盡地力之教。」《漢書補注》，卷24上，頁514。

10 《尹文子·大道下》「農桑以時，倉廩充實；兵甲勁利，封疆修理、強國也。」《尹文子校詮》（四部刊要本，臺北：世界書局，1959年），頁35。

11 《韓非子·顯學》：「今上急耕田墾草，以厚民產也，而以上為酷。」見陳啟天：《韓非子校釋》（臺北：中華叢書委員會，1958年），頁22。

12 許維遹：《呂氏春秋集釋》（臺北：世界書局，1959年），頁1170。

13 朱守亮：《詩經評釋》（臺北：臺灣學生書局，1984年10月），頁418。

會幹事。再到《禮記・月令》所謂「孟春之月，……王命布農事，命
田舍東郊皆修封疆，審端經術。善相丘陵、阪險、原隰，土地所宜，
五穀所殖，以教道民，必躬親之。……孟夏之月……命野虞出行田
原，為天子勞農勸民，毋或失時。命司徒巡行縣鄙，命農勉作，毋休
於都。……仲秋之月，……乃命有司，趣民收斂。務畜菜，多積聚。
乃勸種麥，毋或失時。其有失時，行罪無疑。……季冬之月，……令
告民出五種，命農計耦耕事。脩耒耜，具田器」[14]的詳細記載，確有
政策制度可遵循了。惟《詩經》中並無太多記載，除前引《豳風・七
月》外，《小雅・甫田》與《小雅・大田》二詩：「以其婦子，饁彼南
畝，田畯至喜。」[15]都與《豳風・七月》有類似的句子，可見農會幹
事之類的田畯制度的普通設置。除此外，尚有《周頌・臣工》：

> 嗟嗟臣工，敬爾在公。王釐爾成，來咨來茹。嗟嗟保介，維莫
> 之春，亦又何求？如何新畬？於皇來牟，將受厥明。明昭上
> 帝，迄用康年。命我眾人，庤乃錢鎛，奄觀銍艾。[16]

此處提出相當於田畯的農官，及農官之副的保介。告誡他們如何敬慎
所從事之農事，如何詢問商討穀物豐熟，如何不可捨農事而他求，如
何轉告眾農，期其備農具，犁田除草，勤奮力作，將可見其穀物豐碩
收穫。又從《小雅・大田》、《大雅》之〈公劉〉、〈崧高〉、〈江漢〉：

> 雨我公田，遂及我私。(〈大田〉)

---

14 〔漢〕鄭玄注，〔唐〕孔穎達疏：《禮記注疏》(影印清嘉慶二十年江西南昌府學刊
　　本，臺北：藝文印書館，1955年)，卷14，頁21下-卷17，頁22下。

15 朱守亮：《詩經評釋》，頁634、638。

16 朱守亮：《詩經評釋》，頁881。

度其隰原，徹田為糧。(〈公劉〉)

王命召伯，徹申伯土田。(〈崧高〉)

江漢之滸，王命召虎，式辟四方，徹我疆土。(〈江漢〉) [17]

詩句中，確知彼時已有某些劃分田地措施及賦稅制度，而農民可以有
所遵循了。此乃遵制之事。

二　相土

　　觀察其地宜。甚麼地形可開闢為農田，甚麼土資可種甚麼穀物，
古籍中亦多言之。《管子‧宙合》云：「高下肥磽，物有所宜，故曰：
地不一利。」[18]《周禮‧地官‧司徒》述草人之職云：「掌土化之法，
以物地相其宜而為之種。」[19]《周禮‧夏官‧職方氏》更有地之高
燥、下濕，各宜種植何等穀物的詳盡說明。[20]

　　《小雅‧信南山》：

信彼南山，維禹甸之。畇畇原隰，曾孫田之。我疆我理，南東
其畝。[21]

此言在廣遠的南山之野，是禹所平治的土地。順其地勢及水之所趨，
無論高平、下濕，無不開墾的平坦整齊。曾孫定其大界，理其溝塗。

17　朱守亮：《詩經評釋》，頁637、頁775、頁826、頁843。

18　《管子校正》，卷4，頁63。

19　〔漢〕鄭玄注，〔唐〕賈公彥疏：《周禮注疏》（影印清嘉慶二十年江西南昌府學刊
　　本，臺北：藝文印書館，1955年），卷9，頁12下。

20　校注：《周禮注疏》，卷33，頁9上-18下。

21　朱守亮：《詩經評釋》，頁628。

或南其畝，或東其畝而耕種之。

《商頌・長發》：

> 洪水芒芒，禹敷下土方。外大國是疆，幅隕既長。[22]

此言自昔洪水芒芒，禹平治之後，商之元祖，發現了一片面積廣大的
疆域，可以開墾、種植、生產，於是定居下來就有其國了。

《商頌・玄鳥》：

> 宅殷土芒芒，古帝命武湯，正域彼四方。……景員維河，殷受
> 命咸宜，百祿是何。[23]

此言居住在殷商芒芒大片土地上，於是武湯又擴大其領土，至疆域廣
及黃河流經地區。受命咸宜的咸宜，當然也包含所有疆土可開墾、種
植、生產在內，所以才能負荷百福。

《大雅・綿》：

> 率西水滸，至於岐下。……周原膴膴，堇荼如飴。
> ……迺慰迺止，迺左迺右；迺疆迺理，迺宣迺畝。[24]

此言周原，即岐下之地。其地膴膴然而肥美，即使堇荼苦菜，生長在
周原上，其味亦甘甜如飴，更足見可開墾、耕種、生產了。於是劃定
左右居止界限，疆理經界溝塗，宣而墾治之，使成田畝，而欣慰心安

---

22 朱守亮：《詩經評釋》，頁952。
23 朱守亮：《詩經評釋》，頁950。
24 朱守亮：《詩經評釋》，頁716-717。

地安居下來。

《大雅・公劉》：

> 匪居匪康，迺場迺疆，……于胥斯原，既庶既繁。[25]

此言公劉因人民居戎、狄間不安康時。於是劃分田界，修治土地，期
能增加生產。但仍為狄所逼，不得不遷於豳地。斯原、指豳地原野，
該地區既物產豐庶，又人口眾多，當然公劉遷往定都了。凡此，知我
古代開國聖君，凡遷徙定居，未有不先相其土宜，觀察是否可開墾、
耕植、生產、有利於農業事宜的。此乃相土之事。

三　因時

　　順應時令氣候耕種、收穫。甚麼氣候種植甚麼穀物，甚麼季節收
穫甚麼穀物，大體上也有其準則。《管子・形勢解》云：「春者，陽氣
始上，故萬物生。夏者，陽氣畢上，故萬物長。秋者，陰氣始下，故
萬物收。冬者，陰氣畢下，故萬物藏。故春夏生長，秋冬收藏，四時
之節也。」[26]《孟子・梁惠王上》云：「斧斤以時入山林，材木不可勝
用也。……雞豚狗彘之畜，無失其時，七十者可以食肉矣。百畝之
田，勿奪其時，數口之家，可以無饑矣。」[27]都注意到了這些。

　　《邶風・谷風》：

25　朱守亮：《詩經評釋》，頁772、頁773。

26　《管子校正》，卷20，頁324。

27　《孟子注疏》，卷1上，頁7上-7下。

習習谷風，以陰以雨。[28]

此言谷風，即東風，也就是春風，谷風吹而穀生。以陰以雨，謂為風
為雨，是說風雨調和時節。在風雨調和的春天，是最宜犁田、播種
的。

《小雅·谷風》：

習習谷風，維風及雨。[29]

下句字稍異，但義無別。

《魯頌·閟宮》：

降之百福，黍稷重穋，植穉菽麥，奄有下國，俾民稼穡。有稷
有黍，有稻有秬，奄有下土，纘禹之緒。[30]

此所舉許多穀物，各有其播種收穫時間，今魯西仍有「霜降麥，雞爪
堆」、「麥不過夏至」諺語。意即小麥如遲至霜降始播種，所生出的幼
苗，少如雞爪形，不如及時播種者茂盛。又不管何時播種，生長情形
又如何。至次歲夏至，一定全部成熟收割，不會有差誤。其尤須注意
者：植是禾之早種者，穉是禾之晚種者，而重是先種後熟，穋是後種
先熟。在《豳風·七月》中，亦有此二種穀物。從事農業的人，對此
能有所認識而善加處理，就可繼禹平治水土後，一如后稷的長於教民
稼穡了。

28　朱守亮：《詩經評釋》，頁123。
29　朱守亮：《詩經評釋》，頁593。
30　朱守亮：《詩經評釋》，頁935。

《豳風・七月》：

> 八月萑葦。……八月其穫。……八月剝棗。……八月斷壺。[31]

此言知在秋季八月，收割蘆葦、稻子，擊落紅棗，摘下瓠瓜，乾之以為壺等，收穫也順應時令氣候的必然性了。此乃因時之事。

四　耕治

翻田鬆土，便於種植，應是從事農業的最先也是最重要的工作。《商君書・算地》云：「夫地大而不墾者，與無地同。」[32]此墾字雖有廣義的從事農事意，但仍包括最基本的耕治工作。《論語,微子》云：「長沮桀溺耦而耕」[33]，《孟子・梁惠王上》云：「深耕易耨」[34]，皆言耕治之重要。

《齊風・南山》：

> 蓺麻如之何？衡從其畝。[35]

此言在種植作物前，必須縱橫耕治其田畝，翻田疏鬆其土質。

《周頌》〈載芟〉、〈良耜〉：

31　朱守亮：《詩經評釋》，頁419-422。
32　《商君書新校正》，頁12。
33　《論語注疏》，卷18，頁3下。
34　《孟子注疏》，卷1上，頁12上。
35　朱守亮：《詩經評釋》，頁282。

　　有略其耜，俶載南畝。(〈載芟〉)

　　畟畟良耜，俶載南畝。(〈良耜〉)[36]

此言如何疏鬆其土質，與今之耕用牲畜者不盡相同。多用農具耒耜。耜係插地起土，類今之犁頭；耒係其柄，一人用之翻土，或二人共執耦耕。此在說明耕者磨利其耜，開始從事耕作田畝。

　　《豳風・七月》：

　　三之日于耜，四之日舉趾。[37]

此言何時耕作？在夏歷正月修理耒耜，二月即舉足踏耜，開始耕治。

　　《周頌・載芟》：

　　載芟載柞，其耕澤澤。千耦其耘，徂隰徂畛。侯主侯伯，侯亞侯旅，侯彊侯以。[38]

此言那些人耕治，在先除去草木後，家長、長子、仲叔等子、家族眾子弟以及幫助者、傭工者皆至田中耕治，所以有千耦其耘的句子。

　　《周頌・噫嘻》：

　　駿發爾私，終三十里。亦服爾耕，十千維耦。[39]

36　朱守亮：《詩經評釋》，頁908、910。

37　朱守亮：《詩經評釋》，頁418。

38　朱守亮：《詩經評釋》，頁907。

39　朱守亮：《詩經評釋》，頁883。

此言耕治後情形如何？在很快地翻土耕田，完成三十里的耕作後，農夫同心同力從事二人並耕者，必穫千百倍的收成。此乃耕治之事。

五 種植

播種蒔植，是中國諺語「種甚麼收甚麼」一句名言。《孟子・滕文公上》云：「后稷教民稼穡，樹藝五穀，五穀熟而民人育。」[40]於此可見其重要。《豳風・七月》、《周頌・噫嘻》：

> 亟其乘屋，其始播百穀。（〈七月〉）
> 率時農夫，播厥百穀。（〈噫嘻〉）[41]

此總言修理好房屋後，將開始忙於來年的種植工作。於是在耕治妥的土地上，率領著農夫，到田畝去，播種所有穀物的種籽。

《周頌・良耜》：

> 播厥百穀，實函斯活。[42]

兩處文字全同，是說播種百穀種籽於土中，遂萌芽而生長。

《周頌・載芟》：

> 驛驛其達，有厭其傑。厭厭其苗，綿綿其麃。[43]

---

40 《孟子注疏》，卷5下，頁3上-3下。
41 朱守亮：《詩經評釋》，頁422、頁883。
42 朱守亮：《詩經評釋》，頁908、頁910。
43 朱守亮：《詩經評釋》，頁908。

此言苗繼續出生而達地面，先生者厭厭然齊整而美好。

　　《大雅‧生民》：

　　　　誕降嘉種，維秬維秠，維穈維芑，恆之秬秠，是穫是畝；恆之
　　　　穈芑，是任是負。[44]

此言播種秬秠穈芑種籽。

　　《小雅‧楚茨》：

　　　　我藝黍稷。[45]

此言播種黍稷種籽。

　　《周頌‧臣工》：

　　　　如何新畬，於皇來牟。[46]

此言於已墾二歲之新田，三歲之畬田，種植來牟種籽。

　　《大雅‧生民》：

　　　　藝之荏菽。[47]

此言播種荏菽種籽。

44　朱守亮：《詩經評釋》，頁754。
45　朱守亮：《詩經評釋》，頁623。
46　朱守亮：《詩經評釋》，頁881。
47　朱守亮：《詩經評釋》，頁753。

《小雅‧巧言》：

> 荏染柔木，君子樹之。[48]

《鄘風‧定之方中》：

> 樹之榛栗，椅桐梓漆。[49]

此言樹藝栽種柔木，繼乃說出榛栗椅桐梓漆之木名。此播種之事。

六　除害

農害有多種，除亂苗之草害外，其他如水、旱害、蟲害、鳥害，都必須有所消除之，始可有收成。《管子‧輕重己》云：「宜芸而不芸，百草皆存，民以僅存，不芸之害也。」[50]僅此一端已如此，而水災之盡成澤國，旱災之赤地千里，即蝗蟲一害，亦寸草不留。其嚴重性可想而知。除草害尚可以人力克服外，其他多採束手無策、無可奈何之祝禱方式。

《小雅‧甫田》：

> 今適南畝，或耘或耔。[51]

48　朱守亮：《詩經評釋》，頁582。

49　朱守亮：《詩經評釋》，頁160。

50　《管子校正》，卷24，頁419。【編按：芸即除草。此外，近人李勉認為「民以僅存」四字為衍文當刪。見李勉：《管子今註今譯》（臺北：臺灣商務印書館，1988年），頁1250。】

51　朱守亮：《詩經評釋》，頁633。

此總言往南畝，除田間之穢，耘田間之苗，除雜草而覆土培根。

　　《周頌・載芟》：

　　　　厭厭其苗，緜緜其麃。[52]

《大雅・大田》：

　　　　既堅既好，不稂不莠。[53]

此言要想田苗厭厭整齊，穀實既堅且好，必須詳加耘治，使不生似禾之草稂，似苗之草莠，才能達到目的。

　　《小雅・楚茨》：

　　　　楚楚者茨，言抽其棘。[54]

《周頌・臣工》：

　　　　命我眾人，庤乃錢鎛。[55]

《周頌・良耜》：

　　　　其鎛斯趙，以薅荼蓼。荼蓼朽止，黍稷茂止。[56]

---

52 朱守亮：《詩經評釋》，頁908。

53 朱守亮：《詩經評釋》，頁636。

54 朱守亮：《詩經評釋》，頁623。

55 朱守亮：《詩經評釋》，頁881。

56 朱守亮：《詩經評釋》，頁911。

《大雅·生民》：

> 茀厥豐草，種之黃茂。[57]

此言命我許多農人，用掘土的農具錢，除草的田器鎛，鋒利地剌入土中，鏟除拔去棘茶蓼豐草，使之腐朽，所種植的黍稷穀物，始可茂盛。此上所引，是在除草害。

《小雅·大東》：

> 有洌氿泉，無浸穫薪。[58]

此言側出的泉水，無浸我已刈存的柴薪，因水一浸，柴薪即不可燃燒。此是水害，無法消除，只是用希冀之詞，不願發生。

《大雅·召旻》：

> 如彼歲旱，草不潰茂，如彼棲苴。[59]

《大雅·雲漢》：

> 旱既大甚，滌滌山川，旱魃為虐，如惔如焚。[60]

此言歲逢旱災，草木枯槁。旱魃為虐。如燎如焚。山枯水涸，赤地千

---

57 朱守亮：《詩經評釋》，頁753。

58 朱守亮：《詩經評釋》，頁600。

59 朱守亮：《詩經評釋》，頁858。

60 朱守亮：《詩經評釋》，頁821。

里的旱害。旱害為古時農業災害較嚴重者，但確也無法消除，只是用祈禱的方式，希望能及時解決。

《大雅・大田》：

> 去其螟螣，及其蟊賊，無害我田稺。[61]

此言去其食苗心之螟蟲，食禾葉之螣蟲，食根之蟊蟲，食節之賊蟲，使其無害於我田間幼苗，此是蟲害。至《魏風・碩鼠》之碩鼠，無食我黍、麥、苗等，雖以碩鼠喻貪婪苛征之執政者，不必真有之，但田鼠為害之深，至今仍有之。蟲害雖小，也無法消除，仍是用希冀之詞，不願再發生。

《小雅》〈小宛〉、〈黃鳥〉：

> 交交桑扈，率場啄粟。(〈小宛〉)
> 黃鳥黃鳥，無集于穀，無啄我粟。
> 黃鳥黃鳥，無集于桑，無啄我粱。
> 黃鳥黃鳥，無集于栩，無啄我黍。(〈黃鳥〉)[62]

此言桑扈循打穀場啄粟，黃雀、無集於穀桑及栩木之上，以啄食我之粟粱及黍，此是鳥害。鳥害尤小，趕一趕就是了，但仍是用希冀之詞，希望別再發生。此乃除害之事。

---

61 朱守亮：《詩經評釋》，頁637。
62 朱守亮：《詩經評釋》，頁572、527。

七　灌溉

利用水力灌溉，雖古時未必如今日發達，但知有所利用，則可斷言。《韓非子‧顯學》云：「昔禹決江濬河，而民聚瓦石。子產開畝樹桑，鄭人謗訾。」[63]《呂氏春秋‧先識覽‧樂成》云：「禹之決江水也，民聚瓦礫，事已成，功已立，為萬世利。」同篇又云：「子產始治鄭，使田有封洫。」[64]禹重在決江濬河，不全在灌溉。但子產的開畝樹桑，使田有封洫，就與灌溉有關了。

《小雅‧泂酌》：

> 泂酌彼行潦，挹彼注茲。[65]

此言至遠處酌於彼流動水中，以器貯之注於此，似不可完全排除灌溉義。

《大雅‧公劉》：

> 逝彼百泉，瞻彼溥原。[66]

此言至彼泉水眾多之處，視彼廣大原野，如有必要，則可槁汲挹取眾泉水灌溉了。

《小雅‧白華》：

63　陳啟天：《韓非子校釋》，頁22。
64　《呂氏春秋集釋》，頁710、720。
65　朱守亮：《詩經評釋》，頁777。
66　朱守亮：《詩經評釋》，頁773。

滮池北流，浸彼稻田。[67]

此確言引滮之北流水以浸稻田，必是我古代先民所採用的灌溉方法之一了。此乃灌溉之事。

八　采穫

采擷收穫。采穫是農業社會春耕夏長，至秋成熟，所最期盼的秋收日子。所以〈太史公自序〉云：「秋收冬藏，此天道之大經也。」[68]秋收須采穫，但采穫並不全限於秋。

《小雅》〈小明〉、〈小宛〉：

歲聿云莫，采蕭穫菽。（〈小明〉）
中原有菽，庶民采之。（〈小宛〉）[69]

此言采蕭及穫菽二事，夏之季秋，則周之冬日，故曰歲暮，此采穫在秋季。

《豳風·七月》：

八月萑葦，……八月其穫，……八月剝棗，……八月斷壺。
九月叔苴，采荼薪樗。[70]

---

67 朱守亮：《詩經評釋》，頁689。

68 〔漢〕司馬遷著，〔唐〕張守節正義，〔宋〕裴駰集解：《史記》，（影印清乾隆武英殿刊本，臺北：藝文印書館，1955年），卷130，頁4下。

69 朱守亮：《詩經評釋》，頁618、570。

70 朱守亮：《詩經評釋》，頁422。

此前者已在因時節引之，不再多言，但云八月。後者云九月，皆在秋季。

《大雅・生民》、《周頌・載芟》：

是穫是畝，……是任是負。（〈生民〉）
載穫濟濟。（〈載芟〉）[71]

此言收割後，采穫之多，堆積田中，由畝計算，或肩任，或背負，或車載運回家中，雖未說明其時，可能是秋收景象。

《魏風・伐檀》：

坎坎伐檀兮。……伐輻兮。……伐輪兮。[72]

此就《孟子》「斧斤以時入山林」言，似可斷為秋季。

《周頌・良耜》、〈臣工〉、《小雅・大田》：

穫之挃挃。（〈良耜〉）
奄觀銍艾。（〈臣工〉）
彼有不穫穉，此有不斂穧，彼有遺秉，此有滯穗。（〈大田〉）[73]

此言前者僅云收割之聲，不久即可觀其用短鐮收割；後者僅云有的穉禾未收穫，有的已穫尚未收束，有的已割之禾皆成散置於田，有的田有遺棄禾把，皆不知其時。

---

71 朱守亮：《詩經評釋》，頁754、908。

72 朱守亮：《詩經評釋》，頁309。

73 朱守亮：《詩經評釋》，頁911、881、637。

《豳風‧七月》：

> 春日載陽，有鳴倉庚。女執懿筐，遵彼微行，爰求柔桑。……
> 蠶月條桑，取彼斧斨，以伐遠揚，猗彼女桑。[74]

此明言春日，言蠶月，當是春天無異。想是秋天采穫最多，春有之，想夏亦有之，只是比較少罷了。此乃采穫之事。

九　報賽

　　報答神明以祈福。古時農事完畢後，祭祀田祖先農神靈，除答謝保佑之恩外，也在祈求豐年，或豐年後報祭之。《周禮‧春官‧小祝》疏云：「祈福祥，順豐年，逆時雨三者，皆是侯。寧風旱，彌烖兵，遠皋疾三者，即是禳。求福謂之禱，報賽謂之祠。」[75]
　　《大雅‧生民》：

> 誕我祀如何？或舂或揄，或簸或蹂；釋之叟叟，烝之浮浮；載謀載惟，取蕭祭脂，取羝以軷，載燔載烈，以興嗣歲。[76]

此言潔治其食物，卜筮其吉日，宰殺其犧牲以祭神，祈求來年豐收。
　　《周頌‧載芟》：

> 為酒為醴，烝畀祖妣，以洽百禮。有飶其香，邦家之光。有椒

74　朱守亮：《詩經評釋》，頁19上。

75　《周禮注疏》，卷25，頁390。

76　朱守亮：《詩經評釋》，頁755。

其馨，胡考之寧。匪且有且，匪今斯今，振古如茲。[77]

此言用酒醴祭祀歷代男女祖先，飶然其香賓客，椒然其馨養耆老，使國家光榮安寧，以祭百神。如此，則非此地豐收，此時豐收，從來神靈保佑即如此。

《大雅·生民》、《周頌·良耜》：

以歸肇祀。(〈生民〉)
殺時犉牡，有捄其角，以似以續，續古之人。(〈良耜〉)[78]

此先言收穫後，由田歸家，開始祭祀，後言乃殺是黑脣黃牛之雄而曲其角者，以祭社稷，以嗣續先祖，奉祀不絕，秋收成後祭社稷百神。

《魯頌·有駜》、《小雅·甫田》、《周頌·桓》、《周頌·豐年》、《商頌·烈祖》：

歲其有。(〈有駜〉)
自古有年。(〈甫田〉)
綏萬邦，婁豐年。(〈桓〉)
豐年多黍多稌。(〈豐年〉)
自天降康，豐年穰穰，來假來饗，降福無疆。(〈烈祖〉)[79]

此先言有即有年，亦即豐年。次言天下綏安，屢獲豐年，須祭神報答。再言祭上帝百神，在豐年時，賜給許多黍稌。終言天降以安樂，

77　朱守亮：《詩經評釋》，頁908。
78　朱守亮：《詩經評釋》，頁754、911。
79　朱守亮：《詩經評釋》，頁927、633、916、886、947。

豐年多穡，祭之希望神來享用，再降無疆之福。

《周頌，絲衣》：

> 絲衣其紑，載弁俅俅，自堂徂基，自羊徂牛。鼐鼎及鼒，兕觥
> 其觩，旨酒思柔，不吳不敖，胡考之休。[80]

此先言主祭者之服飾如何，陳犧牲籩豆如何，繼言祭祀氣氛，終言求其壽考，全係收穫後祀農稷神，燕享耆老情形。古時如此，今日亦然。此乃報賽之事。

十 效獻

呈繳獻上。古時農人似無私人耕地，多係種公家或地主階級的田，留部分為自己所有。所以《孟子·滕文公上》云：「方里而井，井九百畝，其中為公田，八家皆私百畝，同養公田。」[81]再不然即實行徹法。[82]但不管如何，總要繳獻出若干予公家或地主階級。

《大雅·公劉》：

> 度其隰原，徹田為糧。[83]

此言量度其田地之低濕廣平，以為徹取賦稅原則。提出徹字，恐是準乎十取其一的徹法而來。

---

80 朱守亮：《詩經評釋》，頁913。
81 《孟子注疏》，卷5上，頁9下。
82 《孟子注疏·滕文公上》云：「夏后氏五十而貢，殷人七十而助，周人百畝而徹。其實皆什一也。徹者、徹也。助者、藉也。」（卷5上，頁7上）
83 朱守亮：《詩經評釋》，頁775。

《大雅・桑柔》：

> 好是稼穡，力民代食，稼穡維寶，代食維好。[84]

此言使民努力耕作，在上者代之而食，並以為寶而善之，可見其聚斂一斑。

《小雅・甫田》：

> 倬彼甫田，歲取十千。[85]

此言歲取十千之多，恐不止於十分之一的徹法了。

《豳風・七月》：

> 言私其豵，獻豜於公。[86]

此言不僅向公家或地主階級繳規定的賦稅，即田獵所得，也要私其獵獸之小者，而獻其大者呢！此乃效獻之事。

十一　儲存

儲積存藏。古時穀物儲存，除存積在倉廩外，也有露積的。穀物的儲存，對農業，甚而對國家，有極重要的關係。所以《韓非子・詭

84　朱守亮：《詩經評釋》，頁812。
85　朱守亮：《詩經評釋》，頁633。
86　朱守亮：《詩經評釋》，頁420。

使》云：「倉廩之所以實者，耕農之本務也。」[87]《管子·牧民》云：「倉廩實則知禮節，衣食足則知榮辱。」[88]此皆言收穫後儲存意義之重大。

《大雅·公劉》：

迺積迺倉。[89]

此言積存之糧穀，置入穀倉內儲存之。

《小雅·楚茨》：

我倉既盈。[90]

此言穀倉儲存之糧穀，已經盈滿。此上皆言儲存糧食。

《豳風·七月》、《周頌·良耜》：

十月納禾稼。（〈七月〉）
積之栗栗，其崇如墉，其比如櫛，以開百室，百室盈止。（〈良耜〉）[91]

此先言十月已將禾稼穀物收入穀倉。次言禾稼穀物堆積之高如城墻，密如梳櫛，以開百室而納之皆盈滿，可見積存之多。此上多指廩存室內之禾稼穀物。

---

87 陳啟天：《韓非子校釋》，卷1，頁108。

88 《管子校正》，卷1，頁1。

89 朱守亮：《詩經評釋》，頁772。

90 朱守亮：《詩經評釋》，頁623。

91 朱守亮：《詩經評釋》，頁422、911。

《小雅‧甫田》、《小雅‧楚茨》、《周頌‧載芟》、《大雅‧豐年》：

> 曾孫之稼，如茨如梁。曾孫之庾，如坻如京。乃求千斯倉，乃
> 求萬斯箱。(〈甫田〉)
> 我庾維億。(〈楚茨〉)
> 載穫濟濟，有實其積，萬億及秭。(〈載芟〉)
> 豐年多黍多稌，亦有高廩，萬億及秭。(〈豐年〉) [92]

此先言曾孫之稼，而高及屋蓋屋梁。曾孫之庾，如高地，如高丘，需求千倉以藏之，萬箱以載之。次言在庾之禾稼穀物，已有萬萬。再言收穫之多，其實之堆積，萬億以至億億。終言豐年黍稌之多，堆積之高，亦萬億以至億億。此上多指庾存露積之禾稼穀物。

　　《大雅‧生民》：

> 或舂或揄，或簸或蹂。[93]

此言將近食用時，則將穀物舂之，簸揚之去其細糠；如不必舂，則以手搓揉之去其稃秕再暫儲存之。此乃儲存之事。

十二　績織

　　紡紗織布。農作物收成後，有的則須整理加工，使成衣食，便於食用，以禦飢寒。所以《管子‧輕重甲》云：「一農不耕，民或為之

92　朱守亮：《詩經評釋》，頁635、623、908、886。
93　朱守亮：《詩經評釋》，頁755。

飢。一女不織，民或為之寒。」[94]《漢書・食貨志上》云：「嘗聞古之人曰：『一夫不耕，或受之飢，一女不織，或受之寒。』」[95]此可見其重要。現先談女子自養蠶、繅絲，采擷葛麻後績之織之的衣事。

《周南・葛覃》：

> 是刈是濩，為絺為綌。[96]

此言采葛，煮之去其植物膠質，取其纖維，織成精細或厚粗的葛布，以便縫製衣裳。

《豳風・七月》：

> 八月載績，載玄載黃，我朱孔揚，為公子裳。[97]

此言績紡染色，色彩至為鮮美，縫製之以為公子衣裳。

《魏風・葛屨》：

> 糾糾葛屨，可以履霜。摻摻女手，可以縫裳。[98]

此言編結之成屨以履霜，纖纖細長美手，縫製之以成裳。

《大雅・瞻卬》、《陳風・東門之汾》：

> 婦無公事，休其蠶織。（〈瞻卬〉）

94　《管子校正》，卷23，頁393。
95　《漢書》，卷24上，頁515。
96　朱守亮：《詩經評釋》，頁42。
97　朱守亮：《詩經評釋》，頁419。
98　朱守亮：《詩經評釋》，頁299。

　　不績其麻，市也婆娑。(〈東門之枌〉) [99]

　　此先言婦女不參與朝廷公事，不應休其蠶織事參與之。次言婦女應績
麻紡織，而今竟婆娑起舞以廢之，這都是所不許而遭非議的。此乃績
織之事。

十三　蓄釀

　　作成乾菜，釀成酒。農業社會問題最大者在衣食。除上節所言衣
食重要及績織之衣事外，此則言食事。
　　《邶風・谷風》、《小雅・信南山》：

　　　我有旨蓄，亦以御冬。(〈谷風〉)
　　　疆場有瓜，是剝是菹。(〈信南山〉) [100]

　　此先言製成乾菜以過冬。蓄、蓄菜，即乾菜，此用為動詞，製成乾
菜，次言所穫瓜類，剝而醃漬之以為今所謂酸菜、泡菜或鹹菜。此在
北方冬月少鮮菜，多以乾菜或酸菜、泡菜、鹹菜等佐食，此亦屬整理
加工之事。除此外，即釀酒、蒸煮，以備祭祀或食用。
　　《小雅・信南山》：

　　　曾孫之穡，以為酒食。[101]

99　朱守亮：《詩經評釋》，頁853、374。
100　朱守亮：《詩經評釋》，頁126、630。
101　朱守亮：《詩經評釋》，頁629。

此明言曾孫以收穫之穀實，釀之、蒸煮之，以為酒食。

《豳風‧七月》：

> 十月穫稻，為此春酒，以介眉壽。[102]

此言穫為濩之借字，煮的意思，煮而冬日釀之，以待新春飲用，而求豪眉高壽。

《周頌‧豐年》：

> 為酒為醴。[103]

此亦言釀成酒醴後，以備祭祀或飲用。此乃蓄釀之事。

十四　其他

農業社會，除上所云直接耕織外，其他涉及最主要者，當係畜牧漁獵。茲特就簡言之。

《王風‧君子于役》：

> 雞棲于塒，日之夕矣，羊牛下來。
> 雞棲于桀，日之夕矣，羊牛下括。[104]

此言禽畜，為農業社會家庭中常有的現象。

102　朱守亮：《詩經評釋》，頁421-422。
103　朱守亮：《詩經評釋》，頁886。
104　朱守亮：《詩經評釋》，頁207-208。

《鄘風‧定之方中》：

> 騋牝三千。[105]

此言牝以該牡，馬有三千之多，也可以說已夠富庶的了。
　　《小雅‧無羊》：

> 誰謂爾無羊？三百維群。誰謂爾無牛？九十其犉。爾羊來思，
> 其角濈濈，爾牛來思，其耳濕濕。
> 或降于阿，或飲於池，或寢或訛。爾牧來思，何蓑何笠，或負
> 其餱，三十維物，爾牲則具。[106]

此言畜牧有成，牛羊之眾多。
　　《魯頌‧駉》：

> 駉駉牡馬，在坰之野。薄言駉者：有驈有皇，有驪有黃；以車
> 彭彭，思無疆，思馬斯臧。
> 駉駉牡馬，在坰之野。薄言駉者：有騅有駓，有騂有騏；以車
> 伾伾，思無期，思馬斯才。
> 駉駉牡馬，在坰之野。薄言駉者：有驒有駱，有駵有雒；以車
> 繹繹，思無斁，思馬斯作。
> 駉駉牡馬，在坰之野。薄言駉者：有駰有騢，有驔有魚；以車
> 祛祛，思無邪，思馬斯徂。[107]

---

105 朱守亮：《詩經評釋》，頁162。
106 朱守亮：《詩經評釋》，頁536-537。
107 朱守亮：《詩經評釋》，頁923-924。

此言馬種類之雜，數目之多如此。其牧場的管理，芻秣的供給，自必規範宏大，井井有條，不言可喻。

《小雅・采綠》：

> 之子于狩，言韔其弓；之子于釣，言綸之繩。
> 其釣維何？維魴及鱮；維魴及鱮，薄言觀者。[108]

此言婦人設想其夫或狩或漁，相互襄助及舉釣之所獲以該狩獲的情形。

《齊風・盧令》：

> 盧令令，其人美且仁。
> 盧重環，其人美且鬈。
> 盧重鋂，其人美且偲。[109]

此言獵者縱令令、重環、重鋂盧犬，略其凶猛及所獲，而於縱獵犬之人，大加贊譽稱美的情形。此乃農業涉及畜牧漁獵之事。

結語

《詩經》一書，是我國較古且為可信、又無甚爭議的典籍，在拙著《詩經評釋》〈詩之價值〉一項中，以其所含內容豐富，詳言其可作多方面研究資料。惟未及有關農業事宜。今草成此文，自遵循制度起，逐步至將製成衣裳、食物，將可著於身，入於口止，也多有可言者。又曾在拙著〈讀詩經衛風氓〉一文中，有「自五四運動後，多有

108　朱守亮：《詩經評釋》，頁680-681。
109　朱守亮：《詩經評釋》，頁287-288。

反對讀經，廢除讀經之論，至今似仍有餘唱。深以為吾國流傳至今之文化遺產，或云經典，是否必須反對，全部廢除，則大有問題。如以理性態度，科學方法，汰蕪存菁，善加整理，就多方面攝取其價值，實屬必要。若僅為反對而反對，為廢除而廢除，將千古文化瑰寶，盡以瓦礫視之，則大有商榷之餘地」之言。所言雖與本文無必然關係，仍轉錄於此，以見《詩經》所含豐富資料，對後世實可作多方面研究的重要及古典籍遺產的不可忽視。

本文原發表於《中華學苑》第43期（臺北：政治大學，1993年3月），頁1-22。

柒　高本漢《詩經注釋》解〈周南・兔罝〉「干」字之再商榷

一　緒言

高本漢《詩經注釋》於〈周南・兔罝〉「公侯干城」句，釋「干」謂：

> A《毛傳》（據《爾雅》）：干，扞（*g'ân/rân/han）〔ㄏㄢˋ〕也（守護，保衛）；所以：公侯的保衛和城垣。《釋文》把「干」讀作*kan/kan/kan〔ㄍㄢ〕（如下文B），不過也引了*g'ân/rân/han）〔ㄏㄢˋ〕的讀法，認為是「舊說」。遠淵源於《左傳・成公》上的「此公侯之所以扞城其民，《詩》曰：……」（這是公侯用來保衛和守護（城）人民的，《詩經》說……）。《小雅・采芑》：「師干」（一群保護者），釋文讀「干」為*g'ân/rân/han」〔ㄏㄢˋ〕；《左傳・襄公二十五年》：「陪臣干」，《釋文》讀*g'an（我們這些陪臣守護）。
> B《鄭箋》以為「干」是「干盾」；所以：「公侯的干盾和城垣」。
> 「干」*kan和「干」*g'ân以及「扞」*g'ân是同源的字，代表

一個語根的兩面，所以兩種解釋都不錯。可是我們沒有理由不用有佐證的A說。[1]

高氏所謂，說《鄭箋》以為「干」是「干盾」云云有誤。檢該詩〈箋〉云：「干也、城也，皆以禦難也。」孫炎〈注〉云：「干、楯，所以自蔽扞也。」[2]「干」解為「盾」，非鄭玄〈箋〉，乃孫炎〈注〉也。此高氏欠檢，且不影響主旨，不必再討論。即如高氏以孫炎〈注〉為鄭玄〈箋〉，而採有佐證的A說《毛傳》，蓋以為B說「干盾」無佐證。此亦似有問題。本文特就「干」、「盾」，甚而旁及「單」之字形，訓解、例證諸項論之，以見高氏之說未為的論，而請教於方家。祈博雅君子，能不吝賜教。

二　就字形言之

此下由較古甲骨、鐘鼎等「干」、「盾」，甚而「單」之字形，以見其相關性。字形雖有別，其實皆防禦性戰備武器之擋箭盾牌一物也。

（一）干

甲骨文：▼（前2.27.5）、▼（鄴3下.39.11）、▼（合集21457）、▼（合集28059）、▼（屯2658）；金文▼（虢簋）、▼（克盨）、▼（干氏叔子盤）、▼（毛公鼎）；《說文》▼；均象獵叉形，其初大皆

1　〔瑞典〕高本漢撰，董同龢譯：《詩經注釋》（臺北：編譯館，1960年），頁24-25。

2　〔漢〕毛公傳，〔漢〕鄭玄箋，〔唐〕孔穎達疏：《毛詩注疏》（影印清嘉慶二十年江西南昌府學刊本，臺北：藝文印書館，1955年），卷1之3，頁1下。

作Ｙ狀，當為木質，其後在兩端縛以尖銳之石錐或骨錐，遂作 ✲ 形，象器物分枝及有柄，可以刺人或抵擋人獸之攻擊。甲骨文：▦（珠1017）、▦（佚587、人名）、▦（續5.19.1）、▦（凡29.3）、▦（清暉61）、▦（續存1263）、▦（外251）；均於Ｙ形兩歧之下縛以什物，用以扞衛自身。

（二）盾

甲骨文：▦（甲3113）、▦（粹1288）、▦（林2.24.6）；金文：▦（秉丗簋）、▦（小臣宅簋）；均象盾牌，用以遮擋敵方戈、矛、矢、石之攻擊；金文：▦（師□簋乙）、▦（▦簋一）；《說文》：▦；其中入、ㄛ、冃諸形，或繁或簡，均象盾牌，掩藏眼目以窺視敵方之攻擊。

（三）單

甲骨文：、▦（乙4680反）、▦（乙1049，單大）；金文：▦（子戊卣）、▦（子壬尊）；均與前述之「干」字初形無異。甲骨文：▦（前7.26.4）、▦（粹73，南單）、▦（存下166，西單）、▦（乙3787，地名南單）、▦（後2.12.7）、▦（菁5.1）、▦（簋人14）、▦（京津1424）、▦（京都2056）、▦（存下917，東單）；金文：▦（小臣單觶）、▦（單伯子盨）、▦（揚簋）、（單侯簋）、▦（單伯鬲）、▦（弔單鼎）、▦（單伯鐘）、▦（蔡疾匜）、▦（平安君鼎）、▦（王盉）；《說文》：▦；亦均與前述「干」字下綑縛什物，用以扞衛自身無別，唯取象稍異、筆畫稍繁耳。

（四）小結

上列三字以古文字視之，「干」字由初形之Ｙ→✲→▦→▦→▦，

進而較為繁複之▢，雖或有又有柄，其實乃「圓『盾』之象也」。
「盾」字，由擋敵之「盾牌」──▢→▢→▢→▢→▢，進而為掩
藏眼目以窺視敵方攻擊之▢→▢矣！他若「單」字，見於殷契者，
與金文不甚遠，具流變亦往往以干，（深以為單干蓋古字也。又《說
文》從嘼從犬之獸字，甲骨文均從單（或從干）、從犬為會意，故有
單干古為一字，並盾字象形之言也。（字形歸註中）於此可確證干、
盾、單三字本為一字，繁簡不同，側面、正面有別，乃同物而異名者
也。其形為Y者，為最初體。後為▢、▢、▢、▢、▢者，或縛物
以備用，或加飾求美觀。至▢形者，則以物蔽目，或以目代表頭
顱，表示重要部位加以保護，言其用也。古為防禦戰備武器之擋箭盾
牌，今則為鎮暴警察所持，防外界攻擊物突襲，或棒、壘球賽，一壘
裁判懸於胸前，而防暴投球誤擊之安全裝備器物矣！[3]

3　鄧和《中國文字結構選解》（臺北：正中書局，1978年）：「干、象有極枝的木幹。」
　　（頁245）。王延林《常用古文字典》（臺北：文史哲，1989年）：「單字與干，實為
　　一字。」（頁73）。周法高《金文詁林補》（中央研究院歷史語言研究所專刊之七十
　　七，1981年）：「加藤常賢曰：『干釋為盾者，同音假借也。』（漢字之起源202至203
　　頁，林潔明譯）」（頁531）。李孝定《甲骨文字集釋》（中央研究院歷史語言研究所
　　專刊之五十，1975年）：「契文上出諸文，即為盾之象形字，上從其飾也。金文作
　　▢，亦由▢所衍變。……契文別有▢字，諸家釋冊，當即▢之異體，乃象上無
　　▢形飾物之盾。又單字古作▢，疑亦與此同源，皆為盾之象形字。」（頁683-
　　685）。丁福保《說文解字詁林》（臺北：商務印書館，1976年）：「饒炯曰：『干形象
　　正面，盾形象側面。』（說文解字部首考）」（頁930）。高鴻縉《中國字例》（臺北：
　　廣文書局，1964年）：「單、干與盾為一字，單與干一繁一簡，俱象盾之正面形，盾
　　字像其側面，加目為所蔽也。徐楷曰：『干、象盾形。』甚是。」（頁176）。周法高
　　《金文詁林》（香港：中文大學，1975年）：「丁山曰：『單之形……往往似干，干與
　　盾同實而異名。』『單、干古本一字』，『單之與盾，盾之與子，後世歧為數名，在
　　昔本為一體。』（闕義三頁至八頁）」（頁741、747、744）又「郭沫若曰：『《謂古干
　　字，乃圓盾之象形也。盾下有蹲，盾上之V形，乃羽飾也，非洲朱盧族之土人所用
　　之盾，正作此形，可為本《干》字之證。」（金考一八八頁釋干卤）」（頁1170）又
　　「高田忠周曰：『元盾象形同▢，今存古器，有亞細亞人所用盾形，與此篆似，可

三　就訓解言之

此下由字書或較古注疏等「干」、「盾」，甚而「單」之詮釋，以見其相關性。訓解雖偶有小異，其實皆可證前所謂防禦性戰備武器之盾牌一物本義也。

（一）干

《說文》云：「干、犯也。從一，從反入。」段〈注〉「犯、侵也……反入者，上犯之意。」[4]亦兼有抵觸、越分義。如此解「干」字，當非初義，而為引申義。高氏所取者為毛《傳》，與此無關。然《爾雅‧釋言》已有「干、扞也。」[5]《集韻》亦謂「干、扞也。」[6]

證，但與干通。』（古籀篇十六第十六頁）」（頁1167）。又「丁山曰：『周人以戈、盾括干、戈，殷人以戈，單名戈、盾。盾、單本一聲之轉，而單、干則韻部不殊。』『盾、單雙聲，而單、干疊韻，審其聲音遞轉，竊疑古謂之單，後世謂之干，單、干蓋古今字也。』（闕義三頁至八頁）」（頁744、741）。李孝定《甲骨文字集釋》「『干、盾、單』第以所象之物形制稍殊，遂致衍為數字，然其音猶復相近，義亦相同也。」（頁686）。惟魯實先以為「單乃旂之象形，上象旂鈴，中象幅柄，即稱之初文。」（《文字析義》，臺北：魯實先全集編輯委員會，1993年，頁190）。解單為旂者甚夥；但如此具體詳明之者則始自魯。又《說文》「獸，守備者也，……從嘼從犬。（頁4746）。然「獸」字，甲骨文作 （甲181）、 （拾6.3）、 （拾6.8）、 （佚149）、 （合集28773）、 （寧滬2.111）、 （前6.49.7）、 （前6.49.5）、 （燕14.2）、 （甲2299）、 （鐵39.1）、 （林2.15.7）、 （鐵36.3）、 （乙6377）、 （鐵10.3）、 （鐵50.3）、 （佚926）；均「從單（或從干）、從犬」會意，蓋古代「狩」獵者，以「單」（干，即盾）自我扞衛，並以「犬」相隨，以逐獵物也。故李孝定《甲骨文字集釋》有「單、干古為一字，並盾之象形。田獵者以單自蔽，以犬自隨，故字從單從犬會意，亦猶戰字從單從戈會意也」（頁4201）之言也。（自然「獸」下之字形部分云云，實應置於小結「盾」字下為宜。）

4 〔漢〕許慎撰，〔清〕段玉裁注：《說文解字注》（影印經韵樓藏版，臺北：藝文印書館，1955年），三篇上，頁2上。

5 〔晉〕郭璞注，〔宋〕邢昺疏：《爾雅注疏》（影印清嘉慶二十年江西南昌府學刊

而《說文通訓定聲》「干、又（假借）為扞。」[7]則又謂為假借義。實「干」如上字形所言，為「防禦性戰備武器之盾牌」，經傳注疏中多用之。[8]而《說文通訓定聲》亦明言「干、又《假借》為戰。爾雅、廣器「干、盾也。方言、九，盾自關而東，或謂之干。」[9]

（二）盾

《說文》云：「盾、戟也，所以扞身蔽目，從目，象形。」段〈注〉「經典謂之干，戈部作戰，用扞身，故謂之干。」[10]如此解「盾」字，自是「干」之本義。高氏所謂B說，亦即前緒言中《箋》云：「干也、城也，皆以禦難也。」孫炎〈注〉「干、楯，所以自蔽扞也」義。孫炎〈注〉作「楯」，《集韻》亦云：「楯、干也，或省：」[11]則「盾」又增木旁作「楯」矣。

本，臺北：藝文印書館，1955年），卷3，頁17下。編按：凡徵引十三經注疏者，若無特別標註，皆為南昌輔學本，下文不再一一註明。

6　〔宋〕丁度等撰，〔清〕方成珪考正：《集韻》（《四部備要》本，臺北：中華書局，1966年），卷2，〈平聲·二十五寒〉，頁32上。

7　朱駿聲著：《說文通訓定聲》（臺北：世界書局，1968年），乾部第十四，頁746。

8　〔漢〕鄭玄注，〔唐〕孔穎達疏：《禮記注疏》〈文王世子〉：「春夏學干戈」，鄭〈注〉「干、盾也」（卷20，頁4下）。阮〈校〉「古本盾作楯」（〈校勘記〉，頁2上）。又〈明堂位〉「朱干玉戚」，鄭〈注〉「朱干、赤大盾也」（卷31，頁7上）。又〈樂記〉「及干戚羽旄謂之樂」，鄭〈注〉「干、盾也」（卷37，頁1下）。又〈儒行〉「儒有忠信以為甲胄，禮義以為干櫓。」〈注〉「干櫓、小楯、大楯也。」（卷59，頁6）。《公羊傳·宣公八年》：「萬者何？干舞也。」〈注〉「干、謂楯也。」（卷15，頁18上）。《尚書·大禹謨》：「舞干羽于兩階」，〈傳〉「干、楯。」（卷4，頁14下）。此除《詩經》外，特就重要典籍舉例言之，其他注疏如此者太多，不便詳列。

9　朱駿聲著：《說文通訓定聲》，頁746。

10　《說文解字注》，頁137。

11　《集韻》，卷五，〈上聲二〉，十七「準」，頁26上。

（三）單

　　《說文》云：「單、大也，吅、甲，吅亦聲，闕。」段〈注〉「當為大言也，淺人刪言字，如誣加言，淺人亦刪言字。爾雅、廣雅說大皆無單，引伸為雙之反對。」[12]如此解「單」，勿論大或大言，皆非其本義，與「干、盾」無必然關係。惟〈古籀三補〉「單、公伐鄋鐘、攻戰克敵，假單為戰。」[13]如此，則與兵器之「干、盾」相涉矣。又《文選・揚雄・甘泉賦》「登降峛崺，單埢垣兮。」李善〈注〉「單、大貌。」[14]《詩・周頌・昊天有成命》「單厥心。」毛〈傳〉「單、厚。」[15]所謂「大」義，恐在言盾牌為用之通性也。（詳下文小結）

（四）小結

　　由上列三字訓解視之，所謂「干、假借為戰。」「干、盾也。」「盾、瞂也，所以扞身蔽目。」「楯、干也，或省。」「假單為戰」云云，則可了然其關聯性矣。蓋扞身蔽目言其用，借為或戰，則由其用引申也。（此二字下例證中當再言之）現依前字形云：防禦武器象形盾牌。則此字義所謂扞身蔽目者，當云：與敵戰爭時，防禦其戈矛兵刀或失石之襲擊也。要之，干訓盾為本義，訓犯、扞為引申義。又單之大義，厚義，乃為盾之通性，蓋大在言廣蔽身軀，厚則求其堅固，以免為戈矛弩矢所穿陷也。或有解三者為攻擊之用者，蓋混戰時，當未可絕對分開。惟干盾等主禦不主犯，當以防禦為主。至三字之其他

12　《說文解字注》，頁63。

13　陳新雄等：《字形匯典》第七冊（臺北：聯貫出版社，1987年）：「單公伐鄋鐘、攻戰克敵，段單為戰。（古籀三補）」（頁68）。

14　〔南朝梁〕蕭統編，〔唐〕李善注：《文選》（重刻宋淳熙本，臺北：藝文印書館，1955年），卷7，頁77。

15　《毛詩注疏》，卷19之2，頁2下。

訓解頗多，雖各有辭說，要非盾牌本義之所在，故皆不錄焉。[16]

四　就例證言之

　　此下所選取「干」、「盾」，甚而「單」之相連或相合字詞，多由前所謂防禦性戰備武器擋箭盾牌之本義言之。蓋戰爭之事，攻守而已，現既陳其守之干、盾，甚而單等字如上；其與攻之披堅執銳以破人兵衛之武器戈、戉、矛等相連或相合字詞又如何，特條列於下，以證其說之似有可取也。

---

16 鄧和《中國文字選解》「干、象有椏枝的木幹，生產時作工具，戰爭時作武器。」（頁245）生產工具，當是幼時所見打麥場中之杈子。王廷林《常用古文字典》「徐中舒曰：『丫為人類最初使用的武器，在枒槎兩端捆上鋒利的石器則為𢆶。在枒槎之間捆上重量石塊則為𢆶、為𢆶，在衝鋒臨陣之中，兼為捶擊之用。』（古文字字形表序）小篆變為𢆶。說文：干、犯也，從反入，從一。許慎之說，當為干之引申義，金文中作為武器。（虘簋干、戈）」（頁119）丁福保《說文解字詁林》「厂象盾之側見形，十象盾之握，即所謂瓹也。盾之用、窺敵之至而禦之，其動迅疾，猶目胅之開闔也。盾以禦矢石而衛其身猶目胅之禦塵沙而衛其精也。𢆶象盾之體，目象盾之用，兼形與意而成文也。（疑疑）」（頁1471）。盾字上體象盾形，下從目以為義，為合體象形字。李孝定《甲骨文字集釋》「干、當以訓盾為本義，犯為其引申義。」（頁685）周法高《金文詁林》「楊樹達曰：『許君說干字，恐非朔義。尋金文毛公鼎干字作𢆶，象器分枝可以刺人及有柄之形，……余謂干當為古兵器之一。……許君訓干為犯，乃干之引申義，非初義也』〈小學六八至六九頁釋干〉」（頁1171）。又「張日昇曰：『就字義言，單有障蔽之義，干為楯，亦以扞身蔽目，其誼不殊，單、干一字，似無可疑。』（張日昇述）」（頁749）所謂「干為楯」，「盾與楯同」，此又最初盾牌或以（皮）木製，又加木為楯，故注、疏家多盾、楯互用也。周法高《金文詁林補》「加藤常賢曰：『（干）字形究是何形？正如在單子條所述，最原始之武器，乃伐有刺之木而用。……該種情形，則取V之樹枝，尖銳其先端，而用作刺突之用。……為刺敵之兩鋒之武器也。』（漢字之起源二〇二至二〇三頁，林潔明譯）」（頁531）

（一）干戈

戈：平頭戟，攻擊武器之一種，其形為🔣（合33208）。二字相連，其義為：（1）古時戰爭，多用干戈，因以干戈為兵器之總稱。《詩・大雅・公劉》「干戈戚揚。」鄭《箋》「干、盾也，戈、句矛戟也。」[17]《尚書・牧誓》「稱爾戈，比爾干，立爾矛。」[18]《禮記・檀弓下》「能執干戈，以衛社稷。」[19]《左傳・昭公・元年》「日尋干戈，以相征討。」[20]《論語・季氏》「謀動干戈於邦內。」[21]《史記・五帝紀》「軒轅乃習用干戈，以征不享。」[22]《天工開物》「凡干戈，名最古，干與戈，相連得名。」[23]（2）謂戰爭也。《史記・伯夷傳》「伯夷叔齊，叩馬而諫曰：父死不葬，爰及干戈，可謂孝乎？」[24]王粲〈從軍詩〉「身服干戈事，豈得念所私。」[25]文天祥〈過零丁洋詩〉「辛苦逢遭起一經，干戈落落四周。」[26]（3）武舞也。《禮記・文王世子》「春夏學干戈，秋冬學羽籥，皆於東序。」鄭〈注〉「干戈、萬舞，象武也，用動作之時學之。」孫希旦〈集解〉「干戈、武舞，羽

17　《毛詩注疏》，卷17之3，頁5下。

18　《尚書注疏》，卷11，頁16上。

19　《禮記注疏》，卷10，頁8上。

20　《春秋左傳注疏》，卷41，頁20上。

21　《論語注疏》，卷16，頁2上。

22　〔漢〕司馬遷著，〔唐〕張守節正義，〔宋〕裴駰集解：《史記》（影印清乾隆武英殿刊本，臺北：藝文印書館，1955年），卷1，頁3上。

23　〔明〕宋應星著：《天工開物》（臺北：中華叢書委員會，1955年），頁375。

24　《史記》，卷61，頁2下-3上。

25　〔南朝梁〕蕭統編，〔唐〕李善等注：《增補六臣注文選》（臺北：華正書局，1979年），卷27，頁506。

26　〔宋〕文天祥：《文文山全集》（臺北：世界書局，1962年），卷14，〈指南後錄〉，頁349。

籥、丈舞也。」[27]

（二）干戚

戚：短柄小斧。攻擊武器之一種，其形為 ▮（合18944）。二字相合，其義為：（1）二者皆武器，干、盾也。戚、斧也。《詩·大雅·公劉》「干戈戚揚，爰方啟行。」鄭《箋》「公劉之去邠，整其師旅，設其兵器。」[28]（2）樂舞之一種，舞時執干戚兵器，武舞也。《禮記·文王世子》「大樂正學，舞干戚，語說，命乞言。」《孫希旦·集解》「干戚，大武之舞也。」[29]《禮記·樂記》「比音而樂之，及干戚羽旄，謂之樂。」鄭〈注〉「干、盾也，戚、斧也，武舞所執也。」同篇又云：「干戚之舞，非備樂也。」[30]《韓非子·五蠹》「乃修教三年，執干戚舞，有苗乃服。」[31]《後漢書·崔寔傳》「干戚之舞，足以解平城之圍。」[32]

（三）矛盾

矛：上銳如戟，攻擊武器之一種，其形為 ▮。二字相連，其義為：（1）矛與盾二兵器也。《六韜·虎韜·軍用》「矛盾二千。」[33]

---

27 〔清〕孫希旦：《禮記集解》（影印本，臺北：文史哲出版社，1976年，雖未註明何本，實上海商印書館萬有文庫鉛字本），卷6，頁505。

28 《毛詩注疏》，卷17之3，頁5下。

29 《禮記集解》，頁508。

30 《禮記注疏》，卷31，頁1下、頁17上。

31 朱守亮：《韓非子釋評》（臺北：五南圖書，1992年），頁1704。

32 〔南朝宋〕范曄、〔西晉〕司馬彪撰，〔南朝梁〕劉昭注補，〔清〕王先謙集解：《後漢書》（影印清乾隆武英殿刊本，臺北：藝文印書館，1955年），卷52，頁16下。

33 〔周〕呂望：《六韜》（《武經七書》本，影印百部叢書集成之九二，臺北：藝文印書館，1971年），卷4，頁430。

《後漢書・東夷・倭傳》「其兵有矛楯木弓，其矢或以骨為鏃。」[34]
（2）喻言論動作自相抵觸也。盾、一作楯。《韓非子・難勢》「人有
鬻矛與楯者，譽其楯之堅，物莫能陷也；俄而又譽其矛曰：吾矛之
利，物無不陷也。人應之曰：以子之矛、陷子之楯，何如？其人弗能
應也。」[35]《北史・李業興傳》「卿言豈非自相矛楯？」[36]

（四）戰

　　戈為攻擊武器，單為防禦武器，二者相合則為戰，其形為 ▨
（▨鼄壺），其義為：（1）搏鬥攻戰也。《說文》「戰、鬥也。」[37]
《易・坤》「龍戰於野。」[38]《史記・白起傳》「出銳卒自搏戰。」[39]
《公羊傳・莊公・十年》「戰不言伐。」〈注〉「合兵血刀曰戰。」[40]
（2）危事也。《漢書・鼂錯傳》「兵、凶器，戰、危事也。」[41]《後漢
書・隗囂傳・集解》「戰者逆德。」[42]（3）或作戰。《集韻》「戰，一
曰以戈擊鼉，故從獸。」[43]（4）古作㦵。《集韻》「戰、古作㦵。」[44]

---

34 《後漢書》，卷85，頁11下。

35 朱守亮：《韓非子釋評》，頁1481。

36 〔唐〕李延壽撰：《北史》（影印清乾隆武英殿刊本，臺北：藝文印書館，1955年），頁131。

37 《說文解字注》，頁636。

38 《周易注疏》，卷1，頁25下。

39 《史記》，卷73，頁4上。

40 《春秋公羊傳》，頁88。

41 〔漢〕班固著，〔唐〕顏師古注，〔清〕王先謙補注：《漢書補注》（影印清乾隆武英殿刊本，臺北：藝文印書館，1955年），卷49，頁11下。

42 《後漢書》，卷13，頁1上。

43 《集韻》，卷8，〈去聲下〉，三十二「綫」，頁4上。

44 《集韻》，卷8，〈去聲下〉，三十二「綫」，頁4上。

（五）小結

　　由上四例證視之，其防禦武器之干、盾、單，與攻擊武器之戈、矛，相連或相合，雖各有甚多不同詮釋，要以「古時戰爭多用干戈，干、盾也，戈、句矛戟也」之解干戈。「二者皆武器，干、盾也，戚、斧也」之解干戚。矛與盾二兵器也」之解矛盾。「戈為攻擊武器，單為防禦武器，搏鬥攻戰也」之解戰字為是。且商代金文習見 🈳 形之戰字，原為象武士一手持戈，一手持盾（干、單）形，而與敵相戰鬥也。識乎此，則戔（戰）也，戲也，殢也。雖多解為盾，例以丁山之「周人借單為戰」，「金文攻戰無敵，戰字作 🈳（公伐郘鐘）」說，實皆攻擊與防禦武器之相合，與戰為一字也。又戰之或從嘼作戵，此乃以戈擊嘼，古狩字也。古作幵、开，象兩开對立，雖《說文》解為平，實亦盾字。止干為戰，義同止戈為武也。[45]

---

[45] 周法高《金文詁林》：「丁山曰：『先秦典籍，每以干戈隱括一切兵器之名與戰伐之義。其變也，則或謂之戈盾。周禮夏官旅賁氏掌執戈盾，夾王車而趨。又曰：司戈盾掌戈盾而頒之，戈盾之戈干之變文也。』又曰：『周人借單為戰。』（闕義三頁至八頁）」（頁744、747）胡吉宣《玉篇校釋》（上海：上海古籍出版社，1989年）：「干戈為兵器大名，連類舉之也。」（頁38）李孝定《甲骨文字集釋》：「蓋干、戈之為用，一以擊敵，一以自蔽，取其運用靈便，當左執干而右執戈。」（頁3769）。干、戈不僅為兵器大名，亦為戰爭總稱，俗語「化干戈為玉帛」即此義。高鴻縉《中國字例》：「說文『戉、大斧也，從戈丨聲。司馬法曰：夏執玄戉，殷執白戚。』……秦人加金為意符，始作鉞。」（頁178）是干戚又同干戈與干鉞也。周法高《金文詁林補》：「于省吾曰：『商代金文的 🈳 字，習見（《金文編》附錄），象一手持戈，一手持盾形。』（古文字研究第三輯三頁釋盾）」（頁4849）王甦〈從古文字看古文化〉（《第七屆中國文字學全國學術研討會論文集，臺北：東吳大學，1996年》：「因為戈為古代戰爭的主要兵器，所以凡從戈之字，多與戰爭或武力有關。……商代金文作 🈳，象人一手持盾。一手持戈形。後金文作 🈳，仍不失盾形。」（頁136-137）戔即戈盾之合戲字，亦即戰字。朱駿聲《說文通訓定聲》〈乾部第十四〉：「干借為戰」（頁746）周法高《金文詁林》：「高田忠周曰：『元盾形同戔。』又『別作從戈旱聲戰字。』」（古籀補十六第十六頁，又二十六第七頁）」（頁

五 結論

　　就以上所陳觀之，則確知干為防禦武器之盾牌，或曰盾，或曰單，字形雖有歧異；然義則為扞身蔽目」以自衛也。象形，絕非如《說文》所云：干、犯也，從一，從反入。」會意。故與戈、矛等攻擊武器相連或相合，所有字詞，皆不離武器，而為持干戈與敵相戰鬥。見其字詞，即可知其義也。又以城《說文》云：「城、以盛民也。」段〈注〉言盛者，如黍稷之在器中也。」[46]《墨子‧七患》「城者、所以自守也。」[47]所謂若黍稷之盛在器皿，而自守之，障蔽、護衛之義生焉。是城為王侯臣氏所居，為政經文化所在，時有野戰攻城，殺人盈城，城下之盟情事發生，故干城相連，干之守護」，「保衛」之義出，而〈毛傳〉用為「干、扞也。」此亦理所或然。惟此乃干之引申義，與城相連，如此解之可。然已不如《周南‧兔罝》孔《疏》「干城者，公侯自以為扞城，言以武夫自固，為扞蔽如盾，為防守如城然。」[48]此就詞性言必如此。又「干城，聞宥（1901-1985）亦以為並立之二義，與腹心、好（妃＝匹）仇，詞性相同。」[49]與羽相連，蓋羽之為物，乃舞者持以自蔽翳，干、羽二字其解如何？與其

1167、1168）丁福保《說文解字詁林》：「戰乃後出之異文耳。（徐箋）」（頁5679）丁福保《說文解字詁林》：「玉篇『虥又作戲。』（徐箋）」又「虥者，身之衛也，俗或作戲。（義證）」又「作戲者，或體也（段注）」（頁1471）陳新雄等《字形匯典》：「楯，與盾同。字彙補，楯同盾（中文大辭典）」又「楯，尺准反。（龍龕新編）」又「幸、古戰字，止戈為武，止干為戰。然上句人知之，此語人多未知也，拈出之。（俗書刊誤）」（第15冊，頁62；第25冊，頁400、402）上所舉戟、戲、楯三字，皆二攻擊與防禦武器之相合，與戰為一字也。

46　《說文解字注》，13篇下，頁39下。

47　〔清〕孫詒讓：《墨子閒詁》（臺北：世界書局，1962年），頁16。

48　《毛詩注疏》，卷1之3，頁1下。

49　陳新雄教授所提供參考資料。

他字如戈、矛、戚、鉞、旐、揚等相連相合又如何？高氏未之察竟取以為說，此即可「再商榷」者也。至「我們沒有理由不用有佐證的 A 說。」意謂 B 說之「干、盾也」無佐證，此真可「再商榷」矣。試觀本文所言，A 說有佐證？抑 B 說有佐證？故不憚其繁，而言其字形也、訓解也、例證也，一再反複陳說。所言雖或多無必然關係，近乎蕪雜，絕可刪削；但惟有所闕漏，故皆轉錄之如上。又本文所有資料，以《字形匯典》一書晚出較齊全，故多據以為說。且本文為求整齊及易於處理計，凡引文中小字雙行者，皆加（）號而置其中，特此說明。至附註，凡採自丁福保《說文解字詁林》，李孝定《甲骨文字集釋》，周法高《金文詁林》等著述者，皆存其舊；餘則以規定格式處理之。[50]

---

50 【編按：本文中有許多古文字字形，原文發表時皆全用手繪排印。今編校時，盡可能覆核原著錄拓本中之字形，以完整者為主，一一用「小學堂文字學資料庫」之數位化圖檔嵌入；惟少數必要者則為編者臨摹手書。此外，舊著錄之簡稱俱依現今所通用者，使其一致。而原文中凡徵引著錄號有誤，以及作者抄引其他人手繪圖形，然原著錄拓本實殘泐不清者，皆盡量尋找其他拓本中與原文所用相同構形者取代之；在最大程度保留原貌與構形證據的原則下，求其清晰可觀。】

捌　《續修四庫全書提要》與《續修四庫全書總目提要》有關《詩經》部分之比較說明

　　本文係就民國六十一年三月臺灣商務印書館根據北京人文科學研究所贈送日本東方文化學院京都研究所（日本京都大學人文科學研究所前身）原稿打印出版之《續修四庫全書提要》，與一九九三年七月北京中華書局根據中國科學院圖書館整理出版之《續修四庫全書總目提要》，兩相比較《詩經》部分。以二者所收多寡不同、原標識不同、提要撰人不同、優劣不同、所以不同之原因諸項言之。除於結論中說明「提要書，可為讀書較佳門徑」，讀提要書應「詳察實覈，審慎其事」原則外，並列表詳陳：原著述書名、篇卷、撰人及其時代，二書原著述之有無，二書原提要之有無，二書提要撰人之不同，二書有關問題之說明，二書原有之頁碼等。目的在使讀者能作多方面之了悉、認知，甚而取閱時之便利也。

一　緒言

　　民國六十一年三月臺灣商務印書館根據北京人文科學研究所贈送日本東方文化學院京都研究所（日本京都大學人文科學研究所前身）

原稿打印出版之《續修四庫全書提要》（行文時簡稱《前續修》），與一九九三年七月北京中華書局根據中國科學院圖書館整理出版之《續修四庫全書總目提要》（行文時簡稱《後續修》），兩相比較《詩經》部分。除《後續修》所收513書，較《前續修》之305書多出208書原著述，並逐一再增補提要外，而書名、作者、卷數亦偶有歧異。且即使完全相同之某一著述提要，《前續修》除作江瀚撰外，其餘撰者皆付闕如；《後續修》則逐一落實其撰者姓名。為便於讀者取閱時了悉其異同計，特就二者原資料予以整理，盡量不加一己意見，以免有所誤導，而為此文，以就教於高明方家。

二　二者所收多寡不同

（一）《前續修》有而《後續修》無者

　　據統計，《前續修》有而《後續修》無者，計原著述三書（詳篇目附表A、B欄）、提要九篇（詳篇目附表A、C欄）。

（二）《前續修》無而《後續修》有者

　　據統計，《前續修》無而《後續修》有者，計原著述208書（詳篇目附表A、B欄）、提要201篇（詳篇目附表A、C欄）。

三　二者原標識不同

（一）著述

　　據統計，《前續修》、《後續修》原著述不同者一書。《詳篇目附表A、E欄：A欄為《後續修》所載，E欄則說明《前續修》之不同。）

（二）撰人

據統計，《前續修》、《後續修》原著述撰人不同者二人。（同上）

（三）其他

如卷數不同，有無「存目」或其他文字說明等。（同上）

四　二者提要撰人不同

（一）《前續修》略

《前續修》撰人作「江瀚」者，164處；無撰人姓名者，141處。（詳篇目附表D欄，在該欄上方者屬之；無撰人性名者，以「不著撰人」代之。）

（二）《後續修》詳

《後續修》撰人一一書明，作「江瀚」者，180處；「倫明」者，174處；「張壽林」者，126處；「傅振倫」者，2處；「劉思生」者，4處；「孫人和」者，3處；「孫海波」者，3處；「葉啟勳」者，7處；「謝興堯」者，1處；「王重明」者，3處；無撰人姓名者，10處。（詳篇目附表D欄，在該欄下方者屬之；無撰人姓名者，以「不著撰人」代之。）

五　二者優劣不同

（一）就多寡言之

《前續修》、《後續修》所收著述多寡，已詳見附表。《前續修》

之〈序〉亦云：「據我國何朋氏在日訪間原主持人橋川後的簡介，所撰提要之書多至二萬部以上；嗣以戰時經費不足，部分成稿尚未付油印。戰後橋川氏返日，將原稿連同該會自購之書，悉數移交於我國負責接收人沈兼士，以後情形，因大陸淪陷，便無法知悉。」[1]但《後續修》已全部刊出。資料多，則有益於讀者，《後續修》優於《前續修》，此其一。

（二）就提要撰人言之

《前續修》提要撰人，僅書明「江瀚」，其他闕如，亦詳見附表。《前續修》之〈序〉云：「是書撰寫提要者，盡量列名於所撰提要之前（原稿中有若干提要不列撰人者，格於事實，祇得從闕）。」[2]《後續修》除極少數闕如、或有所更正外，均一一明書之。較詳實可靠，亦有益於讀者，《後續修》優於《前續修》，此其二。

（三）就正其乖誤、疏失、缺漏言之

《後續修》之〈整理說明〉云：「（《前續修》）由於打印稿既非完本，又錯漏較多，整理時無原稿覈對，工作亦失之倉促，錯字、錯簡和句讀、分類方面的疏誤頗多，使利用價值受到相當大的局限。」又云：「應當指出的是，《續修四庫全書總目提要》原稿本身存在著不少缺陷，主要原因是當時沒有進行總纂工作，擬目和分類不盡完善合理；提要成於眾手、學術水平和工作態度上的差異，使原稿精粗詳略不一，瑕瑜互見。這就使整理工作更加困難。我們在整理時將原分類

---

1 王雲五：《續修四庫全書提要‧序》（臺北：臺灣商務印書館，1971年1月1日），頁6。或以為僅就此言，並不能證明《前續修》、《後續修》《詩經》部分之多寡。雖如此，但《後續修》之溢出甚多，則為事實。

2 王雲五：《續修四庫全書提要‧序》，頁12。

作了部分調整，對提要稿著錄內容盡量查覈有關資料，訂正錯訛衍
漏。由於條件和水平所限，疏誤之處在所難免。分類中的缺點，或有
賴附在全書後的篇目、著者兩種索引略加補救；內容和整理上的疏
誤，祈望讀者辨證糾誤，以俟再版時改正。」[3] 經此整理，雖仍有不
妥切完美處，但已能將《前續修》之乖誤、疏失、缺漏，糾正補足
之，尤有益於讀者，《後續修》優於《前續修》，此其三。

（四）其他

語雖如此，但《後續修》故示歧異，妄加刪削，不如《前續修》
原文，甚而產生誤誤者，亦所在多有，茲述其要者如下：

1　不必刪削而刪削者

李兆勖《毛詩箋疏辨異殘本》「人」與「是」二字間（頁414，下
欄，25行），《前續修》有「他無可考」。例以陶復祥《毛詩草木鳥獸
蟲鳥疏考證》，《後續修》有「始末未詳」《頁417，上欄，13行》。不
知其詳而存真是也，他處亦有太多如此情形。《前續修》之「他無可
考」四字，不應刪削。楊國楨《詩經音訓》「輯」與「是」二字間
（頁378，上欄，4行），《前續修》有「國楨字海梁，四川崇慶人，陝
甘總督一等昭勇侯謚過春子，襲侯爵，官至閩浙總督」。又，方宗誠
《詩傳補義》「堂」與「本」二字間（頁411，上欄，9行），《前續
修》有「安徽桐城人，咸豐□□年舉人，官直隸棗強縣知縣，宗
誠」。例以《變雅斷章衍義），《後續修》有「清郭柏蔭撰，柏蔭字遠
堂，福建侯官人，道光壬辰進士，官至湖北巡撫」（頁395，上欄，2

3　羅琳：《續修四庫全書總目提要·整理說明》（北京：中華書局，1993年4月），頁4、
　　5。

行）。《前續修》無撰人名氏，而此增之。增之，詳其籍里、字號、官爵，甚是。因之，《前續修》於二撰人之敘述文字，皆不應刪。[4]

2 文字不必改易而改易者

《後續修》施士匃《施氏詩說》「是編蓋部據《韓詩》之注採入」（頁312，下欄，二五行），《前續修》「採」作「采」，「采」、「採」古今字，不必改作「採」。敦煌本《毛詩音》殘卷「蓋可置信」（頁308，上欄，15及16行），《前續修》作「可無疑矣」。汪德鉞《讀詩偶記》「說俱有理」（頁353，上欄，15行），《前續修》作「所見亦是」。郭志遠《東遷後詩世次表》「世多異說」（頁427，下欄，倒2行），《前續修》作「說者紛如」。二者皆義無大別，似不必再勞筆改易。

3 文字改易後不如原文者

《後續修》王基《毛詩》「非周南婦人所得采，有芣苢為馬鳥之草，非西域之木也」（頁304，下欄，19行），《前續修》「有」作「是」，作「是」義長。崔靈恩《集注毛詩》「是編所輯凡來自釋文正義者」（頁310，上欄，倒4行），《前續修》「來」作「采」，作「采」義長。楊于庭《詩經主義》「反覆申說，務者闡明，有類講章」（頁

---

4 或謂「後續修」〈提要〉體例，「前已詳之者，後即刪削」。查《讀易筆記》，尚秉和提要云：「桐城方宗誠撰。宗誠字存之，以諸生參兩江總督曾國藩幕府，積勞為直隸棗強縣知縣，歷十年，多政績，後告歸，閉戶著書，後為安徽學政貴恆所奏保，賞給五品卿銜。」（頁149，下欄，8～11行）若謂此處詳之，則《詩經音訓》於同一撰者，即可刪削。然《周易述翼》一書，尚秉和之提要與高潤生之提要，各有相同或不相同之三處籍里、字號、官爵介紹（頁115，上欄，17～18行；下欄‧17～19行；23～24行）。又《師白山房講易》，孫海波及高潤生二提要，於張學尹撰者（頁125，上欄，8行、3行）及《易說》、《書說》，柯劭忞、江瀚二提要，於郝懿行撰者（頁100，上欄‧11～12行；頁240，下欄，18～19行）亦然。他處類此等情形者多有，似不可謂「前已詳之者，後即刪削」，況楊國楨前此並無任何記載。或說亦未的。

319，下欄，倒3行），《前續修》「者」作「在」，作「在」義修「長」。任蘭枝《詩述》「全編辭旨，大率若斯」（頁337，下欄，倒8行），「前續編」作「篇」，作「篇」義長。

4 文字改易後產生譌誤者

《後續修》鄭玄《詩譜》「並弆玄自序於首」（頁303，下欄，倒7行），《前續修》「弆」作「弁」。「弁」本冠冕總名，覆之於首者；此用為動詞，謂置於首，即放在前面之義。而「弆」與「去」通，非此處義所應有，作「弆」非是。[5]王基《毛詩駁》「處劇以術推之」（頁三〇四・下欄・五行），《前續修》「虞剗」作「虞翻」，「虞翻」，三國吳人，精於易數；世無「虞劇」其人，作「虞劇」非是。姚應仁《詩述》「得《詩傳》《詩說》，復撰《詩述述》，乃盡刊落其說」（頁627，上欄，15行），《前續修》「落」作「錄」，作「落」非是。王先謙《詩三家義集疏》「則殊求然」（頁439，下欄，6行），《前續修》「求」作「未」，作「求」非是。韓怡《讀詩辨字略》「是書就經傳記文諸書所引《毛詩》」（頁363，下欄，5行），《前續修》「記」作「說」，下文即有《說文》云云，作「記」非是。[6]

---

5 《廣韻》、《集韻》皆云：「弆、藏也。」《一切經音義・十三》「通俗文曰：『密藏曰弆』。」或作去，去、亦藏也。《左傳・昭十九年》「以度而去之」，〈疏〉「去、即藏也。字書：去、作弆。」《漢書・蘇武傳》「去中（草）實而食之」。〈注〉「師古曰：『去、謂藏之也。』……司壽昌曰：『去、即弆弄字。』」無論藏或密藏，甚或引伸為收藏，皆不甚切本句之義。

6 或以為前兩子目所云甚多單字，皆可以手民之誤，錯別字視之，此亦不無可能。如此，則無可言者矣；但作者如此處理，亦應成立。

六 二者所以不同之原因

(一) 所根據之稿本不同

《前續修》所根據之稿本，乃係「本書資料，係就現在日本京都大學人文科學研究所所藏油印本，括有已撰之提要一萬零七十部，雖未窺全豹，然已當乾隆時所撰提要著錄部分之三倍。」[7]「臺灣商務印書館曾於1972年出版了一套《續修四庫全書提要》（十二冊，附索引一冊），關於這套書與本書的關係，特加以簡要說明。1935年後，『北京人文科學研究所』曾陸續將提要原稿打印分送給日本『東方文化學院京都研究所』（日本京都大學人文科學研究所的前身），在分送了一萬零八十餘種書目提要後便告中止，這部分提要稿僅及原稿的三分之一。臺灣本即是以此稿整理出版的。」[8]《後續修》則為中國科學院圖書館古籍組整理，由北京中華書局編輯部、出版部付出艱辛而文巨大勞力，於1993年7月出版。經時既久，《後續修》不同於《前續修》必多多。

(二) 採錄範圍有異

二者根據稿本既不同，而在採錄範圍上亦有別。詳觀王雲五序及羅琳整理說明。其原則重點，雖稍有不同，但似無大別。總在續《四庫全書》之未收，或收而未盡完美者。惟就附表觀之，《後續修》之所以不同於《前續修》者，除盡量補足《前續修》所未收者外，則又

---

7 王雲五：《續修四庫全書提要・序》，頁6。

8 羅琳：《續修四庫全書總目提要・整理說明》，頁4。文既係送往日本「東方學院京都研究所」三分之一部分，《詩經》究送出多少，其詳雖不可確計，但由於增出眾多原著述及提要觀之，當非全貌，則斷然可知。

重在敦煌殘卷及佚書輯集之收錄。範圍既廣,《後續修》不同於《前續修》亦必多多。

七　結語

　　《前續修》、《後續修》之不同,略如上述。除讀《詩經》可作參考外,至讀其他書,似亦可以此類推。又提要書,可為讀書較佳門徑。原因在提要之作,在詳「著者之爵里、年代,訂辨其書文字之增刪與篇帙之分合,並批評其敘述議論之得失。」又「將一書原委撮舉大凡,並詳著書人世次、爵里,可以一覽了然。」[9]而《續修四庫全書提要・序》亦云:「未觀原書,先讀提要,將可獲一鳥瞰之印象,不致茫然無所措手。」[10]雖如此,然亦有以個人愛憎為準,臧否褒貶既無原則,評析論斷亦多失當者;再不然,囿於種族時主禁忌喜好,落筆必有斟酌顧慮,而或隱或顯委曲之辭,亦將不免。且每一提要書選擇標準不同,撰寫觀點亦異。因之,精粗雜見,瑕瑜互陳。讀之亦不可入主出奴,偏執一隅,而少自我之詳察實覈。審慎其事始是。

9　郭伯恭:《四庫全書纂修考》(上海:商務印書館,1937年),頁212、210。
10　王雲五:《續修四庫全書提要・序》,頁17。

附表

說明：

A欄　為原著述書名、篇卷、撰人及其時代。

B欄　二書原著述之有無。

C欄　二書原提要之有無。

（B、C二欄之「√」符號，在左者代表《前續修》所有，在右者代表《後續修》所有。）

D欄　二書提要撰人之不同。

E欄　二書有關問題之說明。

F欄　二書原有之頁碼，左為《前續修》，右為《後續修》。

A　　　　　　　　欄	B欄	C欄	D　　　　　欄	E　　　　欄	F　欄
《敦煌寫本毛詩白文》三卷	√	√	傅振倫		300
《詩傳孔氏傳》一卷　題春秋端木賜述	√√	√√	不著撰人 倫　明		340 300
《孟仲子詩論》一卷　戰國孟軻撰　清馬國翰輯	√	√	張壽林		301
《毛詩馬氏注》一卷　漢馬融撰清馬國翰輯	√√	√√	不著撰人 江　瀚		340 301
《敦煌寫本毛詩詁訓傳》三卷漢毛亨傳後漢鄭玄箋	√	√	傅振倫		301
《敦煌本毛詩故訓傳殘卷》	√	√	張壽林		302
《毛詩故訓傳箋》二十卷　漢鄭玄撰	√	√	張壽林		303
《唐寫本毛詩傳箋》五種	√	√	倫　明		303

A　　　　　　　欄	B欄	C欄	D　　　　　欄	E　　　　　欄	F　欄
《影北宋鈔本毛詩》三卷　清陳矩錄	√	√	倫　　明		303
《詩譜》一卷　漢鄭玄撰　清王謨輯	√√	√√	不著撰人 倫　明		341 303
《詩譜》一卷　漢鄭玄撰　清黃奭輯	√	√	倫　　明		303
《毛詩譜》三卷　漢鄭玄撰　清袁鈞輯	√	√	張壽林		304
《毛詩申鄭義》一卷　魏王基撰清黃奭輯	√	√	張壽林		304
《毛詩駁》一卷　魏王基撰　清馬國翰輯	√√	√√	不著撰人 江　瀚		344 304
《毛詩義問》一卷　魏劉楨撰清馬國翰輯	√√	√√	不著撰人 江　瀚		343 305
《毛詩王氏注》一卷　魏王肅撰清馬國翰輯	√√	√√	不著撰人 江　瀚		343 305
《毛詩王氏注》四卷　清馬國翰輯	√√	√√	江　瀚　江　瀚		342 305
《毛詩義駁》一卷　毛詩奏事一卷　《毛詩問難》一卷　魏王肅撰　清馬國翰輯	√√	√√	不著撰人 江　瀚		341 305
《毛詩譜法》一卷　吳徐整撰清王謨輯	√√	√√	不著撰人 倫　明		345 305
《毛詩答雜問》一卷　吳韋昭朱育等撰　清馬國翰輯	√√	√√	江　瀚　張壽林	二篇提要不同	345 306
《毛詩異同評》一卷　晉孫毓撰清王謨輯	√√	√√	不著撰人 倫　明		346 306

A　　　　　　　　欄	B欄	C欄	D　　　　　　欄	E　　　　　　欄	F	欄
《毛詩異同評》三卷　清馬國翰輯	√√	√√	江　瀚　　江　瀚		345	306
《難孫氏毛詩》一卷　晉陳統撰　清馬國翰輯	√√	√√	江　瀚　　江　瀚	《前續修》書名下有「存目」二小字	347	306
《毛詩拾遺》一卷　晉郭璞撰　清馬國翰輯	√	√	張壽林			307
《毛詩徐氏音》一卷　晉徐邈撰　清馬國翰輯	√√	√√	不著撰人　王重民		349	307
《毛詩音》殘卷　不著撰人名氏	√√	√√	不著撰人　王重民		347	307
《毛詩舒氏義疏》一卷　舊題舒援撰　清馬國翰輯	√	√	張壽林			308
《毛詩周氏法》一卷　宋周繽之撰　清馬國翰輯	√	√	張壽林			308
《毛詩序義》一卷　宋周之續撰	√√	√√	不著撰人　倫　明		350	309
《毛詩序義疏》一卷　齊劉琳撰　清馬國翰輯	√	√	張壽林			309
《毛詩十五國風義》一卷　梁簡文帝撰　清馬國翰輯	√	√	張壽林			309
《毛詩隱義》一卷　梁何胤撰　清馬國翰輯	√	√	張壽林			310
《集注毛詩》一卷　梁崔靈恩撰　清馬國翰輯	√√	√√	不著撰人　江　瀚		351	310
《毛詩義疏》一卷　北周沈重撰　清王謨輯	√√	√√	不著撰人　倫　明		350	310
《毛詩沈氏義疏》二卷　北周沈重撰　清馬國翰輯	√√	√√	不著撰人　江　瀚		351	310

A　　　　　　欄	B欄	C欄	D　　　　　欄	E　　　　　欄	F　欄
《毛詩箋音證》一卷　後魏劉芳撰　清王謨輯	√√	√√	不著撰人 倫　明		352 310
《毛詩箋音義證》一卷　後魏劉芳撰　清馬國翰輯	√	√	倫隨		311
《毛詩述義》一卷　隋劉炫撰 清馬國翰輯	√	√	張壽林		311
《毛詩題綱》一卷　無撰　人名氏清王謨輯	√√	√√	不著撰人 倫　明		352 311
《宋槧本毛詩正義殘本》三十三卷　唐孔穎達等撰	√	√	張壽林		311
《毛詩國風定本》一卷　不著撰人名氏	√√	√√	江　瀚 江　瀚		546 312
《施氏詩說》一卷　唐施士匃撰 清馬國翰輯	√√	√√	不著撰人 江　瀚		352 312
《伊川詩解》一卷　宋程頤撰	√	√	張壽林		313
《柯山詩傳》一卷　宋張耒撰	√√	√√	不著撰人 倫　明		353 313
《詩經古音》四卷　宋吳棫撰	√	√	張壽林		313
《非詩辨妄》一卷　宋周孚撰	√	√	張壽林		314
《詩經要義》二十卷　宋魏了翁撰	√√	√√	江　瀚 江　瀚		355 314
《詩經協韻考異》一卷　宋輔廣撰	√√	√√	江　瀚 江　瀚		354 314
《詩說》十二卷　宋劉克撰	√	√	張壽林		315
《昌武段氏詩義指南》一卷　宋段昌武撰	√	√	倫　明		315
《替傳注疏》三卷　宋謝枋得撰 清吳長元輯	√	√	張壽林		315

A 欄	B欄	C欄	D 欄	E 欄	F 欄
《讀詩一得》不分卷　宋黃震撰	√	√	張壽林		316
《詩辨說》一卷　宋趙惠撰	√√	√√	江　瀚　江　瀚		355 316
《文獻詩考》二卷　元馬端臨撰	√	√	倫　明		316
《類編歷舉三場文選詩義》八卷 元劉貞仁撰	√	√	劉思生		316
《直音傍訓毛詩句解》二十卷 元李公凱撰	√	√	劉思生		317
《詩集傳附錄纂疏》二十卷　元 胡一桂撰	√	√	劉思生		317
《詩集傳音釋》二十卷　札記一 卷　元羅復撰	√√	√√	不著撰人 倫　明		358 317
《讀詩錄》不分卷　明薛瑄撰	√	√	張壽林		317
《新編詩義集說》四卷　明孫鼎 撰	√	√	張壽林		318
《詩經教攷》十卷　明李經綸撰	√√	√√	江　瀚　江　瀚		359 318
《印古堂詩話》不分卷　明朱得 之撰	√	√	張壽林		318
《胡氏詩識》二卷　明胡纘宗撰	√	√	張壽林		319
《詩經筆記》四卷　明蔣以忠撰	√	√	張壽林		319
《詩經繹》二卷　明鄧元錫撰	√√	√√	不著撰人 倫　明		365 319
《詩經主義》四卷　明揚于庭撰	√√	√√	不著撰人 張壽林		363 319
《毛詩鄭箋》二十卷　明屠本峻 纂疏	√	√	倫　明		320
《讀詩拙言》一卷　明陳第撰	√√	√√	江　瀚　江　瀚		360 320
《詩音辨》二卷　明楊貞一撰	√√	√√	江　瀚　江　瀚		360 320

A　　　　　　　　欄	B欄	C欄	D　　　　欄	E　　　　欄	F	欄
《詩經能解》三十一卷　明葉義昂纂	√√	√√	不著撰人 倫　明		366	320
《逸詩》不分卷　明鍾惺輯	√	√	張壽林			321
《批點詩經》不分卷　明鍾惺撰	√	√	張壽林			321
《詩經評》不分卷　明鍾惺評點	√√	√√	不著撰人 倫　明		364	321
《玉海紀詩》一卷　明胡文煥撰	√√	√√	不著撰人 倫　明	《前續修》作宋王應麟撰，明胡文煥纂	356	322
《困學紀詩》一卷　明胡文煥撰	√√	√√	不著撰人 倫　明	《前續修》作宋王應麟撰，明胡文煥纂	357	322
《詩識》三卷　明胡文煥撰	√	√	倫　明			322
《詩經定本》四卷　明黃澍撰	√√	√√	不著撰人 倫　明		365	322
《詩傳綱領》一卷　不著撰人姓氏	√	√	張壽林			322
《陳太史訂閱詩經旁訓》四卷明陳仁錫重訂	√	√	張壽林			323
《毛詩振雅》六卷　明張元芳魏浣初同撰	√	√	張壽林			323
《詩志度興》九卷　明施澤深撰	√	√	張壽林			323
《詩經琅玕》十卷卷首一卷　明黃道周撰	√	√	張壽林			324
《詩表》一卷　明黃道周撰	√√	√√	不著撰人 倫　明		367	324
《葩經旁意》一卷　明喬中和撰	√√	√√	不著撰人 倫　明		361	324
《爾雅堂詩說》一卷　明顧起元撰	√√	√√	不著撰人 倫　明		362	325
《詩經永論》四卷　明方孔炤撰	√√	√√	不著撰人 倫　明		368	325

A　　　　　　　欄	B欄	C欄	D　　　　　欄	E　　　　欄	F　欄
《三百篇聲譜》不分卷　明張蔚然撰	√	√	張壽林		325
《詩經主意默雷》八卷　明何大掄撰	√√	√√	不著撰人　張壽林		366　325
《詩述》不分卷　明姚應仁撰	√√	√√	不著撰人　張壽林		363　326
《二劉先生闚湖說詩》不分卷末附闚湖紀言　明劉尹聘　劉振之同撰	√	√	張壽林		326
《詩經水月備考》四卷　明薛案輯	√√	√√	不著撰人　倫　　明		367　326
《毛詩闡祕》不分卷　明魏沖撰	√	√	劉思生		326
《詩觸》六卷　明賀貽孫撰	√√	√√	不著撰人　倫　　明		368　327
《詩經世本目》一卷　明何楷撰	√	√	倫　　明		327
《詩經說約》二十八卷　清顧夢麟撰	√	√	張壽林		327
《詩序》不分卷　不著纂刻者姓氏	√	√	張壽林		327
《毛詩註疏鈔》不分卷　不著撰人姓氏	√	√	張壽林		328
《三百篇鳥獸草木記》一卷　清徐士俊撰	√	√	倫　　明		328
《三百篇物考》不分卷　不著撰人姓氏	√	√	張壽林		328
《唱經堂釋小雅》不分卷　清金人瑞撰	√	√	張壽林		329
《詩經通論》十二卷　清朱鶴齡撰	√	√	張壽林		329

A　　　　　　　欄	B欄	C欄	D　　　　　欄	E　　　　　欄	F　欄
《詩經考異》不分卷　清朱鶴齡撰	√	√	張壽林		330
《詩問》一卷　清汪琬撰	√√	√√	江　瀚　江　瀚		370 330
《詩廣傳》五卷　清王夫之撰	√	√	葉啟勳		330
《詩譯》一卷　清王夫之撰	√√	√√	不著撰人 倫　明		369 331
《詩經叶韻辨》一卷　清王夫之撰	√	√	葉啟勳		331
《詩箋別疑》一卷　清姜宸英撰	√√	√√	不著撰人 倫　明		384 331
《毛詩國風繹》一卷　清陳遷鶴撰	√√	√√	不著撰人 倫　明		373 331
《詩經通論》十八卷　清姚際恆撰	√√	√√	江　瀚　江　瀚		372 332
《詩經傳說取裁》十二卷　清張能麟撰	√	√	張壽林		332
《詩經衍義大全合參》八卷　清汪桓魯國璽同撰	√	√	張壽林		332
《讀詩小記》一卷　清范爾梅撰	√√	√√	不著撰人 倫　明		373 333
《詩經訂譌》不分卷　清湯柱朝撰	√	√	葉啟勸		333
《讀詩》不分卷　清何芬撰	√	√	張壽林		333
《詩經同異錄殘本》九卷　清周象明撰	√	√	張壽林		334
《詩識名解》十五卷　清姚炳撰	√√	√√	江　瀚　江　瀚		373 334
《毛詩異文》補一卷　清沈淑撰	√	√	張壽林		334
《陸氏毛詩異文輯》一卷　清沈淑撰	√	√	張壽林		335
《詩說》一卷　清陶正靖撰	√√	√√	江　瀚　江　瀚		380 335

A 欄	B欄	C欄	D 欄	E 欄	F	欄
《詩經去疑大全》八卷　清王文烜撰	√	√	張壽林			335
《詩經傳註》八卷　清李娥撰	√√	√√	江　瀚　江　瀚		376	336
《學詩闕疑》二卷　清劉青芝撰	√√	√√	不著撰人 倫　明		382	336
《詩經喈鳳詳解》八卷　清陳抒孝撰　汪基增	√√	√√	不著撰人 倫　明	《前續修》作者不著撰人，清陳抒香輯	379	336
《詩義記講》四卷　清楊名時撰	√	√	張壽林			336
《毛詩序說》三十二卷　清鶡鑑撰	√√	√√	江　瀚　江　瀚	《前續修》書名下有「著錄」二小字	377	337
《詩述》不分卷　清任蘭枝撰	√√	√√	江　瀚　江　瀚		431	337
《朱子詩義補正》八卷　清方苞撰	√√	√√	江　瀚　江　瀚		376	337
《毛詩古義》二卷　清惠棟撰	√	√	倫　明			338
《詩志》八卷　清牛運震撰	√√	√√	江　瀚　江　瀚		420	338
《重訂空山堂詩志》六卷　清牛運震撰	√√	√√	不著撰人 倫　明		421	338
《毛詩訂詁》八卷　附錄二卷 清顧棟高撰	√√	√√	江　瀚　江　瀚		371	338
《毛詩正本》二十卷　清陳梓撰	√	√	倫　明			339
《詩學女為》二十六卷　清汪梧鳳撰	√√	√√	江　瀚　江　瀚		422	339
《毛詩遵朱近思錄》二卷　清宋在詩撰	√	√	倫　明			339
《毛鄭詩考正》四卷　清戴震撰	√√	√√	江　瀚　江　瀚		398	339
《詩經補注》二卷　清戴震撰	√√	√√	江　瀚　江　瀚		397	340

A　　　　　　　　欄	B欄	C欄	D　　　　　　欄	E　　　　　　欄	F　欄
《治齋讀詩蒙說》一卷　清顧成志撰	√√	√√	江　瀚　江　瀚		430 340
《毛鄭異同考》十二卷　清程晉芳撰	√√	√√	江　瀚　江　瀚		399 340
《詩聲類》十二卷　分例一卷清孔廣森撰	√√	√√	江　瀚　江　瀚		403 341
《毛詩說》四卷　清莊存與撰	√√	√√	江　瀚　江　瀚		391 341
《毛詩古音參義》五卷　清潘相撰	√√	√√	江　瀚　江　瀚		494 341
《詩攷校注》一卷　宋王應麟撰清盧文弨增校	√√	√√	不著撰人 倫　明		357 341
《盧抱經增校詩考》四卷　清盧文弨增校	√	√	張壽林		342
《詩說活參》二卷　清李灝撰	√	√	張壽林		342
《詩益》二十卷　清劉始興撰	√√	√√	不著撰人 倫　明		385 342
《詩經審鵠要解》六卷　清林錫齡撰	√	√	張壽林		343
《詩解正宗》四卷　清肫圖撰	√	√	張壽林		343
《讀詩日錄》十三卷　清劉士毅撰	√√	√√	江　瀚　江　瀚	《前續修》書目下有「著錄」二小字	394 344
《詩經提綱》一卷周禮提綱一卷清姜炳璋撰	√√	√√	江　瀚　江　瀚	《前續修》書目下有「著錄」二小字	385 344
《毛詩明辨錄》十卷　清沈青崖撰	√√	√√	江　瀚　江　瀚		382 344

A　　　　　　　　欄	B欄	C欄	D　　　　　　欄	E　　　　　　欄	F　欄
《讀詩經偶錄》二卷　清金榮鎬撰	√	√	江　瀚　江　瀚		345
《讀詩管見》十四卷　清羅典撰	√√	√√	不著撰人 倫　明		538 345
《審定風雅遺音》二卷　清史榮撰　紀昀審定	√	√	倫　明		345
《毛詩名物圖說》九卷　清徐鼎撰	√√	√√	江　瀚　江　瀚		381 345
《詩考異補》二卷　清嚴蔚撰	√√	√√	不著撰人 倫　明		400 346
《毛詩通說三十卷補遺》一卷 清任兆麟撰	√√	√√	江　瀚　江　瀚		425 346
《詩經逢原》十卷　清胡文英撰	√√	√√	江　瀚　江　瀚	《前續修》書名下有「存目」二小字	387 347
《詩考補》二卷　清胡文英增訂	√√	√√	江　瀚　江　瀚	《前續修》書名下有「存目」二小字	388 347
《詩疑義釋》二卷　清胡文英撰	√√	√√	不著撰人 倫　明		389 347
《詩疏補遺》五卷　清胡文英撰	√√	√√	不著撰人 倫　明		390 348
《毛詩通議》六卷　清胡文英撰	√	√	張壽林		348
《詩經摘葩》八卷　清孟道光撰	√	√	張壽林		348
《童山詩音說》四卷　清李調元撰	√√	√√	江　瀚　江　瀚		401 349
《詩經揭要》四卷　清周蕙田撰	√	√	張壽林		349
《詩經比義述》八卷　清王千仞撰	√√	√√	江　瀚　江　瀚	《前續修》書名下有「存目」二小字	503 349
《讀詩一隅》四卷　清管斡珍撰	√√	√√	不著撰人 倫　明		402 350

A 欄	B欄	C欄	D 欄	E 欄	F 欄
《詩說》一卷　清管世銘撰	√√	√√	不著撰人 倫　明		386 350
《毛詩草木疏校正》二卷　清趙佑撰	√√	√√	江　瀚　江　瀚		392 350
《陸氏詩草木鳥獸蟲魚疏校正》二卷　清趙佑撰	√	√	倫　明		351
《詩細》十卷　續一卷　清趙佑撰	√√	√√	江　瀚　江　瀚		391 351
《邶風說》二卷　清龔景瀚撰	√√	√√	不著撰人 倫　明		404 351
《詩經字考》二卷　清吳東發撰	√√	√√	不著撰人 倫　明		424 352
《詩音表》一卷　清錢坫撰	√√	√√	江　瀚　江　瀚		406 352
《詩音表》一卷　清錢坫撰	√	√	孫人和		352
《讀詩偶記》二卷　清汪德鉞撰	√√	√√	不著撰人 倫　明		428 353
《毛詩天文考》一卷　清洪亮吉撰	√√	√√	江　瀚　江　瀚		416 353
《所訂毛詩故訓傳》三十卷　清段玉裁撰	√√	√√	江　瀚　江　瀚		395 353
《詩經小學》四卷　清段玉裁撰	√√	√√	江　瀚		396 353
《詩經小學錄》四卷　清臧庸撰	√	√	張壽林		354
《毛詩馬王微》四卷　清臧庸撰	√√	√√	江　瀚　江　瀚		462 354
《詩譜補亡後訂》三卷　清吳騫撰	√√	√√	江　瀚　江　瀚		405 354
《許氏詩譜抄》一卷　清吳騫抄	√√	√√	不著撰人 倫　明		358 354
《讀風偶識》四卷　清崔述撰	√√	√√	江　瀚　江　瀚		397 355
《毛詩歿證》四卷　清莊述祖撰	√√	√√	江　瀚　江　瀚		407 355
《周頌口義》三卷　清莊述祖撰	√√	√√	江　瀚　江　瀚		407 355
《讀詩經》四卷　清趙良爵撰	√√	√√	不著撰人 倫　明		541 356

A　　　　　欄	B欄	C欄	D　　　　欄	E　　　　欄	F　欄
《詩附記》四卷　清翁方綱撰	√√	√√	江　瀚　江　瀚		393 356
《韓詩故》二卷　清沈清瑞撰	√√	√√	江　瀚　江　瀚		571 357
《詩經說約》不分卷　清李源撰	√	√	張壽林		357
《周易解詩經》一卷　清范士增撰	√	√	倫　明		357
《尚書解詩經》一卷　清范士增撰	√	√	江　瀚		357
《詩經互解》一卷　清范士增撰	√	√	江　瀚		358
《禮記解詩經》一卷　清范士增撰	√	√	江　瀚		358
《四書解詩經》一卷　清范士增撰	√	√	江　瀚		358
《毛詩蒙求彙瑣》二卷　清薛韜光撰	√	√	江　瀚		358
《毛詩蒙求欯啟》十卷　清薛韜光撰	√	√	江　瀚		358
《詩攷異字箋餘》十四卷　清周邵蓮撰	√√	√√	江　瀚　江　瀚		414 358
《詩經質疑》一卷　清朱需撰	√√	√√	不著撰人 倫　明		423 359
《詩經精義》五卷　附一卷　清黃淦撰	√√	√√	不著撰人 倫　明		408 359
《毛詩名物略》四卷　清朱桓撰	√√	√√	江　瀚　江　瀚	《前續修》書名下有「存目」二小字	421 359
《詩傳考》六卷　清陳孚撰	√	√	倫　明		360
《詩叶考》八卷　清陳天道撰	√	√	張壽林		360
《詩氏族考》六卷　清李超孫撰	√√	√√	江　瀚　江　瀚		417 360

A 欄	B欄	C欄	D 欄		E 欄	F	欄
《多識考》六卷　清何震撰	√	√		張壽林			361
《詩音》十五卷　清高澍然撰	√√	√√	江　瀚	江　瀚	《前續修》書目下有「著錄」二小字	449	361
《毛詩周韵誦法》十卷　清汪灼撰	√√	√√	江　瀚	江　瀚		429	362
《詩經言志》二十六卷　清汪灼撰	√√	√√	不著撰人	倫　明		430	362
《詩傳題辭故》四卷　清張漪撰	√√	√√	不著撰人	倫　明		427	362
《詩傳題辭故補》一卷　清張漪撰	√√	√√	不著撰人	倫　明		573	363
《蜀石經毛詩考異》二卷　清陳鱣撰	√	√		張壽林			363
《讀詩辨字略》三卷　清韓怡撰	√√	√√	不著撰人	倫　明		434	363
《讀詩傳譌》三十卷　清韓怡撰	√√	√√	江　瀚	江　瀚		433	363
《毛詩說》三十卷　清孫熹撰	√√	√√	江　瀚	江　瀚		432	364
《詩陸氏疏疏》二卷　清焦循撰	√√	√√	江　瀚	江　瀚		441	364
《詩經補疏》五卷　清焦循撰	√√	√√	江　瀚	江　瀚		440	364
《毛詩物名釋》不分卷　清焦循撰	√√	√√	江　瀚	江　瀚		438	365
《學詩續餘》不分卷　清潘錫恩撰	√√	√√	不著撰人	倫　明		489	365
《毛詩析疑》十五卷　清王嗣邵撰	√	√		不著撰人			365
《古毛詩》一卷　清王嗣邵撰	√	√		不著撰人			366
《毛詩說》六卷　清莊有可撰	√	√		倫　明			366

A　　　　　　　欄	B欄	C欄	D　　　　　欄	E　　　　欄	F　欄
《詩蘊》二卷　清莊有可撰	√	√	倫　明		366
《毛詩異義》四卷　清汪龍撰	√√	√√	江　瀚　江　瀚		458 366
《毛詩申成》十卷　清汪龍撰	√	√	張壽林		367
《毛詩證讀》不分卷　清戚學標撰	√√	√√	江　瀚　江　瀚		409 367
《詩疑筆記》七卷　清夏味堂撰	√√	√√	江　瀚　江　瀚		460 367
《三百篇原聲》七卷　清夏味堂撰	√	√	孫人和		368
《三百篇原聲》七卷　清夏味堂撰	√√	√√	不著撰人 江　瀚		461 368
《詩經附義》不分卷　清紀大奎撰	√	√	張壽林		368
《詩說》二卷　清郝懿行撰	√√	√√	江　瀚　江　瀚		435 369
《詩問》七卷　清郝懿行撰	√√	√√	江　瀚　江　瀚		436 369
《詩經拾遺》一卷　清郝懿行撰	√√	√√	江　瀚　江　瀚		435 369
《詩經衷要》十二卷　清李式穀撰	√	√	張壽林		370
《毛詩禮徵》十卷　清包世榮撰	√√	√√	江　瀚　江　瀚		464 370
《學詩識小錄》十三卷　清包世榮撰	√	√	張壽林		371
《毛詩紬義》二十四卷　清李黼平撰	√√	√√	江　瀚　江　瀚		443 371
《毛詩後箋》三十卷　清胡承珙撰	√√	√√	江　瀚　江　瀚		445 371
《詩切》　清牟庭撰	√√	√√	江　瀚　江　瀚	《前續修》書名下有「存目」二小字	419 372

A 欄	B欄	C欄	D 欄	E 欄	F 欄	
《毛詩衍聲表》一卷　清陳潮撰	√	√	孫海波			372
《多識錄》九卷　清石韞玉撰	√√	√√	不著撰人 倫　明		415	373
《詩經廣詁》三十卷　清徐墩撰	√√	√√	江　瀚 江　瀚	《前續修》書目下有「著錄」二小字	458	373
《蜀石經毛詩考正》一卷　清嚴杰撰	√	√	張壽林			373
《詩經異文釋》十六卷　清李富孫撰	√√	√√	江　瀚 江　瀚		442	373
《讀詩知柄》二卷　清蔣紹宗撰	√	√	張壽林			374
《詩學識要》五卷　清楊登訓撰	√	√	張壽林			374
《毛詩復古錄》十卷　清吳懋清撰	√√	√√	江　瀚 江　瀚		448	374
《毛詩訂本》七卷　清吳懋清撰	√√	√√	江　瀚 江　瀚	《前續修》書目下有「著錄」二小字	482	375
《詩雙聲疊韻譜》不分卷　清鄧廷楨撰	√√	√√	江　瀚 江　瀚		442	375
《毛詩通攷》三十卷　清林伯桐撰	√√	√√	江　瀚 江　瀚		437	376
《毛詩識小》三十卷　清林伯桐撰	√√	√√	江　瀚 江　瀚		438	376
《小序翼》四卷　首一卷　清張澍撰	√	√	王重民			377
《毛詩注疏校勘記》七卷　清阮元撰	√	√	張壽林			377

A　　　　欄	B欄	C欄	D　　　　欄	E　　　　欄	F　欄
《嚴氏詩緝補義》八卷　清劉燦撰	√√	√√	江　瀚　江　瀚		422 377
《詩經音訓》不分卷　清楊國楨輯	√√	√√	江　瀚　江　瀚	《前續修》書名下有「存目」二小字	457 378
《詩義求經》二十卷　清艾暢撰	√√	√√	江　瀚　江　瀚		496 378
《詩續餘錄》八卷　清黃位清撰	√√	√√	不著撰人 倫　明		454 378
《詩異文錄》三卷　清黃位清撰	√√	√√	不著撰人 倫　明		455 378
《學詩毛鄭異同籤》二十二卷附一卷　清張汝霖撰	√	√	張壽林		379
《張氏詩說》一卷　清張汝霖撰	√√	√√	不著撰人 倫　明		528 379
《毛詩音韵攷》四卷　清程以恬撰	√√	√√	不著撰人 倫　明	「前續修」作「毛詩韵考四卷」	428 379
《讀詩釋物》二十一卷　清方瑛撰	√√	√√	江　瀚　江　瀚		536 380
《詩經音韵譜五卷觸解》一卷　清甄士林撰	√√	√√	不著撰人 倫　明		445 380
《詩經讀鈔》三十二卷　清李宗淇撰	√√	√√	不著撰人 倫　明		452 380
《詩經精華》十卷　清薛嘉穎撰	√√	√√	江　瀚　江　瀚	《前續修》書目下有「著錄」二小字	452 380
《詩經精義集鈔》四卷　清梁中孚撰	√	√	張壽林		380
《詩故考異》三十二卷　清徐華嶽撰	√√	√√	不著撰人 倫　明		456 381

A　　　　　　　　欄	B欄	C欄	D　　　　　　欄	E　　　　　　欄	F　欄
《古邠詩義》一卷　清許宗寅撰	√√	√√	不著撰人 倫　明		456 381
《釋詩》一卷　清何西夏撰	√	√	倫　明		381
《增補鳥獸草木蟲魚疏殘本》二卷　清王泉之撰	√	√	張壽林		381
《詩經申義》十卷　清吳士模撰	√√	√√	江　瀚　江　瀚		462 382
《詩經說》六卷　清陳世鎔撰	√	√	倫　明		382
《詩說攷略》十二卷　清成僎撰	√√	√√	不著撰人 江　瀚		543 382
《詩經雅箋》五卷　清玉樞氏撰	√	√	張壽林		383
《毛詩補禮》六卷　清朱濂撰	√√	√√	江　瀚　江　瀚		463 383
《詩地理徵》七卷　清朱右曾撰	√√	√√	江　瀚　江　瀚		4.81 383
《詩經精華彙鈔》二十八卷　清陸錫璞輯	√√	√√	不著撰人 江　瀚		453 384
《詩經精義彙鈔》四卷　清陸錫璞撰	√√	√√	不著撰人 倫　明		454 384
《詩經詮義》十二卷卷首一卷卷末二卷　清汪紱撰	√	√	張壽林		384
《毛詩經說》二卷　清王益齋撰	√	√	倫　明		384
《毛詩注疏校勘記校字補》一卷　清茆泮林撰	√	√	張壽林		385
《讀詩考字》二卷補一卷　清程大鏞撰	√√	√√	江　瀚　江　瀚	《前續修》書目下有「著錄」二小字	504 385
《毛詩名物考》六卷　清牟應震撰	√√	√√	不著撰人 倫　明		412 385
《毛詩古韵》五卷　清牟應震撰	√√	√√	不著撰人 倫　明		410 385
《毛詩古韵雜論》一卷　清牟應震撰	√√	√√	不著撰人 倫　明		411 386

A　　　　　　　欄	B欄	C欄	D　　　　　欄	E　　　　欄	F　欄
《毛詩奇句韵攷》一卷　清牟應震撰	√√	√√	不著撰人　倫　明		412　386
《詩問》六卷　清牟應震撰	√√	√√	不著撰人　倫　明		413　386
《毛詩鳥獸草木考》四卷　黃春魁編輯	√√	√√	不著撰人　倫　明	（提要內有「道光」字眼，黃春魁前應加一「清」字。））	451　387
《說詩循序》不分卷　清許致和撰	√√	√√	江　瀚　江　瀚		493　387
《詩經客難》二卷　清龔元玠撰	√	√	倫　明		387
《詩經考略》二卷　清張眉大撰	√√	√√	不著撰人　倫　明		453　387
《詩經蠡簡》四卷　清李詒經撰	√√	√√	不著撰人　倫　明		453　388
《詩音從古考殘本》四卷　不著撰人姓氏	√	√	張壽林		388
《鄭風考辨》一卷　清章謙存撰	√	√	倫　明		388
《詩經大旨》不分卷　清鞏于泚撰	√	√	張壽林		389
《靜修堂詩經解》五冊　清仇景崙撰	√	√	倫　明		389
《詩義鈔》八卷　清張學尹撰	√√	√√	江　瀚　江　瀚	《前續修》書目下有「著錄」二小字	502　389
《說詩囈語》十卷　清鄧顯鶴撰	√	√	葉啟勳		389
《誦詩小識》三卷　清趙容撰	√√	√√	江　瀚　江　瀚	《前續修》書名下有「存目」二小字	528　390

A 欄	B欄	C欄	D 欄		E 欄	F 欄
《毛詩傳箋通釋》三十二卷　清馬瑞辰撰	√√	√√	江　瀚	江　瀚		447 390
《毛詩重言》一卷　清王筠撰	√√	√√	江　瀚	江　瀚		465 390
《毛詩雙聲疊韻說一卷　清王筠撰	√√	√√	江　瀚	江　瀚		466 391
《詩毛鄭異同辨》二卷　清曾釗撰	√√	√√	不著撰人 倫　明			468 391
《詩經恆解》六卷　清劉沅撰	√√	√√	江　瀚	江　瀚		415 392
《詩古微》十七卷　清魏源撰	√√	√√	江　瀚	江　瀚		483 392
《詩經續餘》十卷　清閻汝弼撰	√	√		張壽林		392
《詩義旁通》十二卷　清李允升撰	√√	√√	江　瀚	江　瀚	《前續修》書目下有「著錄」二小字	495 393
《三百篇詩評》一卷　清于祉撰	√√	√√	不著撰人 倫　明			509 393
《詩經大義》一卷　清楊壽昌撰	√√	√√	不著撰人 倫　明			545 393
《詩經疑言》一卷　清王庭植撰	√√	√√	不著撰人 倫　明			524 393
《詩經條貫》六卷　清李景星撰	√√	√√	不著撰人 倫　明			546 394
《毛詩吲訂》十卷　清苗夔撰	√√	√√	江　瀚	江　瀚	《前續修》書目下有「著錄」二小字	475 394
《讀詩一得》一卷　清吳棠撰	√√	√√	不著撰人 江　瀚			459 394
《變雅斷章衍義》一卷　清郭柏蔭撰	√√	√√	不著撰人 倫　明			500 395
《毛詩傳箋異義解》十六卷　清沈鎬撰	√√	√√	江　瀚	江　瀚		511 395

A 欄	B欄	C欄	D 欄	E 欄	F 欄
《詩毛氏傳疏》三十卷附釋《毛詩音》四卷　《毛詩說》一卷《毛詩傳義類》一卷　《鄭氏箋考徵》一卷　清陳奐撰	√√	√√	江　瀚　　江　瀚		515　395
《學詩詳說》三十卷　清顧廣譽撰	√√	√√	江　瀚　　江　瀚		514　396
《學詩正詁》五卷　清顧廣譽撰	√√	√√	江　瀚　　江　瀚		513　396
《詩誦》五卷　清陳僅撰	√√	√√	不著撰人　倫　明		557　397
《毛詩鄭箋改字說》二卷　清陳喬樅撰	√√	√√	江　瀚　　江　瀚		466　397
《詩經四家異文考》五卷　清陳喬樅撰	√√	√√	江　瀚　　江　瀚		467　397
《讀詩札記》八卷　清夏炘撰	√√	√√	江　瀚　　江　瀚		473　398
《詩章句攷》一卷　清夏炘撰	√√	√√	江　瀚　　江　瀚		472　398
《詩樂存亡譜》一卷　清夏炘撰	√√	√√	江　瀚　　江　瀚		470　398
《詩經集傳校勘記》一卷　清夏炘撰	√√	√√	江　瀚　　江　瀚		471　399
《詩古韻表廿二部集說》二卷　清夏炘輯	√√	√√	江　瀚　　江　瀚		471　399
《詩古音釋》一卷　清胡錫燕撰	√√	√√	不著撰人　倫　明		529　399
《山中學詩記》五卷　清徐時棟撰	√√	√√	江　瀚　　江　瀚		484　399
《徐氏重定詩經世本古義》四十六卷卷首一卷　卷後二卷　清徐時棟重定	√	√	張壽林		400

A　　　　　　　　欄	B欄	C欄	D　　　　　　　欄	E　　　　　欄	F　　欄	
《詩小學》三十卷附補一卷　清吳樹聲撰	√√	√√	江　瀚　江　瀚	《前續修》為自刻本，作者吳玉樹	492	400
《讀詩集傳隨筆》一卷　清楊樹椿撰	√√	√√	不著撰人 倫　明		543	401
《毛詩多識》十二卷　清多隆阿撰	√√	√√	不著撰人 倫　明		526	401
《毛詩多識》二卷　清多隆阿撰	√√	√√	不著撰人 倫　明		525	401
《讀詩鈔說》四卷　清張澍撰	√	√	倫　明			402
《詩經說鈴》十二卷　清潘克溥撰	√√	√√	江　瀚　江　瀚		517	402
《詩玉尺》二卷　清林昌彝撰	√√	√√	不著撰人 江　瀚		505	402
《毛詩讀》三十卷　清王劼撰	√√	√√	江　瀚　江　瀚		450	403
《毛詩序傳定本》三十卷　清王劼撰	√√	√√	江　瀚　江　瀚	《前續修》書名下有「存目」二小字	450	403
《詩管見》七卷　清尹繼美撰	√√	√√	江　瀚　江　瀚		497	403
《詩地理攷略》二卷　清尹繼美撰	√√	√√	不著撰人 倫　明		498	404
《詩名物攷異》二卷　清尹繼美撰	√√	√√	不著撰人 倫　明		499	404
《詩經繹參》四卷　清鄧翔撰	√√	√√	江　瀚　江　瀚	《前續修》書名下有「著錄」二小字	477	404
《詩本誼》一卷　清龔橙撰	√√	√√	江　瀚　江　瀚		477	404
《詩傳蒙求分韻》不分卷　清黃中撰	√	√	張壽林		405	506

A　　　　　　　　　　欄	B欄	C欄	D　　　　　欄	E　　　　　欄	F　欄
《毛詩集解訓蒙》不分卷　清鄭曉如撰	√√	√√	不著撰人 倫　明		405
《詩小說》一卷　清蔣光焴撰	√√	√√	不著撰人 倫　　明		519 405
《毛詩均譜》十二卷　清郭師古撰	√	√	張壽林		406
《毛詩陸疏校正》二卷　清丁晏撰	√	√	倫　明		406
《詩集傳附釋》一卷　清丁晏撰	√√	√√	江　瀚　江　瀚		480 406
《毛鄭詩釋》三卷續錄一卷　清丁晏撰	√√	√√	江　瀚　江　瀚		478 406
《詩譜攷正》一卷　清丁晏撰	√√	√√	江　瀚　江　瀚		478 406
《詩經異文》四卷　清蔣曰豫撰	√√	√√	不著撰人 江　瀚		542 407
《詩繹》二卷　清廖翱撰	√√	√√	不著撰人 倫　明		527 407
《詩考箋釋》十二卷　清葉裕仁撰	√√	√√	江　瀚　江　瀚	《前續修》書名下有「著錄」二小字	509 407
《詩文字考》八卷　清葉裕仁撰	√√	√√	江　瀚　江　瀚	《前續修》書名下有「著錄」二小字	510 407
《讀詩日錄》不分卷　清陳澧撰	√	√	張壽林		408
《東塾讀詩錄》一卷　清陳澧撰	√√	√√	不著撰人 倫　明		476 408
《詩經原始》十八卷　清方玉潤撰	√√	√√	江　瀚　江　瀚	《前續修》書名下有「著錄」二小字	425 408
《三頌考》三卷　清張承華撰	√√	√√	不著撰人 倫　明		474 409
《毛詩釋地》六卷　清桂文燦撰	√√	√√	江　瀚　江　瀚		485 409

A　　　　　　　　欄	B欄	C欄	D　　　　　欄	E　　　　　欄	F　欄
《鄭氏詩箋禮注義異攷》一卷 清桂文燦撰	√√	√√	江　瀚　江　瀚		486 410
《參校詩傳說存》二卷　清倪紹 經撰	√√	√√	江　瀚　江　瀚		533 410
《說詩章義》三卷　清方宗誠撰	√	√	張壽林		410
《詩傳補義》三卷　清方宗誠撰	√√	√√	江　瀚　江　瀚		512 411
《詩經口義》二卷　清劉存仁撰	√	√	張壽林		411
《毛詩補正》二十五卷　清龍起 濤撰	√√	√√	不著撰人　倫　明		533 411
《七月漫錄》二卷　清郭柏蒼撰	√√	√√	江　瀚　江　瀚		489 412
《詩經柄歌》不分卷　清王鑒撰	√	√	張壽林		412
《小序韵語》不分卷　清楊恩壽 撰	√	√	張壽林		412
《讀風臆補》二卷　清陳繼揆撰	√√	√√	不著撰人　倫　明		539 412
《詩經音律續編》八卷　清遲德 成撰	√	√	張壽林		413
《毛詩箋注舉要》十二卷卷首一 卷　清黎惠謙撰	√	√	張壽林		414
《毛詩異同》四卷附一卷　清蕭 光遠撰	√√	√√	不著撰人　倫　明		520 414
《毛詩箋疏辨異》三十卷　清李 兆勛撰	√	√	不著撰 人		414
《毛詩箋疏辨異殘本》二卷　清 李兆勛撰	√√	√√	不著撰人　倫　明		531 414
《毛詩異字同聲考》一卷　清丁 顯撰	√	√	倫　明		415
《詩序辨正》八卷　清汪大任撰	√√	√√	江　瀚　江　瀚		507 415

A 欄	B欄	C欄	D 欄		E 欄	F 欄	
《詩序議》六卷　清呂調陽撰	√√	√√	江　瀚	江　瀚		371	416
《毛詩注疏毛本阮本考異》四卷 清謝章鋌撰	√	√		孫海波			416
《詩地理續考》一卷　清潘繼李撰	√	√		張壽林			416
《毛詩草木鳥獸蟲魚疏考證》一卷　清陶福祥撰	√	√		張壽林			417
《毛鄭異同疏正》不分卷　清范迪襄撰	√	√		張壽林			417
《達齋詩說》一卷　清俞樾撰	√√	√√	江　瀚	江　瀚		486	417
《詩名物證古》一卷　清俞樾撰	√√	√√	江　瀚	江　瀚		487	418
《荀子詩說》一卷　清俞樾撰	√√	√√	江　瀚	江　瀚		488	418
《詩義擇從》四卷　清易佩紳撰	√√	√√	不著撰人	倫　明		518	418
《毛詩異文箋》十卷　清陳玉樹撰	√√	√√	江　瀚	江　瀚		532	419
《毛詩譜》一卷　清胡元儀撰	√√	√√	江　瀚	江　瀚		522	419
《說詩解頤》二卷　清徐肆文撰	√√	√√	不著撰人	倫　明		524	419
《說詩解頤續》一卷　清徐肆文撰	√√	√√	不著撰人	倫　明	《前續修》作者為徐植之	538	419
《詩說》二卷　清陳廣敷撰	√	√		張壽林			419
《讀毛詩日記》不分卷　清錢人龍撰	√	√		張壽林			420
《讀毛詩日記》不分卷　清申濩元撰	√	√		張壽林			420
《讀毛詩日記》不分卷　清張一鵬撰	√	√		張壽林			420

A　　　　　　欄	B欄	C欄	D　　　　　欄	E　　　　欄	F　欄
《讀毛詩日記》不分卷　清楊廥元撰	√	√	張壽林		421
《讀毛詩日記》不分卷　清夏辛銘撰	√	√	張壽林		421
《讀毛詩日記》不分卷　清鳳恭寶撰	√	√	張壽林		422
《讀毛詩日記》不分卷　清陸炳章撰	√	√	張壽林		422
《讀毛詩日記》不分卷　清郟鼎元撰	√	√	張幕林		422
《讀毛詩日記》不分卷　清徐鴻鈞撰	√		張壽林		423
《群經引詩大旨》六卷　清黃雲鵠撰	√	√	江　瀚		423
《詩韵字聲通證》七卷　清李次山撰	√√	√√	不著撰人 倫　明		542 423
《毛詩古音述》一卷　清顧淳撰	√	√	倫　明		424
《枕葄齋詩經問答》八卷　清胡嗣運撰	√	√	張壽林		424
《尚詩徵名》二卷　清王蔭祐撰	√	√	倫　明		424
《毛詩古音諧讀》五卷　清楊恭桓撰	√√	√√	不著撰人 倫　明		540 425
《詩古音》三卷　清楊峒撰	√	√	倫　明		425
《毛詩興體說》一卷　清黃應嵩撰	√√	√√	不著撰人 倫　明		521 425
《毛詩興體說》一卷　清林國廣撰	√√	√√	不著撰人 倫　明		547 425

A　　　　　　　　欄	B欄	C欄	D　　　　　　欄	E　　　　　　欄	F　欄
《詩譜講義》一卷　不著撰人名氏	√√	√√	不著撰人 倫　　明		548 426
《詩經貫解》四卷　清徐壽基撰	√√	√√	不著撰人 倫　　明		529 426
《毛詩述正》二十八卷　清張其煥撰	√	√	張壽林		426
《詩序辨》一卷　清夏鼎武撰	√√	√√	不著撰人 倫　　明		537 426
《詩經簡要》一卷　清汪本原撰	√√	√√	不著撰人 倫　　明		545 427
《讀詩商》二十七卷　清陳保眞撰	√√	√√	不著撰人 倫　　明		530 427
《遵注義釋詩經離句襯解八卷清朱榛撰	√	√	張壽林		427
《東遷後詩世次表》一卷　清郭志正撰	√√	√√	不著撰人 倫　　明		522 427
《香草校詩》八卷　清于鬯撰	√	√	倫　　明		428
《學詩堂經解》二十卷　清李宗棠撰	√√	√√	江　　瀚 江　　瀚		534 428
《正學堂詩說》一卷　清王仁俊撰	√	√	倫　　明		428
《詩經補箋》二十卷　王闓運撰	√√	√√	江　　瀚 江　　瀚		517 428
《毛詩單疏校勘記》三卷　劉承幹撰	√	√	張壽林		429
《齊風說》一卷　李坤撰	√√	√√	江　　瀚 江　　瀚	《前續修》書名下有「著錄」二小字	523 429
《毛詩正韵》四卷　丁以此撰	√√	√√	江　　瀚 江　　瀚	《前續修》書名下有「著錄」二小字	491 430

A 欄	B欄	C欄	D 欄	E 欄	F 欄
《詩說》四卷　姚永概撰	√√	√√	不著撰人 倫　明		550 430
《詩毛氏學》三十卷　馬其昶撰	√√	√√	江　瀚 江　瀚		500 430
《毛詩評注》三十卷　李九華撰	√	√	不著撰人		431
《毛詩說習傳》一卷　簡朝亮撰	√√	√√	不著撰人 倫　明		549 431
《四益詩說》一卷　廖平撰	√	√	謝興堯		431
《詩學質疑》不分卷　廖平撰	√	√	張壽林		431
《爾雅說詩》二十二卷　王樹枏撰	√	√	張壽林		432
《詩序非衛宏所作說》一卷　黃節輯	√√	√√	不著撰人 倫　明		551 432
《詩旨纂辭》三卷　黃節纂	√√	√√	不著撰人 倫　明		550 432
《詩說標新》二卷　狄郁撰	√√	√√	不著撰人 倫　明		551 432
《學壽堂詩說》十卷　附錄一卷　徐紹楨撰	√√	√√	不著撰人 倫　明		549 433
《木齋詩說存稿》六卷　褚汝文撰	√√	√√	江　瀚 江　瀚	《前續修》書名下有「著錄」二小字	504 433
《毛詩重言下篇補錄》一卷　徐永孝撰	√	√	張壽林		433
《詩經集解辨正》不分卷　徐天璋撰	√√	√√	不著撰人 倫　明		544 434
《詩經通解》三十卷　林義光撰	√	√	倫　明		434
《詩經異文補釋》十四卷　張慎儀撰	√√	√√	江　瀚 江　瀚		490 435
《詩補箋繹》二十卷　程崇信撰	√	√	葉啟勳		435

A　　　　　　　欄	B欄	C欄	D　　　　欄	E　　　　欄	F　欄
《毛詩經句異文通詁》七卷　李德淑撰	√	√	葉啟勳		435
《毛詩札記》一卷　劉師培撰	√	√	不著撰人		436
《毛詩詞例舉要詳本》一卷　劉師培撰	√	√	不著撰人		436
《詩經四家異文考補》一卷　江瀚撰	√	√	倫　明		436
《詩史初稿》十六卷　張壽鏞撰	√	√	不著撰人		437
《毛鄭詩斠議》一卷　羅振玉撰	√	√	不著撰人		437
三家詩					
《重訂三家詩拾遺》十卷　清范家相撰	√	√	倫　明		437
《三家詩遺說》八卷　清馮登府撰	√	√	張壽林		437
《三家詩異文疏證六卷補遺》三卷　清馮登府撰	√√	√√	江　瀚	江　瀚	575 438
《三家詩補遺》不分卷　清阮元撰	√√	√√	江　瀚	江　瀚	574 438
《詩考補注》二卷　補遺一卷　清丁晏撰	√√	√√	江　瀚	江　瀚	479 438
《詩經三家註疏》殘卷　清周曰庠撰	√	√	張壽林		438
《詩三家義集疏》二十八卷　清王先謙撰	√√	√√	江　瀚	江　瀚	575 439

A 欄	B欄	C欄	D 欄	E 欄	F 欄
《詩說》一卷　漢申培著	√√	√√	不著撰人　不著撰人		555 439
《魯詩傳》一卷　漢申培撰　清王謨輯	√√	√√	不著撰人　倫　明		556 440
《魯詩故》三卷　清馬國翰輯	√√	√√	江　瀚　江　瀚	《前續修》書名下有「存目」二小字	556 440
《魯詩遺說考》六卷　清陳喬樅撰	√√	√√	江　瀚　江　瀚		557 440
《齊詩傳》二卷　清馬國翰輯	√√	√√	江　瀚　江　瀚		552 441
《齊詩翼氏學》四卷　清迮鶴壽撰	√√	√√	江　瀚　江　瀚		554 441
《齊詩翼氏學疏證》二卷　清陳喬樅撰	√√	√√	江　瀚　江　瀚		554 441
《齊詩遺說考四卷　清陳喬樅撰	√√	√√	江　瀚　江　瀚		553 442
《韓詩故》二卷　漢韓嬰撰　清馬國翰輯	√√	√√	江　瀚　江　瀚	「前續修」未言撰者，但云馬國翰輯	561 442
《校元刊本韓詩外傳》十卷	√√	√√	不著撰人　倫　明		561 442
《校刻韓詩外傳》十卷補逸一卷漢韓嬰撰　清趙懷玉校	√√	√√	不著撰人　倫　明		562 443
《韓詩外傳校注》十卷拾遺一卷漢韓嬰撰　清周廷寀校	√√	√√	不著撰人　倫　明		563 443
《韓清輯》一卷　清蔣曰豫輯	√√	√√	不著撰人　江　瀚		558 443
《韓詩內傳》一卷　漢韓嬰撰清王謨輯	√√	√√	不著撰人　倫　明		565 443

A　　　　　　　　欄	B欄	C欄	D　　　　　　欄	E　　　　　　欄	F　欄
《韓詩翼要》一卷　漢侯苞撰清王謨輯	√√	√√	不著撰人 倫　明		566 443
《韓詩翼要》一卷　漢侯苞撰清馬國翰輯	√	√√	張壽林		444
《薛君韓詩章句》二卷　漢薛漢撰　清馬國翰輯	√√	√√	不著撰人 江　瀚		566 444
《韓詩外傳旁注評林》十卷　明黃從誠撰	√	√√	張壽林		444
《韓詩內傳徵》四卷　清宋縣初撰	√√	√√	江　瀚　江　瀚		567 445
《韓詩》不分卷　不著撰人姓氏	√√	√√	江　瀚　張壽林	二篇提要不同	559 445
《韓詩遺說》二卷　訂識一卷清臧庸撰	√√	√√	江　瀚　江　瀚		568 445
《韓詩外傳疏證》十卷　清陳士河撰	√√	√√	不著撰人 倫　明		564 446
《韓詩內傳幷薛君章句攷》四卷清錢玫撰	√√	√√	不著撰人 孫人和		568 446
《韓詩外傳校注》十卷附補逸一卷　清吳棠撰	√√	√√	江　瀚　江　瀚		564 446
《韓詩遺說考》五卷　《韓詩外傳》附錄一卷　清陳喬樅撰	√√	√√	江　瀚　江　瀚		570 447
《韓詩遺說續考》四卷　清顧震福撰	√	√√	張壽林		447
《韓詩外傳校議》一卷　清許瀚撰	√	√√	不著撰人 孫海波		448
《韓詩遺說補》一卷　清陶方琦撰	√√	√√	倫　明		572 448

A 欄	B欄	C欄	D 欄	E 欄	F 欄
《讀韓詩外傳》一卷　清俞樾撰	√	√√	張壽林		448
《韓詩》一卷　清龍璋輯	√	√√	葉啟勳		449
《詩緯》一卷　清馬國翰輯	√	√√	倫　明		449
《詩紀曆樞》一卷　題闕名	√	√√	倫　明		449
《詩汎歷樞》一卷　明孫瑴輯	√	√√	倫　明		449
《詩汎歷樞》一卷　清趙在翰輯	√	√√	倫　明		449
《詩汎歷樞》一卷　清馬國翰輯	√	√√	倫　明		450
《詩汎歷樞》一卷　清喬松年輯	√	√√	倫　明		450
《汎引詩緯》一卷　清喬松年輯	√	√√	倫　明		450
《詩含神霧》一卷　明孫瑴輯	√	√√	倫　明		450
《詩含神霧》一卷　題闕名	√	√√	倫　明		450
《詩含神霧》一卷　清黃奭輯	√	√√	倫　明		450
《詩含神霧》一卷　清趙在翰輯	√	√√	倫　明		451
《詩含神霧》一卷　清馬國翰輯	√	√√	倫　明		451
《詩含神霧》一卷　清喬松年輯	√	√	倫　明		451
《詩推度災》一卷　明孫瑴輯	√	√	倫　明		451
《詩推度災》一卷　清黃奭輯	√	√	倫　明		451
《詩推度災》一卷　清趙在翰輯	√	√	倫　明		451
《詩推度災》一卷　清馬國翰輯	√	√	倫　明		452
《詩推度災》一卷　清喬松年輯	√	√	倫　明		452
《詩緯集證》四卷　清陳喬樅撰	√√	√√	江　瀚	江　瀚	576 452
《詩緯新解》不分卷　廖平撰	√	√	張壽林		452
《詩緯搜遺》不分卷　廖平撰	√	√	張壽林		452
《詩緯氾歷樞訓纂》一卷　清胡薇元撰	√	√	倫　明		453

A 欄	B欄	C欄	D 欄	E 欄	F 欄
《詩緯含神霧訓纂》一卷 清胡薇元撰	√	√	倫 明		453
《詩緯推度災訓纂》一卷 清胡薇元撰	√	√	倫 明		453
《詩傳講義》四卷 不著撰人姓氏	√	√	張壽林		453
《詩名多識》四卷 不著撰人姓氏	√	√	張壽林		454
《詩經講義》十二卷 補遺三卷 朝鮮丁若鏞撰	√	√	張壽林		454
《逸詩》一卷 朝鮮申綽撰	√	√	張壽林		454
《詩次故》二十二卷 附外雜一卷 朝鮮申綽撰	√	√	張壽林		455
《詩經異文》三卷 朝鮮申綽撰	√	√	張壽林		455
《毛詩品物圖攷》七卷 日本岡元鳳撰	√	√	不著撰人		455
《毛詩序說》三十二卷 清龔鑑撰		√	江 瀚		377
《毛詩明辨錄》十卷 清沈青崖撰		√	江 瀚	一為乾隆戊辰刻本，一為乾隆庚午刻本，江瀚各有提要，文字大不同。	382 383
《詩經音韵圖》五卷 清甄士林撰	√	√	江 瀚		446

A　　　　　　　欄	B欄	C欄	D　　　　　　欄	E　　　　　欄	F　欄
《詩義旁通》十二卷　清李允升撰		√	江　瀚	江瀚有二提要，文字大不同。	495 495
《參校詩傳說存》二卷　清倪紹經撰		√	不著撰人		535
《毛詩補正》十二卷　清龍起濤撰	√	√	江　瀚		532
《說文引詩字輯》一卷　清許瀚撰	√	√	江　瀚		492

　　本文曾於一九九五年月，在北戴河舉行之「第二屆詩經國際學術研討會」中請人代為宣讀，並於同年十月刊登《編譯館館刊》第二十四卷第二期。

玖　《詩經》國際學術研討會論文簡介

緒言

　　《詩經》國際學術研討會，係河北師範學院中國《詩經》學會所主辦，於一九九三年八月十日至十四日，在河北石家莊舉行。學會宗旨是「組織開展《詩經》學術研究，促進《詩經》研究成果交流，批判地繼承《詩經》文化藝術遺產，弘揚中華民族文化。」[1]「中國大陸學者發起的《詩經》國際學術研討會，外國學者不遠萬里，飛越重洋；中國學者來自海峽兩岸、五湖四海。這樣多的海內外社會名流、專家學者，濟濟多士，聚會一堂，研討促進現代《詩經》學的繁榮發展並提高到新水平，這是《詩經》學史上的第一次盛會，標誌著中國學者為弘揚中華文化的大團結，標誌著各國漢學家文化交流和友好聯繫的建立，這次盛會將載入學術史冊。」[2]此次與會人員據書面資料所載，（實際上必有出入，有列名而未參加者，亦有未列名而與會者。）海外方面：美、俄、法各一人，新加坡三人，日本五人，韓國、香港各四人，臺灣十五人，（另有考察人員及碩、博士研究生二

1　見該會章程總則。

2　《詩經》國際學術會議開幕詞。即夏傳才教授以該會組委會副主任身份，所發〈繼往開來，加強合作，把《詩經》學提高到新水平〉一文。

十二人。）大陸則有一〇九人。除大學教師外，亦有從事文化事業人員，如出版界編審、編輯，研究機構或圖書館研究員等。總之，此次會議確為參加國家多，與會人員眾，包含面也廣的一次首屆《詩經》研討學術會議。

此次會議，計得論文九十二篇，論文提要七十八篇，（有有論文而無提要者，亦有有提要而無論文者。）有論文題目而無論文或提要者二十四則。資料堪稱豐富，極有加以整理簡介給有意研究《詩經》學者參考的必要，茲分三方面加以說明。

在動機上：因為臺灣參加會議的學者不多，國人能知道此次會議的學術討論情形，當然也就少了。而所有的論文又不可能全部印出，即使全部印出，在臺灣方面，也不可能想閱讀的人都能看到，而了悉其全貌。

本簡介寫作的動機，即在讓臺灣關心該會有關《詩經》研究成果的學者，藉此簡介，對討論內容梗概，稍有瞭解。

在方法上：因係簡介，不可能作詳細報告，故僅以該會論文稿本、提要說明為依據，先加以粗略分類；然後再就論文或提要，將每篇主旨及重要論點，直錄其標目或重點原文。不易處理的、則扼要聯綴其文字，甚少移易更動。目的在保存原貌，忠實地介紹給讀者。（有題目無論文或提要者，則附在該分類後。）

在目的上：兩岸隔絕了數十年，無論在那一方面，都有著明顯的歧異，《詩經》學的研究，當然也不例外。同時此次會議，又是大規模的第一次國際性會議，對《詩經》研究，除一般性的因襲、內容、取材、方法、目標等當各有不同外，尤應注意的，其觀念如何？態度如何？成果如何？影響或導向又如何？希望透過本文使這些問題，可得到一個較為明晰的認知。惟一己之見，必有偏頗疏失。其繆誤不當處，尚祈與會同好，誼者先進，不吝惠教。

一　以報導國內外研究為主者

此一部分，計得論文五，有題目而無論文者一，口頭報告而無資料者一。內容在報導國內外研究機構、系所、方向、狀況、主要出版書籍及論文成績。在時間方面，雖有遠自百年以上，甚或自《詩經》傳至該地開始者，但以近四十年為限者居多。

（一）國內

維往開來，加強合作，把《詩經》學提高到新水平（開幕詞）
夏傳才（河北師範學院教授）

本文以此次《詩經》國際學術研討會，組委會副主任身份，對會議所抱期許的開幕詞。其主要提出的意見：則為（1）清理研究遺產的問題。此下又分編制目錄、編選要籍集成。（2）開展全方位，多層面的研究。（3）加強海峽兩岸和國際合作等。

《毛詩》與詩經村考察報告
曾廣志（中國俗文學學會常務理事、河北省通俗文學學會副會長）

本文以考察報告方式，說明詩經村毛公墓祠之造建修葺與文人墨客瞻仰、憑弔的情形。其主要說明：則為（1）河間獻王曾在河間城北設立「君子館」，招徠賢者學士到此講學。（2）毛亨以《毛詩故訓傳》授毛萇，萇封為博士，講學傳《詩》。（3）四家《詩》興衰存佚。（4）現河間城北「三十里鋪」、「君子館」、「詩經村」即為當年毛萇傳授《詩經》之所。（5）墓祠之造建修葺。（6）歷代文人墨客前往瞻仰、憑弔並揮毫吟誦等。

（二）海外

當代韓國《詩經》研究評介

宋昌基（韓國國民大學教授、中文研究所所長）

本文以根據韓國中國語文資料室資料，分析整理有關《詩經》研究成就，以見《詩經》在韓國自一九四五年至一九九○年間的研究情況。其研究成果：計一般的考察、概述二十篇，個別作品研究十篇，語言、音韻研究七篇，大義研究五篇，《毛詩序》研究七篇，博士、碩士論文總十四篇中研究國風二南有四，詩語、句法有二，其他有八，並出刊譯本九種等。

〈詩經〉的俄譯和費德林的論著

李明濱（北京大學教授、俄語系主任）

本文以《詩經》傳入俄國已有一百多年的歷史加以敘述、說明此一時間的研究狀況。其研究人員：最主要者有四人，至研究成果，除費德林一九五八年出版專著《詩經及其在中國文學上的地位》外，尚有其他研究者先後刊出的《詩經》譯本十五種以上。

《詩經》在海外

王麗娜（北京圖者館研究館員）

本文以海外的《詩經》評介和海外的《詩經》研究兩部分進行概述，以見《詩經》在世界文學中的不巧地位。其概括敘述、則為（1）海外的《詩經》譯介，此下又分為歐美的《詩經》譯介、俄羅斯的《詩經》譯介、《詩經》在日本的流傳與影響、《詩經》對朝鮮、

越南文學的影響四方面。（2）海外的《詩經》研究，此下又分為歐、
美學者對《詩經》的研究、俄羅斯學者對《詩經》的研究、日本學者
對《詩經》的研究、新加坡學者對《詩經》的研究、臺、港學者對
《詩經》的研究五方面等。

《詩經》文化近十年來對海外華文文學之影響……香港　丁平

二　以基本問題研究為主者

此一部分，計得論文三，有題目而無論文者一。內容在對詩歌之
產生、流傳、編訂、亡佚及前人研究理論、方法、特色，有無嗟錯誤
導作研究分析者。

（一）編訂增刪

論《詩經》的最初研究
袁長江（衡水師專副教授）

本文以詩歌創作遠在文學產生之前，是在先民們口頭流傳，但大
部分軼失了，其幸存者是由於後人用文字記入自己的著作。說明這些
詩歌多是表達自己的思想願望，不應看作是對詩歌創作提出的要求，
而是對以前詩歌創作的總結。其重要論點：則就傳唱是最早對《詩
經》的研究，各國太師是繼傳唱者之後最早的研究者、周太師是《詩
經》本子的總編訂者、未定本和最後定本的流傳與周太師在未定本中
選入而後又在定本中刪去的增刪等方面，分別闡發說明之。

論三家詩……………………………………………………林家驪

（二）方法得失

　　為研究《詩經》創造新的典範
　　周穎南（新加坡作家協會名譽主席）

　　本文以在前人研究成果的基礎上，探索出一條新路線，為「古為今用」創造新的典範。其重要論點：則就形式章法、內容包含、重點特色、理論方法等方面，分別闡發說明之。

　　《詩經》研究誤區綜論——兼論古代文學研究者主體自我意識強化的緊迫性
　　高　原（蘭州師專中文系副教授）

　　本文以既有《詩經》研究確已有無可否認的纍纍碩果，說明也難免會產生不容忽視的重重誤區。其重要論點：則就研究主體思想的誤導、研究方法的誤用、研究結果的誤讀等方面，分別闡發說明之。

三　以某一詩或特定問題研定為主者

　　此一部分，計得論文十一，有題目而無論文者七。內容在對某一詩或某一特定問題，如農事、戰爭、周之始祖誕生神話、宣王大臣功勳，甚至曆法、天象或實物作新解、剖析、論辯或解說詮釋等。

（一）某一詩

　　《召南・行露》辨歧
　　郝建國（河北師院中文系講師）

　　本文從《召南・行露》是一首周代婚姻訴訟詩，古今研究家意見基本一致。但在詩人的寫作因由上，有甚多對立而共存的歧見，嚴重地阻碍了人們的視線，使這首詩色彩斑斕、撲朔迷離，本色難尋。也使閱讀的人感到莫衷一是，不知所從。如何力求通過對這些歧見的疏理和辨析，完成對此詩較合理的解釋，還其廬山真面目。其主要說明：則為（1）在寫作因由上，對其中比句、興句的理解，對關鍵詞語的訓釋，對詩篇流衍的認識等許多方面都存在著太多的對立和分歧。（2）在具體處理上，以辨析關鍵詞語為基礎，考之以周代的社會形態，作到圓融合理等。

　　應該推倒的建築物──《邶風・新臺》議
　　劉燕及（百花文藝出版社）

　　本文以縱觀當代諸家的譯解，雜有緣襲古人附會之說和附合名家不解之解；或有所見，卻又不去突破舊的束縛，或存疑而從，而對諸說產生異議：其主要說明：則為（1）本文推翻了《毛詩序》附會歷史及聞一多的「鴻字說」。（2）本文解為《新臺》是寫一個單純可愛的少女，情竇初開，仲春苔草出水，景色誘人，有了求偶的美好願望：在追求中，卻遇到種種陷阱，迫使她失足陷入，遭受了不幸。（3）本詩反映了女子所處的罪惡社會環境，為她的遭遇鳴了一聲不平等。

　　《王風・大車》新解
　　于淑月（晉東南師專中文系副教授）

　　本文從《王風・大車》一詩，為諸多舊注新解中，最為紛歧的詩

篇，探討其合理的篇義說解。其簡要說明：則為周人從軍，其新婚妻子送新郎上戰場，帶有悲壯色彩的詩作，簡論後並作翻譯等。

〈漸漸之石〉主題思想新詩——兼論「不皇」之本字當為「不妨」

劉喜軍（湖南岳陽洞庭氮肥廠技工學校講師）

本文以刺幽王、勞苦、怨恨、勞動人民出征在外，不能回家種田詩說之非是，尋出〈漸漸之石〉的主題是寫部隊出征之前，國君運籌帷握，在朝廷朝見文武百官，共議軍事的敘事詩。其重要論點：則就正切文意、不皇解作不妨、不皇即不妨等方面，分別闡發說明之。

讀《詩經》札記

曹道衡（中國社會科學文科所博士生導師）

本文在對《詩經》某一問題或詩篇，陳述其一己研究心得、看法或感想。其主要討論問題：計有關於《小序》、《凱風》、《絲衣》、綠竹猗猗、關於《商頌》等。

《詩經‧小雅‧白駒》篇探義⋯⋯⋯⋯⋯⋯⋯⋯（臺灣）季旭昇
詩義索原舉例⋯⋯⋯⋯⋯⋯⋯⋯⋯⋯⋯⋯⋯⋯⋯黃瑞雲

（二）某一特定問題

履跡生子觀念的解析——《詩經‧大雅‧生民》新探

楊　琳（煙臺大學中文系講師）

　　本文以周初人傳述姜嫄履帝武敏而生始祖后稷的史話，說明祭高禖時，姜嫄踩著丈夫的腳印亦步亦趨而生子，合乎世俗情理的解釋。其主要說明：則為（1）履跡生子的傳說。（2）履跡生子觀念的來龍去脈。（2）跡乃人足成為女陰或男根性器官象徵的原因等。

　　中興之將，慷慨之聲——周宣王中興大臣詩考論
　　趙逵夫（西北師大中文系教授）

　　本文以《詩·大小雅》中收有周宣王時幾位中興大臣的詩作，說明召伯虎、尹吉甫、南仲等內輔朝政，外征夷狄，都表現了扶危救亂中的壯志與信心。這些作品在後代產生過很大的影響。其共同特徵：則為（1）題材內容多表現對周王的忠心和對四夷戰爭及安定國內秩序的業績，極誇軍容儀仗之盛。此所謂宣王《大雅》，鋪張事業。（2）風格上寫軍事則豪邁雄壯，寫朝儀則雍容莊重：雖有時也寫軍旅苦況，但充滿信心。此所謂雄峻奇偉，高典華麗。（3）這些作品有的直接頌揚周王，有的是互為聲氣，有的則是下屬頌揚主帥等。

　　論《詩經》中的懷歸主題及其文化意蘊
　　方勇（河北大學中文系副教授）

　　本文從《詩經》某些懷歸詩篇中，評論口中反復吟唱著懷哉懷哉、日歸日歸懷歸曲歌人內心造成痛苦難解的思鄉情結。其重要論點：則就懷鄉戀土的情結特徵、懷念國家、宗族、親人、懷歸情結的秋季效應及其文化意蘊、詩人鄉情萌動的幾種特殊契機及其文化意蘊（後二項文中似未涉及）等方面，分別闡發說明之。

《詩》紀月考略
周文康（揚州大學商學院副教授）

　　本文以先秦曆法多湮沒無聞，現今新解又紛呈治絲益棼，尤以
《豳風‧七月》為甚，加以考辨，而推知其紀月之所以不同及其較正
確的說解。其重要論點：則以《豳風‧七月》為主，佐以《唐風‧蟋
蟀》、《小雅‧小明》、《小雅‧采薇》原詩句；卜辭《尚書‧堯典》、
《春秋》、《左傳》有關事件之記載；《禮記‧月令》、《大戴禮‧夏小
正》、《漢書‧律曆志》)、《爾雅‧釋天》諸有關律曆所載等方面，分別
闡發說明之。

《詩經‧小雅‧十月之交》日食及相關歷史問題辨析
沈長雲（河北師院古籍所教授）

　　本文以《詩經‧小雅‧十月之交》所記日食，記有明確的月朔、
干支，為我國古代日食記錄中的第一次，借以推知該日食發生的具體
年代，不僅有助於解決先秦時期有關天文曆法的許多重要問題，且有
助於從年代學上判定《詩經‧小雅》中許多篇章的寫作時代，並可啟
發吾人對於兩周之際歷史的新認識。其重要論點：則就辨《詩經‧十
月之交》日食的年代、辨《詩經‧十月之交》日食與地震無關、辨
《詩經‧十月之交》的內容及相關詩篇的次第、辨《詩經‧十月之
交》所載之人物等方面，分別辨析說明之。

漫談《詩經》中玉的文化內蘊及其審美意義
趙敏俐（青島大學中文系副教授）

　　本文從《詩經》有關玉或玉飾詩篇中，尋出其文化內蘊及審美意義。其主要說明：則為（1）以其珍貴，常當作寶物、貨幣或高尚禮品饋贈。（2）以其堅剛、溫潤、光澤、美觀，在《詩經》中，擁有或佩戴此物，則有財富地位、風度氣派、愛情堅貞、友誼篤厚、君子高尚品德等象徵。（3）《詩經》中對於玉與以上崇拜和喜愛並成為一種特殊的藝術表現視角，顯示其豐富的文化內蘊和由此生成的審美價值，對這種文化現象的透視，不但有助於理解《詩經》作品，更有助於把握民族文學的深刻文化內涵，了解中國人的藝術傳統與審美觀念等。

　　《詩經》二題新解
　　李子偉（甘肅天水市北道區教師進修學校講師）

　　本文從《邶風・靜女》、《周頌・噫嘻》二詩於彤管及十千維耦眾說紛紜中，探求二者究係何物？究作何種詮釋為宜。其重要論點：則就「彤管」究竟是什麼、「十千維耦」舊釋辨疑等方面，分別闡發說明之。

四　以六義研究為主者

　　此一部分，計得論文九。內容在對大類別或某一部分之含義、特

點、作用、影響作研究分析等。

（一）風雅頌

《國風》次第考
翟相君（鄭州大學中文系副教授）

　　本文以國風的次第三種，即《左傳》的季札觀樂、鄭玄的《詩
譜》和現存《毛詩》的次第。考其排列的原則：或按國家的主次；或
按詩的質量高低；或按各國的地域。就《左傳》的次第看，這三者兼
而有之。時間又最早，比較可信；《詩譜》和《毛詩》的國風次第不
合理。其組別次第：則為第一組：周南、召南是東周王室詩，因而放
在最前面。邶、鄘、衛皆衛詩，數量多，質量高，緊接二南。王風是
王畿土風，鄭風在洛邑之東，地域相臨。此組共九十五篇。第二組：
齊風是齊國詩，豳風為魯詩，地域相臨，排在一起。第三組：秦、
魏、唐三風地域相近，因而排在一起。第四組：陳、檜、曹三風數量
少，質量差，地域在中原，排在最後等。

《詩經》風雅正變說新探
馮俊杰（山西師大中文系副教授）

　　本文以風雅正變說初見於《毛詩序》，再見於鄭玄《詩譜序》，是
一帶有鮮明民族色彩的詩學命題。說明不可視之若敝屣。因此，毛、
鄭之後的文學批評家、文學史家，凡擺脫「正理」纏結而應用其精神
者，總能取得較高的成就。其重要論點：則就生成之原因，實際上
風、雅正理說仍具有其意義各五方面，分別探討說明之。

論《雅》詩中的政治批判詩
殷義祥（吉林大學中文系副教授）

　　本文從政治批判詩，即「《雅》詩」中的一些反映當時政治黑暗的詩篇，相當於古人稱的怨刺詩中，尋出其特點所在。其主要說明：則為（1）詩的諫章性質。（2）題材集中，主題單一。都是從國家政治生活中選取題材，表現出鮮明的政治內容。（3）反映的是統治集團的內部矛盾，寫的主要是善與惡、正與邪、忠與奸、是與非的矛盾，不反映當時的尖銳階級矛盾。（4）由於它的規諫性質，所以它敢於把批判的鋒芒指向執政集團，指向君王，顯示出強烈的批判精神。（5）由於規諫性質，所以詩中的描寫和揭露以事實為主，具有實錄精神，更能反映出歷史的真實；但也正因為這一點，使之典型化不夠。（6）其作者都是統治集團中的人物，一般可分兩類：一是貴族上層，他們寫詩鬥爭中的目的是為本階級敲警鐘，是一種自救運動，補充意義；一是貴族下層或在政治敗下陣來的人物，他們從自身的遭遇中，更切實地感受到本階級的罪惡和不可救藥。因此他們的批判更為深刻有力。（7）政治批判詩的直言不諱和直陳時弊的特點，對後代現實主義作家產生了巨大影響等。

　　二雅刺詩探──《詩經》政治詩研究之一
周東暉（新疆師大中文系副教授）

　　本文以二《雅》中有關刺詩，分析其命名由來，內容特色，作者情志，寫作藝術手法及深遠影咨等。其重要論點：則就怨刺詩之名；刺詩之內容，此下又分對天道、國君、權臣的批判和對民生疾苦的同情等特色；刺詩之數量；刺詩之手法，此下又分或單獨運用敘事、說

理、抒情，或融匯一體、緊相結合，善用對比、誇張、比喻等修辭手段；刺詩之作者，此下又分作者皆為有頭有腦、憂國憂民、有臉有勇、匡時補天者等情況諸方面，分別闡發說明之。

《商頌》研究
張松如（吉林大學教授）

本文（改以其他論文發表，此僅就提要言之）在繹釋《商頌》之義，駁斥誤說，並申論其反映了殷商奴隸制貴族統治者的意識形態，暴力思想與祖先崇拜；且由中國奴隸制的特點，說明《商頌》獨特的風格形式。其重要論點：則就考索、論說、分論等方面，分別闡發說明之。

（二）賦比興

賦比興涵義的構成層次及其發展階段的分析
黃強（甘肅人民出版社編輯）

本文通過對賦比興研究歷史的全面考察，分析其構成涵義、創作手法、發展過程等。其主要說明：則為（1）先秦時代，賦比興是《詩經》的使用方法，賦指吟誦或歌唱《詩》，比指借《詩》為比以達意，興指《詩》對人性情志意的感發。（2）在漢代以後，賦比興成為《詩經》的創作手法，賦是作者直接鋪陳自己的情感，比是借助於在特徵上相似的事物以表達情感，興是作者因外界事物對自己情感的觸發進而表現這種情感。（3）賦比興在發展中逐漸成為詩歌普遍的創作手法：賦比興運用範圍擴大：比興在各自獨立的意義上有所發展：比興結合為一種創作手法。給各層次上的賦比興作了界說，也論述了

比興合而為一的發展過程。並指出，賦比興涵義各層次的統一性表現等。

　　《詩經》賦論
　　曹文安（宜昌師專中文系教授）

　　本文從《詩經》中直書其事、寓言寫物，又能動人心、增人感，傳之久遠的賦篇中，說明賦乃溶敘事、寫景、述志、言情於一爐，為詩人進行形象創造和藝術概括的主要藝術特徵。其主要說明：則為（1）擇取現實生活中的典型事物，按照生活的本來面貌，以白描的手法加以鋪陳。（2）使用凝煉、警策而富於表現力的語言。（3）抓住鮮明、具體的形象，善於創造典型環境，注意細節刻畫和動態模擬。（4）敘事與抒情、寫作相結合等。

　　說　興──一個文化人類學的嘗試
　　劉懷榮（青島大學中文系講師）

　　本文以實證材料與文化人類學理論相結合，考察興的本義是什麼？從六詩、六義至三體三用，興一以貫之的特點又是什麼？詩法之與興審美之興（興象、興趣等）之間有什麼聯繫？與在古典詩歌創作與理論中為何占有如此重要的地位？其重要論點：則就與為祭禮儀式考、興祭與興詩、興詩的綜合研究、興詩綜合功能的分化及其表現形態、興在古代詩歌與文化中的地位等方面，分別開發說明之。

　　論《詩經》之興義及其彩響
　　林葉連（臺灣雲林技術學院副教授）

　　本文從周朝社會背景‧教育政策、諷諫風氣、文字結構中，探討
興之定義，及其廣泛風行之因由，並舉述《詩經》之實例，分興為起
源、延展二例。其重要論點：則就興義探源，此下又分從周朝社會背
景了解《詩經》之性質、諷諫風氣與興之筆法、從文字結構談興義之
命名、《詩經》興例之演進、《禮記‧學記》之博依，即《詩》之興
義；興詩之沒落及餘響、此下又分興詩之沒落、興義之餘響：朱子對
興義之解釋及其後果、此下又分顛倒諷諭史、欣賞作品，惟字面是
瞻；否定詩序、莫視隱喻法之價值、憑臆測解《詩》，百人百說；使
興之定義滋生異說、循環攻詰。後世之興義實例舉隅等方面，分別闡
發說明之。

五　以時代研究為主者

　　此一部分，計得論文七，有題目而無論文者二。內容在對起自先
秦迄至現在為研究對象者，亦有特就某一時代之流傳、特質、承製、
影響作研究分析者。

（一）通論

　　《詩經》研究述評
　　張啟成（貴州大學中文系教授）

　　本文以較偏重從古至今歷史性的介紹，但也顧及臺灣與國外學者
研究《詩經》的概況，力圖能比較客觀地構劃出《詩經》研究的歷史
發展過程及其總體貌。其重要論點：則就研究態度、重點特徵、流派
異同、地位評價、對《詩經》研究方法與角度及其發展趨勢，提出某
些個人見解等方面，分別闡發說明之。

近四十年中國大陸《詩經》研究概說
趙沛霖（天津社會科學院文學所研究員）

本文以近四十年中國大陸在《詩經》研究方面主要成績，說明此一時期研究的狀況。其重要論點：則就在批判舊的詩學體系及其不良影響的基礎上，有選擇地吸取了歷代優秀研究成果，近四十年來大陸在研究模式和研究方法方面的發展與變化，在一些問題上有所發展和創新，突破了原有水平，取得了比較明顯的成績。此下又分為研究起點低，低水平的重複多，缺乏當代理論思維的光輝；厚此薄彼，以部分代全體，對多數作品棄而不論：忽略文學藝術特徵和複雜性的庸俗社會學傾向等方面，分別闡發說明之。

（二）斷代

關於戰國時期《詩》三百的流傳

本文以戰國時期《詩》之流傳，說明儒、道、墨、法各家引《詩》之不同所在。其主要說明：則為（1）春秋賦詩之風至戰國完全廢止，既與詩、樂分家有關，也是文化下移的結果。（2）孔子重視《詩》，強調其道德倫理功能和政治作用，對三百篇由詩向經的歷史演化，產生了關鍵性的推動作用。（3）孔門弟子及後學的習《詩》、傳《詩》，三百篇遂成為儒家學派崇奉的經典。孟子援《詩》以明仁義，荀子稱《詩》以隆禮，顯示出戰國中後期《詩》學的愈益儒學化。（4）莊子、商子、韓非子為抨擊儒學而排斥《詩》，是對儒家以《詩》為經的一大反動；墨子非儒而始於引《詩》稱《詩》，則表明戰國初年《詩》學之儒學化，時尚未發展到其後的嚴重程度。（5）孔門弟子及其後學的習《詩》，似已有一相對穩定傳本，與儒家以外徵

引帶有更多的隨意性，儒家的傳本可能與今本亦有所不同等。

論漢代《詩》學的「尚用」特質及其文化根源
朱一青　周威兵（安徽大學教授）

本文旨在通過漢代《詩》學整體本質特徵的揭示以及對其文化根源的挖掘，達到對《詩》與《詩》學發展的歷時進程與共時狀態的正確認識，從而正確評價先秦、兩漢儒家《詩》論在中華文化中的地位和作用。其重要論點：則就產生原因、立足現實基礎、社會功能、尚用特質、文化根源等方面，分別闡發說明之。

試析漢代《詩經》研究歷史化產生的根源
王碩民（安徽蚌埠市汽車管理學院基礎系）

本文從《詩經》本為我國古老的詩歌總集，但至漢代，含有經夫婦、厚人倫，說《詩》方法為政治內容的「歷史化」現象，探討漢儒以「歷史化」為手段，使《詩》「經典化」，從而成為先王垂教之政治工具產生之原因所在。其重要論點：則就文字學、詩史的作用、經史關係、先秦詩論及賦詩斷章、治《詩》的動機等方面，分別闡發說明之。

《詩經》在東晉的傳播及其彩響
張可禮（山東大學中文系教授）

本文通過《詩經》的傳播，隨時代延續的不同時期，方式也不盡相同，產生的影響也有其時代的特點，探討其在東晉的傳播及其影響。其重要論點：則就傳播的方式，此下又分為直接傳播，此下又別

為官辦的學校,私人辦的學校。間接傳播,此下又別為一是引用《詩經》中的成句,二是引用《詩經》中篇名,三是化用《詩經》的詩句。注釋與傳播、此下又分為屬於綜合注釋的、側重於義釋的、屬於音訓的。產生的影響、幾點啟示等方面,分別闡發說明之。

明代反傳統的《詩經》研究
費振剛 錢華(北京大學中文系教授)

本文以明代中後期,如朱謀㙔、何楷、楊慎、陳第諸人的著作,說明對宋學的空疏不學學術風氣有所不滿,而突破傳統,著重以《詩經》本文研究,恢復其原來面目及研究方法對清人之影響。其主要論點:則就突破傳統經學研究的框架、心學盛行的時代因素,由《詩經》本文探求文學特徵的代表著作,對清代姚際恆、方玉潤的啟發作用等方面,分別闡發說明之。

《詩經》與元代科舉
張祝平(南通師專中文系講師)

本文以《詩經》自隋、唐設科取士以來,即為選拔人才的考試科目之一,對士人習《詩》起了導向和推動的作用。考察《詩經》在元代科舉中的情況,朱熹《詩集傳》的統治地位與影響。其主要敘述:則為元代《詩經》科試規定及其特點;朱熹《詩集傳》定為制義標準之原因:元代《詩經》試題及評判標準分析,此下又分為元代《詩經》試題與擬題、重美刺而輕怨刺、重君臣國政等。

六 以他書載引研究為主者

此一部分，計得論文三。內容在對其他典籍所載或稱引有關《詩經》問題作深入評析、研討等。

（一）他書載者

《左傳》季札觀樂有關問題的討論

趙制陽（臺灣明新工專教授）

本文以《左傳》季札觀樂，言詞多浮而不實，作深入研討。從季札觀樂的文詞以及相關資料重加考證。證此一影響《詩》學頗為深遠文章，出於後人的杜撰，價值並不甚高。其重要論點：則就觀樂內容的探討、《左傳》內容的探討、《左傳》附會史事的例子、季札聘問的問題、僚與闔廬的身份闡題等方面，分別闡發說明之。

（二）他書引者

《論語》中詩禮樂歌舞五者合一說

黃紹祖（臺灣中國醫藥學院教授）

本文以歌舞出自天性，與生俱來，詩禮樂為後起文化形成之象徵。說明詩禮樂歌舞五者，皆孔子所稱之文，故五者合一。其重要論點：則就詩的存亡，此下又分為《詩經》的起源、孔子刪《詩》否；詩與歌舞，此下又分為孔子好詩歌、孔子喜樂舞；詩與禮樂，此下又分為《論語》中的《詩》、孔子重禮樂，此下又別為《毛詩》與禮儀、《論語》論禮樂等方面，分別闡發說明之。

孔孟莊子論《詩經》

李霜青（臺灣中興大學教授）

　　本文以孔子、孟子、莊子於論《詩》引《詩》的持論不同，可看出儒、道兩家對正心、修身、處世、從政，甚而孝悌誠信真義，詩書禮樂為用之有別。其重要論點：則就孔子論《詩》引《詩》，《大學》、《中庸》引《詩》論政，《孟子》論政引《詩》喻當，《老子》未曾言及《詩經》、《莊子》言《詩》異於儒家等方面，分別闡發說明之。

七　以某一人或某一著作研究為主者

　　此一部分，計得論文十一，有題目而無論文者六。內容在對某一人或某人著作其本身所呈現之內涵、特色、學術理論、研究方法，或從一己用甚麼方法去研究、分析，甚而補充、糾正某一著作等。

（一）某一人

魯迅說《詩經》——兼從對比的角度談魯迅與胡適對《詩經》的研究

潘德延（北京魯迅博物館研究員）

　　本文以魯迅從《詩經》中汲取需要的營養，作為自己的重要參考資料，說明其研究成果，雖然，在他的一生中對《詩經》的論述比較簡括和零散，胡表現了他對《詩經》從思想內容到藝術手法的深刻領會和他的獨到見解。其主要說明：則為（1）魯迅的愛國主義和革命民主主義精神，以及後來他第一個站在無產階級文學高峰運用馬克思主義立場、觀點和方法研究與運用《詩經》所取得的輝煌成就。（2）

與此同時，站在另一個文學高峰的胡適，以《詩經》的研究也取得了相當的成績。（3）他是現代運用資產階級觀點、立場和方法評論研究《詩經》的開創者，在現、當代《詩經》研究中有著重要的影響。（4）他在反對封建主義經解中，有些觀點具有一定的進步性和鬥爭性，但他對《詩經》本質的認識、解釋亦有偏頗，應該予以批判等。

蘇軾蘇轍論《詩》……………………………（臺灣）劉少雄

（二）某一著作

論《毛詩詁訓傳》集比釋義
趙伯義（河北師院中文系副教授）

本文在統計、分析的基礎上，從宏觀與微觀結合的角度，深入論證《毛詩詁訓傳》集比釋義的條例。其主要說明：則為（1）在《毛傳》中，將同類而義近的詞語歸納為一條釋例，從某個方面分別解說，這樣既可借助《詩經》原文推知詞語的義類，又能依靠解釋顯示詞語的差別。（2）《毛傳》運用集比釋義有其理論根據：首先，《毛傳》為注疏式訓詁著作，其注釋內容一定要依附於《詩經》，對其中連續出現的同類詞語必然要一併解釋。其次，人類的思維活動經常由此及彼，在注釋時必然要聯想到義近詞語，於是就會連類而及地解釋同類詞語。（3）集比釋義始見於先秦古籍的正文與《爾雅》，毛亨將這種釋詞方式首次移植到古籍注釋領域。（4）毛氏根據注釋《詩經》的實際需要，對相應的舊釋例進行改造，並創造出很多新釋例；同時改進注釋方法，使集比釋義躍上新臺階。（5）盡管毛氏運用集比釋義還存在某些缺陷，但是毛氏將集比釋義定型化，使之成為一種獨立的釋詞方法，為後代注疏式訓論著作廣泛採用，其功甚巨等。

論《毛傳》的貢獻和彩響

馮浩菲（山東大學古籍研究所文獻研究室主任）

　　本文以流傳至今最早且體例最完備的《詩》解專著《毛傳》多方面的貢獻和影響，說明其在文獻學上的價值和作用，遠遠超過了訓解《詩》三百篇的範圍。其主要說明：則為（1）《毛傳》對《詩經》所收的三百多篇詩歌首次作了全面、系統、正確、簡要的訓解，不但通過揭明篇意、寫作背景、作者、釋詞、解句、揭示語法和寫法等手段，貫通了每篇詩歌的內容和意義，而且對詩學上的許多重要問題作了高度概括的論述，奠定了中國詩學的理論基礎，對《詩經》的訓詁和研究產生了巨大而又深遠的影響，成為治《詩》者必須取資的經典性著作。（2）體現了空前完備、系統的《詩》解體系，示法於來哲，促進了《詩》解及中國訓詁學的發展。（3）歷代學者因《毛傳》定義，遞相祖述，促進了群籍訓詁工作的發展。（4）《毛傳》中保存了大量的珍貴資料，為古史研究者所取用等。

《毛詩》箋釋

魏際昌　方勇（河北大學教授副教授）

　　本文就不同典籍對《詩》三百篇，或直接稱風、雅、頌名稱之說解，並條列某些（毛傳）之訓詁，《鄭箋》的補義等。其重要論點：則就《詩經》的釋名、《毛傳》的訓詁、《鄭箋》的補義等方面，分別闡發說明之。

論《毛詩・大序》

劉斯翰　何天杰（廣東《學術研究》雜誌副主編）

本文從《詩大序》中，研究其在古代詩論史上的影響及其性質、發生途徑、方式與變遷等，以求取得相對一致的看法。其重要論點：則就關於《毛詩》的學說正變說、關於《大序》的疏解、關於《大序》理論內容的剖析、《大序》是儒家《詩》論發展史上的一個里程碑等方面，分別闡發說明之。

朱熹《詩集傳》的主要特點
李克成（湖南株洲工學院經濟貿易系副教授）

本文以《詩集傳》灌注了理學的內容，使《詩經》在宋代特定的歷史條件下具有新儒學實用化的特點。同時，朱熹又從一些《詩》的實際內含出發，說明對不少《詩》義的訓釋和名物制度的考訂，能打破《詩序》等儒家傳統論《詩》的觀點，而獨樹一幟，對後世產生了較大的影響。其主要論點：則就《詩集傳》強烈鮮明的理學特色，嚴謹科學的章句訓釋、創造性地運用賦、比、興等方面，分別闡發說明之。

崔述《詩經》研究簡論
左松超（香港浸會學院中文系教授）

本文以崔述是清代重要考據學家，具有史學家的敏銳眼光和求真求實精神，說明某些對《詩經》的見解，超過了姚際桓和方玉潤。其主要價值：則為排斥傳統的《詩》次和正理之說，認為《二南》非文王時詩、《詩序》多不可信，個別的《詩》旨討論，也時有創見等。

《四庫提要‧詩類》補正
崔富章（杭州大學古籍研究所教授）

本文依《四庫提要》的撰寫體例，正論補缺。重點是辨明版本；或追尋《四庫》底本，確認庫書版本源流；或明辨《提要》所據本與《四庫》本之差異；或實錄相關善本，以明《四庫》本之優劣。其補正條目：則為《毛詩正義》四十卷、《毛詩指說》一卷、蘇轍《詩集傳》二十卷、朱熹《詩集傳》八卷、《呂氏家塾讀詩記》三十二卷、《詩童子問》十卷、《詩經疏義》二十卷、《詩經大全》二十卷、《六家詩名物疏》五十四卷、《待軒詩記》八卷、《欽定詩經傳說匯纂》二十卷序二卷、《讀詩質疑》三十一卷附錄十五卷等。

陳子展先生的《詩經》研究
徐志嘯（復旦大學中文系博士。按：他處皆職稱，惟此為學位）

本文在闡述過程中求縱向與橫向兩個方面作客觀總結與評介，並從中尋找縱橫交合的坐標系中的方位，以確立陳子展先生《詩經》研究的歷史價值、現實意義與總體地位。其主要說明：則為（1）陳子展先生研究《詩經》的總體特點。（2）陳子展先生研究《詩經》的緣起及其過程。（3）陳子展先生研究《詩經》的成就及其影響。（4）陳子展先生對《詩經》研究的貢獻。（5）陳子展先生在當代《詩經》研究史上的地位等。

錢鍾書《詩經》研究方法論
林祥徵（泰安師專中文系教授）

本文以錢先生如何擺脫《詩經》研究的困境，尋找出已成為亟待解決的問題，從方法學的角度，講述其貢獻在於由經學、歷史學轉向到文學、美學的研究。其具體方法：則就「小裹結」與「大判斷」、

採百花以釀蜜，成一家之言、鑒賞——通向藝術殿堂的橋樑、辨證思
維的具體運用等方面，說明介紹之。

　　　　伊藤仁齋父子的人情《詩經》說
　　　　王曉平（天津師範大學中文系教授）

　　本文從日本江戶時代曾經產生多種《詩經》研究著述，伊藤仁齋
父子的論著中，探討伊藤維楨號仁齋及其長子伊藤東涯，大倡「詩道
性情」，對朱熹的勸善懲惡的《詩經》觀從懷疑到背離，直到提出正
面批評的人情《詩經》說。其重要論點：則就伊氏父子所著《語孟字
義》與《答童子問》，此下又分六項舉原文論證；《讀詩要領》，此下
又分二十六點舉其他典籍之說等方面，分別闡發說明之。

八　以書及實物或相關問題比較研究為主者

　　此一部分，計得論文三，有題目而無論文者一。內容在對《詩
經》與某一典籍或不同典籍中之特殊問題之相關性，或不同實物所代
表的不同意義，作分析陳述等。

（一）書及實物

關於《詩經》的桃和《楚辭》的橘

日本．石川三佐男（日本秋田大學教育學部副教授）

本文從《詩經．國風．桃夭》中的桃和《楚辭．九章．橘頌》中的橘，比較其不同的象徵意義。其主要說明：則為（1）《桃夭》篇的桃，其作用是祝禱出嫁姑娘的幸福美滿。（2）《橘頌》篇的橘，其作用是贊美主人翁表現出清謙人格的諸種要素。（2）《桃夭》篇是《詩經．國風》中有代表性的歌謠之一，《橘頌》篇則是《楚辭．九章》裏不可缺少的一篇。兩篇除咏桃、咏橘之外，還有都是由四言句構成的這個共同點。（3）通過《詩經》的桃和《楚辭》的橘兩相比較，好像有把這兩部古典作品本來隱秘著的特點揭示出來的可能性等。

《詩經》與《易經》……………………………………董應國

（二）相關問題

魯國與《詩經》

楊朝明（齊魯學刊編輯部編輯）

本文以《詩經》現存傳本中雖無魯詩，但由季札至魯觀樂，魯曾為他一一歌唱各地風樂以及雅、頌等，且頌詩有《魯頌》，而從文獻記載看，魯人對於《詩》的熟悉和了解，也是他國所無法企及，找出《詩經》在當時與魯國的特殊關係。其重要論點：則就魯國的樂舞與《詩經》、魯人的社會生活與《詩經》、關於《豳風》、《魯頌》與魯國史研究等方面，分別闡發說明之。

論史詩與劇詩

張松如（吉林大學教授）

本文從《詩經》中有關商族與周族開國歷史的詩篇，《楚辭》中
有關歌舞劇的抒情詩，探討史詩與劇詩。其重要論點：則就《商頌》
中的《長發》、《殷武》和《玄鳥》、《大雅》中的《生民》、《公劉》等
神話傳說，為最早出現的史詩；《楚辭》中的《九歌》等神話傳說為
最早出現的劇詩。經由馬克斯、黑格爾、恩格斯、魯迅等學說思想理
論，印證其出現、發展、形成等方面，分別闡發說明之。

九　以文化思想與詩教研究為主者

此一部分，計得論文九，有題目而無論文者四。內容在對《詩
經》所呈現之文化思想與詩教，或一己對上述某一問題，甚而受《詩
經》影響形成社會或個人所願現出的文化氣質，價值觀念，作研究探
討等。

（一）文化思想

《詩經》與中國文化

褚斌杰（北京大學中文系教授）

本文除肯定《詩經》的寶貴文學價值和文學史的地位外，並發掘
其豐厚的文化內容和文化意蘊，說明其與中國文化的影響及價值。其
主要說明：則為（1）《詩經》廣闊而豐富的內容，是我國古文明的載
體，是一部古文化的百科全書。諸如政治思想、倫理道德、經濟生
產、社會禮俗、宗教信仰、職官兵制、衣食車馬、天文曆法等等，無

所不包，成為研究中國古文化和民族文化心理以及文化傳統的淵藪。
（2）文化是一個廣泛的概念，是一個多層面的統一體系。在多層次
中，首先是人的價值觀念和思維方式，其次是由此而凝聚成的風俗、
習慣、制度等等。如周人的重德、崇祖、敦親睦友、戀故土、重邦
國、尚實際、美自然等。以及由此而形成的各種禮俗、慶典、節日、
制度等等。研究《詩經》文化，就是要從《詩經》本文出發，取得對
以上諸多方面的認識。同時還可以從文化的積累性和發展軌跡，探討
我們民族心理、民族精神的形成和發展。（3）文化是由人創造的。
《詩三百》篇作者的身份、地位、境遇並不相同。因此，所反映的生
活面、社會觀念以及表現形式亦有所不同，從而構成了雅、俗之分。
那些出自廟堂、士大夫之手的作品，屬於雅文化範疇；而風詩民歌，
則具有俗文化性質，它們的價值取向和審美情趣是有區別的，如前者
尚禮重和、重華貴、重享樂；後者尚情重義，重自然，重反抗等。

論文化人類學在《詩經》研究中的應用
馬鳳程（貴州省社科院社會學研究所副研究員）

　　本文以近代《詩經》研究中有一個突出的現象，就是文化人類學
觀點與方法的應用。一些著名學者如郭沫若、胡適、聞一多、顧頡
剛、鄭振鐸等關於《詩經》的論著中都反映出文化人類學觀點。言及
今人的《詩經》研究也有此一現象，對此，有必要作一番回顧、反思
與展望。其重要論點：則就文化人類學進入《詩經》研究領域的並非
偶然，文化人類學應用於《詩經》研究的內容及方法特點、近代《詩
經》研究的一些新觀點的提出可以看出文化人類學的影響，今後《詩
經》研究必然還要繼續應用文化人類學的觀點與方法等方面，分別闡
發說明之。

《詩經周南召南》尚賢思想探微

文幸福（臺灣師範大學副教授）

本文就《周南》、《召南》二十五篇，詳其內容，析其類別，論其指歸，以明尚賢乃致此之途，而後乃知聖人編詩寓教之深意。其重要論點：則就《周南》、《召南》大義簡述，《周南》、《召南》尚賢思想探微，此下又分賢臣，此下又別為求賢、頌賢、慕賢、勸賢、思賢、用賢；賢女，此下又別為求賢女、頌賢女、教賢女；賢子，此下又別為求賢子、頌賢子等方面，分別闡發說明之。

談《詩經》中的怨刺詩與傳統的忠諫思想

傅麗英（河北師院學報副編審）

本文從《詩經》中數十首產生於西周後期言辭直斥天帝和當朝天子的怨刺詩，說明其針砭時政，反映喪亂和道德淪喪及世風頹敗的忠諫思想。其主要說明：則為怨刺詩的產生原因在周道始缺、怨刺詩的作者目的在忠諫、怨刺詩的忠諫精神與以孔子為代表的儒家思想相吻合、怨刺詩為祖國的傳統文化且對後世發生影響等。

論《詩經》的憂患意識

曲家源（山西師範大學學報主編、副編審）

本文從《詩經》中，詩人蘊藏於心的社會現實，而耳聞目睹身受的衰敗、災難、痛苦，有感而發的詩歌，說明其憤懣、不平和憂慮的憂患意識。其重要論點：則就憂患意識的種類，此下又分對周室衰微、人民流離的憂患，對朝廷政治腐敗、奸邪當道的憂患：對社會不

公、個人遭逢不幸的憂患；憂患意識的特徵，此下又分是強烈的社會
責任感、是深厚的歷史感、是濃重的孤獨感：孔子的憂患意識；何人
能夠產生憂患意識等方面，分別闡發說明之。

　　從《詩經》看古人的價值觀
　　林慶彰（中央研究院文哲所副研究員）

　　本文從《周頌》、《小雅》、《大雅》、《國風》的詩篇中，將古人所
崇尚的價值觀念提出加以討論，並就所以形成此種價值觀念的環境因
素加以研析，看周人價值觀今心的演變。其重要論點：則就由詩篇的
時代先後，看出周人思想的演變。此下又分作於西周初年的《周
頌》，充分反映了周人的天命觀念；《大雅》詩篇，則反映了西周中葉
以後的思想情況；《小雅》詩篇，反映了西周中葉到東周初年的思想
情況；《國風》詩篇，大抵是西周末年至春秋中葉的作品。從思想的
演變，看出周人價值觀念之一斑。此下又分公平正義的追求、愛情幸
福的期盼、生命價值的珍惜等方面，分別闡發說明之。

　　試論《詩經》中的哲理詩⋯⋯⋯⋯⋯⋯⋯⋯⋯⋯⋯⋯張宏洪
　　《詩經》中文學思想及其他⋯⋯⋯⋯⋯⋯⋯⋯⋯⋯⋯顧易生

（二）詩教

　　《詩經》與孔子「詩教」
　　殷光熹（雲南大學中文系教授）

　　本文以孔子言《詩》，多屬「詩教」，並不側重於對作品本義的解
說，也不注重於對《詩經》本身的文藝性探討，說明與詩歌理論、文

藝批評有所不同。其重要論點：則就《詩經》成為孔門弟子道德修養的教科書、《詩經》成了孔門弟子從事社交活動和獲取功名利祿的必讀書、學《詩》有助於孔門弟子增長知識、發揮才能三方面，並本《論語》與《詩經》為主要依據以探討之。

孔子的「詩教」
駱承烈（曲阜師範大學孔子文化學院）

本文從孔子的大量引用《詩經》，探討其多方面的「詩教」問題。其重要論點：則就孔子「詩教」在修己正身中的作用，此下又分教育人忠君孝親，尊宗敬祖；教育人克己復禮，善善惡惡；教育人仁愛禮貌，謙恭謹慎；教育人修德行善，正直無邪；教育人咏詩言志，堅定志向。孔子「詩教」在處世交往中的作用，此下又分「不學詩，無以言」；用詩的語主旨參與社會活動；用「雅言」誦詩，促進人際交往。孔子「詩教」在從政、治國中的作用，此下又分孔子依政治標準端正詩；利用詩從事內政外交活動；明確詩在禮樂中的作用；詩是對民眾教化的一種手段等方面，分別闡發說明之。

賈府的「詩教」
韓進廉（河北師大中文系教授）

本文以《紅樓夢》作者曹雪芹的補天思想與「詩教」的哲學基礎孔子中庸之道的契合，導致作者對「詩教」的信仰。說明賈府的「詩教」。其主要說明：則為（1）賈府中的公子小姐以其詩作在不同程度上闡發首詩歌的興、觀、群、怨作用。因而有樂而不淫，哀而不傷；美刺，溫柔敦厚等特色。（2）賈府的敗落，並非「詩教」的流弊，恰

好是敗家子「不學詩」，正統派輕視詩。（3）儒家的「詩教」，對後世的詩歌創作和批評有首深遠的影響。賈府的「詩教」證明，至今仍有其貧貴的借鑒作用等。

　　　　六義與詩教……………………………………………劉躍進
　　　　孔子的詩教：從「思無邪」到「溫柔敦厚」……（法）王家煜

十　以風土禮俗研究為主者

　　此一部分，計得論文十二，有題目而無論文二。內容在對《詩經》中所呈現之神話文化，社會特色，戀愛婚姻，風土習俗，或一己對上述某一問題，作研究探討等。

（一）社會禮俗

　　　　論《詩經》的神話學價值
　　　　趙沛霖（天津市社會科學院文學所研究員）

　　本文以《詩經》受神話的潛在影響，蘊含著很多與宗教神話密切相關的文化信息，與其他幾部記錄神話較多的典籍相比，要早數百年甚至上千年。以距上古神話時代最近，且直接和間接地記錄了那個時代人們對於神話的認識、觀點和態度及其發展變化；記錄又真實可靠，少遭竄改，說明《詩經》包容中國上古文化史，對於神話學文獻及認識我國古代神話思想和宗教觀念的特點，皆具有極大的價值。其重要論點：則就《詩經》的神話學潛在價值、《詩經》的神話學文獻價值、《詩經》的神話思想價值等方面，分別闡發說明之。

說「齊氣」與「魯氣」──從《齊風》與《魯頌》看齊、魯
文化之不同特徵
姜　楠（蘭州大學中文系）

本文以《齊風》與《魯頌》所呈現的內容反映，說明齊、魯兩國
的文化源頭、自然條件、歷史沿革及人文背景。則會發現齊、魯兩地
的文化各自呈現出不同的特徵。即所謂不拘傳統、浮華活潑的齊文化
風格的「齊氣」，與對本於禮樂、質樸務實的魯文化特徵的「魯氣」。
其主要內涵特徵：則就婚戀習俗、社會風尚、審美觀念三方面之不
同，分別探討說明之。

從《詩經》中所見的周代社會民俗文化
李子偉（甘肅天水市北道區教師進修學校講師）

本文在透過《詩經》從西周初期到春秋中期五百多年間，社會生
活的各層面重要資料展現，可以全方位地看到周代社會的民俗文化現
象。其重要論點：則就經濟、社會、信仰、游藝四項民俗文化現象，
分別闡發說明之。

商周開國神話與神化史
大野圭介（日本京都大學博士研究生）

本文以《詩經・大雅・商頌》與《楚辭・天問》中的商、周開國
故事為中心，研討西周時代的周王朝開國神話，並指出每一王朝袖話
因為政治上的要求變為神化史。其重要論點：則就《詩經・大雅》的
周王朝開國神話、《詩經・商頌》的商王朝開國神話、卜辭與《楚

辭‧天問》的商王朝開國神話、《楚辭‧天問》的周王朝開國神話等方面,分別闡發說明之。

　　中國早期認識詩和《詩經》的特點
　　王洲明(山東大學中史系副教授)

　　本文以不同的歷史階段有不同的認識水平;不同的民族有不同的認識特點,說明《詩經》作為文學,是特定歷史階段中國人認識世界的一種結晶,它必然帶有時代的、民族的特點,這種特點的許多基因被延續下來,對形成和固定中華民族詩歌傳統有很大影響。其主要說明:則為(1)中國早期認識論的特點是崇尚社會。崇尚社會的結果,是更多注重人群自身關係的規定和調整,更多注重制度、倫理道德。受此影響,《詩經》表現出的是活生生的、具體的人際間的生活,《詩經》顯示的是已經高度發達了的完備的奴隸社會的價值評判,《詩經》的內容帶有十分明顯的社會倫理道德的色彩。(2)中國古代認識論,在如何把握和反映外觀世界的方式上,更重直覺、更重感悟、更重形象性。其結果影響到《詩經》比與和意境的形成,以至於影響到中國詩的含蓄蘊藉。(3)在辯證法方面,中國講對立,同時講互補;講有別又講有序:著眼點是整體的穩定和諧,以與西方辯證法的流動、變化、突破相區別。受此影響,《詩經》的內容以「無邪」為特徵,形式上無論四字的句式,無論章數和句數的搭配,無論章法以及韻律特點,無一不帶有中庸和諧的審美特徵等。

（二）戀愛婚姻

《詩經》中有關婦女問題之探討
朱守亮《臺灣東吳大學教授》

本文在刺取《詩經》原文，佐以其他有關資料，擺脫《詩序》「后妃之德」的聖女，《朱傳》「淫奔期會」的蕩婦等誤說，說明當時婦女同胞本來面目，真實活動情況。其主要說明：則為（1）地位，此下又分為男尊女卑、聽命父母、屈從丈夫。（2）工作，此下又分為農事、家務、祭祀。（3）情感，此又分為婚前，此下又別為六：婚後，此下亦別為六。（4）姿容，此下又分為生質、怒性、氣度、妝飾。（5）舉止，此下又分為冷嚴、莊矜、溫婉、輕佻。（6）懿德，此下又分為憂國、輔君、相夫、教子。（7）醜行，此又分為禍國、亂君、姦宄、淫穢等。

古代戀情生活的真實寫照──試論《詩經·鄭風》中的愛情詩
王毓椿（廊坊師專中文系副教授）

本文從《詩經·鄭風》裏的愛情詩所反映出的青年男女愛情生活，分析其熱烈歌頌男如青年對愛情大膽、熾烈的追求，美好的嚮往和自由自在、和諧愉快的美滿生活：又某些詩中，對扼殺青年男女愛情的反動禮教，進行了大膽的揭露和無情的鞭笞等。其主要說明：則為（1）熱烈歌頌了青年男女自由自在的戀愛生活。（2）對婚姻生活和戀愛中男女雙方情深意篤的讚美。（3）對戀愛中受害者的同情和支持。（4）真實地反映出婚姻戀愛中的相思之苦。（5）真實地反映了反動禮教是摧殘青年男女戀愛婚姻的罪魁禍首等。

《詩經》愛情婚姻審美價值簡論
王占威（內蒙師大漢文系副教授）

　　本文從《詩經》有關情詩詩篇中，找尋其愛情詩，形象地反映了當時的愛情生活、禮義婚愛、文明求偶、自由戀愛、真摯專一，反對負情背德等方面，在人類愛情文明史上和審美理想上放射出的燦爛光輝，影響著人們的愛情生活，有重大的美學價值。其重要論點：則就貴族禮義婚愛、青春覺醒的文明、求偶、反映了民間的自由戀愛、歌頌真摯專一的愛情，反對負心漢而嚮往真摯的配偶等方面，分別評析說服之。

從《國風》看周代社會的婚戀習俗
陳曉（浙江古籍出版社編輯）

　　本文以《詩經》國風婚戀詩為主，結合同時代的一些文獻資料及與之有關的古今中外民俗資料，對周代社會的戀愛、婚姻習俗作一探討。其重要論點：則就周代社會的戀愛習俗、周代社會的婚姻習俗、國風愛情詩中動植物比興的奧秘三方面，分別闡發說明之。

《詩經》中反映的先秦婚俗
袁梅（濟南大學中文系教授）

　　本文以《詩經》中的大量作品反映了多方面的社會習尚，其中包括先秦婚俗。而國風中又有不少的鄉土樂歌反映了當時會男女的習俗。說明了先秦婚俗與戀愛情形。其主要說明：則為（1）許多樂歌表現了先秦時代的不同地區、不同社會階層在禮俗方面的差異，說明

在社會的中下階層，男女婚戀還相當自由，而且其婚戀生活與審美標準多與勞動密切相關。（2）有些作品反映了類似「六禮」的民俗事象（如納采、納吉、請期、親迎等）也能從某些詩歌中看出周代有同姓不婚與注重門第的禮俗。（3）當時的社會中下階層實行一夫一妻制，而王公貴族則可一夫多妻，且有上下輩或平輩之間的亂倫現象，此乃古代多婚或群婚的殘餘形態。（4）由於春秋時期專偶婚一夫一妻制基本定型，社會上已形成新的倫理觀念，所以婚戀中的亂倫現象常受世人的譏彈等。

關於《詩經》中的捕兔趣味語句和婚宴席間的舞蹈表演
日本・石川三佐男（柴世森譯，王欣校）

本文從《詩經》中有關兔一類詩篇，考察得知《詩經》中的捕兔趣味語句的胚胎，形成與發展的具體譜系。根據這一點，《詩經・周南》中的〈桃夭〉、〈兔罝〉和〈芣苢〉等三篇和《詩經・王風》中的〈兔爰〉、〈葛藟〉和〈采葛〉等三篇，雖有典雅和詼諧的差別，但分別伴有捕兔的餘興舞蹈表演。與此同時，據說接續前兩篇的對口說唱，用後一篇加以伴奏，作為婚宴的組歌而編排出來，這點已經明確。其主要說明：則為（1）兔是祭祀豐收神使者適合的入選對象。（2）祭兔儀式是伴隨著捕兔這種祭神活動而產生的。（3）《詩經・周南・兔罝》的「肅肅兔罝，椓之丁丁」，是用來表現吉祥來臨的趣味語句，也是用來說明從捕兔開始的祭神活動，同時又展開婚宴席間的舞蹈表演的。（4）《詩經・王風・兔爰》的「有兔爰爰，雉離於羅」，是用以《詩經・周南・兔罝》中的趣味語句詼諧地表示出展開的災難來臨的趣味語句等。

　　《詩經》中的思婦與棄婦及其詩作特色

　　　孔慈雲（濟南大學中文系）

　　本文從《詩經》眾多的婚戀詩中，找尋思婦、棄婦的愁苦、悲憤，周代婦女樸素的思想感情及其詩作的藝術特色。其重要論點：則就《詩經》中的思婦，此下又分類型、處境、心態與後世不同；《詩經》中的棄婦，此下又分遭棄原因在無子、丈夫另有新歡，孤獨中發現自我，抗爭意識的局限性：《詩經》中思婦詩與棄婦詩在創作上的藝術特色，此下又分古拙純樸詩風、悲戚抑鬱色調等方面，分別闡發說明之。

十一　以藝術審美研究為主者

　　此一部分，計得論文十二。內容在對《詩經》中所呈現之有關內涵無形或有形的各種藝術美特色，或一己對上述問題研究、探討其在創作形式上所以如此各方面之審美等。

（一）藝術內涵

　　《詩經》中的「詩話」

　　　張蕾（河北師範大學中文系）

　　本文從《詩經》中不下二十首涉及到文學觀念的「詩話」中，可以約略推知遠古時期，盡管它很樸拙，而且是一種非自覺意識的先民文學觀。其主要說明：則為（1）《詩經》中的「詩話」，是我國古代文學批評的雛形。（2）《詩經》中的「詩話」，既有對創作意圖的表述，也有對詩歌某些功能作用的認識，甚至還可以捕捉到重視文學創

作內在規律的萌芽。（3）在非自覺狀態下產生的《詩經》中的「詩
話」，除對文學觀念的直述，尚有許多暗含「詩話」的詩作，向讀者
昭示著文學的特質，這需要讀者在閱讀中悉心體悟。詩言志這一中國
詩論的開山綱領，未嘗不是這種體悟的結晶。（4）《詩經》中的「詩
話」開了我國詩人論詩批評方式的先河，「詩話」表現出的特有審美
價值，對我國古代文學批評產生了深遠影響。（5）詩人直接參與鑒賞
與批評，對我國詩論偏重直覺而理思匱乏的特徵形成，有不可忽視的
作用等。

《詩經》心理描寫藝術探微
白承錫（韓國東國大學中文科副教授）

本文以中國為代表的東方古典文學，其基本特徵是吟咏情性，善
於表現人的或喜悅、或憤怒、或哀傷、或激昂的內心世界。借以明證
心理描寫藝術幾乎與東方文學相伴而生，作為中國古典文學源頭的
《詩經》，其心理描寫藝術已經達到了相當成熟的境地。其主要說
明：則為（1）《詩經》中不管敘事性的、抒情性的，還是議論性的詩
篇，無不顯示著精采紛呈的心理描寫藝術。（2）《詩經》中最常見的
心理描寫藝術，是人物的內心獨白。（3）《詩經》另一個心理描寫藝
術，是人物的象徵、聯想和意識流動。（4）《詩經》的心理描寫藝術
顯示古人高超的審美情趣和偉大的創造力，為後世的文學創作提供了
十分寶貴的藝術借鑒等。

論《詩經》的抒情藝術
王延海（遼寧大學中文系副教授）

　　本文以《詩經》，前人雖各有不同之用的說法，實為中國最古老的抒情詩集，所有詩篇皆為抒情詩。其重要論點：則就《詩經》的性質──中國最早的抒情詩集、《詩經》的抒情風格和特點、《詩經》的抒情手法、《詩經》抒情的藝術效果及對中國抒情詩發展的影響等方面，分別闡發說明之。

　　試論《詩經》的敘事藝術
　　張來芳（南昌大學中文系副教授）

　　本文從《詩經》中的敘事詩為數不多，而且顯得拙直、稚嫩的詩篇中，找尋它在敘事詩發展過程中不容忽視的橋樑作用。其主要說明：則為（1）《詩經》敘事詩或以記敘農事為內容，或以記載周族祖先開國事跡為內容，都是以敘述事件為基本特徵。（2）《詩經》敘事詩或結合客觀環境描寫，或通過人物的言行舉止，或借助人物的心理活動，塑造了不同性格的人物形象，揭示了人物複雜的內心世界。（3）《詩經》敘事詩或善於描寫事物生動場面，或運用生動傳神的特寫鏡頭，或巧用繪畫手法刻畫人物肖像，在細節描寫上取得了較為成功的藝術效果。（4）《詩經》敘事藝術為我國敘事詩的發展打下了一定基礎，是我國早期敘事詩的重要發展階段，對後世敘事詩的發展產生了深遠的影響等。

　　《詩經》中自然物的心靈化與山水審美
　　李　蹊（山西大學師範學院中文系教授）

　　本文以山水文學作為山水審美的一部分，是詩人把山水自然物當作審美對象，詩人的心靈在與山水自然物的交流中，最終創造出意

象、意境，從而實現和確證詩人主體心靈自由的審美過程。其主要說明：則為（1）山水文學現象的源頭無疑是《詩經》中有關比興的部分詩句。（2）人化山水是主體情志滲透過的山水，包括原始宗教崇拜的山川自然物。（2）比興乃是勞動過程、原始宗教崇拜過程、社會生活過程中情志的泛化。（3）經過儒、道學派從不同角度的提煉，人的全面而豐富的本質力量進一步全整地向自然山水泛化，終於在文學領域找到了肯定這一審美內涵的形式：山水文學等。

《詩經》的音樂性及其美學意義
龔道運（新加坡大學中文系高級講師）

本文以《詩經》由於樂器或土風不同而有風、雅、頌之別，其曲調雖失傳，但可由歌辭約略推知其聲調、曲式、價值等。其主要說明：則為（1）《詩經》與音樂的密切關係。若配合《論語‧泰伯》、《儀禮‧鄉飲酒禮》所言，則可了解《詩經》與古代交響樂的密切關係。（2）《詩經》音樂性曲式的特色，此下又分風的重複曲調多屬簡單重複，小雅則漸進為否定式（對比）重複，大雅更進為再現式重複。（3）《詩經》音樂美學的價值，此下又分大雅最高，小雅次之，風又次之。頌則由於曲式較雜亂，致影響其美學價值等。

風詩含蓄美詩析
蔣立甫（安徽師範大學中文系教授）

本文從《詩經》風詩中，論析其作為中國詩歌民族風格的主要特徵之一含蓄美的內涵，即指詩以少總多，寄意於言（象）外。從而激發讀者審美想像，再豐富再創造，並具體說明一首詩中含蓄美形成的

藝術手段。其重要論點：則就虛實相生、言此意彼、言外見意、欲言還止、妙在無理、化景為情、意蘊朦朧等方面，分別闡發說明之。

重新認識《詩》的審美價值
王魯一　黃彥《齊魯書社、三亞電臺編審》

本文由審美入手，從《詩經》內中國傳統美學中的一些基本範疇中，找尋呈現於三百篇中吾國古代審美理想的特質，或有助於澄清多年的迷霧，逼近《詩》之本義。其主要說明：則為（1）先秦時代，《詩》的審美價值一度受到人們重視，然時代所限，尚缺乏理性的自覺。（2）漢代獨尊儒術，《詩》成了經，被罩上神聖的光環，言《詩》者必稱王政教化、后妃之德，兩千餘年來被視為載道的工具：《詩》學雖精，《詩》義則廢。（3）近世西學東漸，國人亦多效顰歐洲，以現實、浪漫規範《詩》、《騷》，甚至從《詩》中讀出奴隸反抗的人民性來。以之治《詩》，不啻隔靴搔癢，以致聚訟紛紜，《詩》義愈難明晰。（4）《詩》其實不過是先民的歌唱、言志而已，沒有必要搞得那樣神秘複雜。（5）《騷》與《詩》的血緣關係，清代學者即曾指出，何以今之學人反厚彼而薄此等。

（二）創作分析

《詩經》的創作意蘊
黃坤堯（香港中文大學中文系講師）

本文從《詩經》有關詩篇中，探討其創作的藝術意蘊。其重要論點：則就套語運用及詩歌句法、章法的特點：詩歌創作中的女性角色，賦比興與詩人的感性表現，史詩中的憂患意識與天人效應，無韻

詩的藝術特點等方面，分別闡發說明之。

《詩經》審美觀念試析
張崇琛（蘭州大學中文系副教授）

本文以《詩經》中雖沒有關於美學理論的專門論述，但卻體現出一種獨具特色的審美觀念，說明《詩經》的審美觀念，雖有時代和地域上的差異，但其中也有不少的共同點。其重要論點：則就自然美、朦朧美、動態美、壯大美等方面，分別闡發說明之。

中國表情文學傳統的濫觴──《詩經》現實主義藝術問題再審視
廖　群（山東大學中文系講師）

本文以《詩經》總體上既非偏於客觀，亦不執一於主觀，而是一個主客不分、天人合一的藝術世界。有的以情移物，有的虛實相間，有的緣事而發，卻捨事重發，有的敘事摹物却總有主觀參與等。對《詩經》現實主義藝術問題，作重新審視其所以較少具有創作方法意義上的現宣主義特徵。其主要說明：則為（1）是它的時代還沒有明顯的主體覺醒，主體與客體的分離及其尖銳對立。（2）是它所處的東方古典文化氛圍重和不重分，重情、志、意，輕理、實、境。（2）是詩這一偏於抒情的體裁也限制了現實主義的充分發展。（3）是它的創作基本特點與西方文學相比，中國古典文學在不脫離實境中又偏於抒情寫意。追根溯源，《詩經》主客合一而非現實主義才是它的濫觴等。

　　《詩經》創作與音樂形式

　　黃坤堯（香港中文大學中文系講師）

　　本文從《詩經》中某些作品原是合樂的歌詞，或詩的語言吸納了
若干音樂性影響。透過詩歌的調式與韻式區別《詩經》的章節結構，
從而探討《詩經》創作與音樂形式的關係。其重要論點：則就虛聲與
和聲，此下又分虛聲不容易保存，今已無多少痕跡；和聲為句首和
聲、句中和聲、句末和聲、單章和聲、重章換韻、無韻詩等方面，分
別闡發說明之。

十二　以文字音律研究為主者

　　此一部份，計得論文七，有題目而無論文者一。內容在對《詩
經》所呈現之語言、文字、聲音、韻律之運用與影響後世之創作，或
一己對上述問題，作研究探討等。

（一）語言文字

　　《詩》對中國語言文化隱喻品性形成的影響

　　王長華（河北師院中文系副教授）

　　本文從《詩經》中有關中華民族原生語言遺存，探求瞻之在前，
忽焉在後中國語言文化主要特徵的隱喻品性。其主要說明：則為（1）
《詩》與《易》、《書》都是為實用而創造的，但在表達實用目的的方
式上，《詩》中運用了較多的比喻語言，其使用有別於其他作品，也
是它有可能對中國語言文化隱喻品性造成影密的內在質素。（2）進入
春秋時代以後，《詩》由於出言有章，被廣泛應用於從政、外交、道

德培養、知識增進等場合諸方面;在傳播過程中,《詩》中詩篇的具
體描寫不斷由個別被推向一般,《詩》開始被泛語言化。造成這種現
象的原因,主要是於《詩》中有喻。(3)中國語主旨文化的基本特徵
是柔性的,非此非彼、亦此亦彼的:是非邏輯、形象性、寓言化的:
是神龍見首不見尾的。這些恰恰都是《詩三百》語言的功能和特徵。
(4)秦始皇焚書和項羽咸陽放火,使先秦古籍喪失殆盡,唯有
《詩》因其形式便於記誦而得以完整保存。因此,討論《詩》與中國
語主旨文化隱喻品性的關係,絕非查無實據的相似性聯想,而是對一
種歷史事實的切實認定等。

　　　釋《詩經》寫健美的一組近義形容詞
　　　雒江生(甘肅天水師專中文系副教授)

　　本文從《詩經》中某些字的音義詞性不同,而釋《詩經》寫健美
的一組近義形容詞。其重要論點:則就展、泄泄;舒、脫脫、掘閱;
寬、蔿、軸等方面,分別舉例闡明之。

　　　《詩經》與漢語詞匯發展
　　　向熹(四川大學中文系教授)

　　本文以《詩經》是我國最早的詩歌總集,是現實主義詩歌創作的
圭臬,其作用遠遠超出了詩歌的範圍。除春秋時期已被看作政治和生
活的教科書,戰國以後常被引作說理立論的依據經典外,再說明對漢
語詞匯的豐富和發展產生巨大的影響。其重要論點:則就《詩經》已
有的詞語得到廣泛的傳播,在《詩經》單音詞的基礎上創造了近千個
複音詞、《詩經》以四字句為主,與成語的四字格形式一致等方面,
分別闡發說明之。

《詩經》異文簡論
張樹波（河北省社科院文學所副研究員）

本文從清代學者基本上是停留在對《詩經》異文，作調查清理和記錄解釋階段，進而在宏觀研究和規律性探索方面作一分析。其主要說明：則為（1）分析異文形成的社會歷史條件和文化背景五方面產生和繁衍的具體原因。（2）根據異文的不同成因、不同內在聯繫和不同特點特徵，將《詩經》異文歸納界說為十四種基本類型。（3）指出《詩經》異文研究本身具備的三個可貴品格等。

幾種早期《詩經》注文的比較研究……………………………祝敏徹

（二）聲音韻律

《詩經》與古音學
龍莊偉（河北師院中文系主任）

本文以《詩經》中古音材料，探索與古音學的相互關係。其主要說明：則為（1）介紹古音學發生和發展的概況，以及《詩經》與古音學的關係，古音學的萌生階段，是與文學（經學）密不可分。（2）古音學的興盛時期，古音研究與文學研究相對獨立，古音學的研究成果為文學研究服務，特別是在作品的校勘方面，古音學對《詩經》的考訂尤其重要。（3）現代的古音學，作為音韻學的一個分支，已經完全脫離了文學研究的範圍，它有自己獨立的理論和方法，《詩經》仍是古音學研究的主要材料等。

《詩經》與詩律

支菊生（天津師大中文系教授）

　　本文從《詩經》中就已孕育了格律的萌芽，初步顯示了古代詩歌格律化的趨勢。探討近體詩格律的形成是一個漫長的由量變到質變的過程。其主要說明：則為（1）《詩經》雖齊言與雜言並存，但齊言占優勢，全篇四言或基本是全篇四言的將近三分之二，句式整齊是詩歌向格律化邁出的第一步。此外《詩經》每章中，四句或八句者占總章數一半以上，定型的律詩正是每首八句。（2）《詩經》的押韻方法盡管紛繁多變，但有兩點值得注意：一是普遍押尾韻；二是偶句押韻或基本上為偶句押韻者占優勢，律詩正是以偶句押韻為則。（3）《詩經》時代雖然聲調觀念尚不明確，但聲調的客觀存在通過押韻得到了反映，韻字屬同聲調都較為普遍。《詩經》中大多為同聲調押韻，也就是使押韻句的末字聲調取得一致，這對律詩平仄格律的形成不無影響。（4）《詩經》中有大量的對偶句，主要的對偶形式都可在《詩經》中找到源頭。盡管還處在渾樸自然的狀態，但即是後世律詩中精巧對仗的雛形等。

《魯頌・駧》的韻律風格

竺家寧（臺灣中正大學教授）

　　本文從《詩經・魯頌・駧》一詩中，探討分析其語言風格學的韻律結構。其主要說明：則為（1）語言風格學是近年來新興的學科，它是運用現代語言學的觀念和方法，對文學作品進行精確的、分析的描述，並以規律表明作品的風格，這和傳統的文學批評或作品賞析全然不同。（2）語言風格往往表現在語法、詞匯、音韻三方面，而《詩

經》是最具有音樂性的上古文學作品，因此，我們一方面藉助上古音韵知識，以了解《駉》的具體音值，一方面運用語言分析的技術，對《駉》的音樂效果作深入的探索。（3）限於篇幅，對語法、詞匯兩方面則略而不論等。

結語

　　經以上將所有論文粗略的分類和簡述，當可看出此次《詩經》國際學術研討會之輝煌成就，似已達到前緒言中章程總則宗旨及開幕詞中的期望和目的。至於緒言中研究目的所提，亦可了悉其大概情形，茲為更有系統計，除因海外及臺、港文章不多，不能看出重要問題所在，暫且不論外，特將大陸所有文章與臺灣已有研究成果作一鳥瞰，諸如研究承襲上、內容上、取材上、方法上、目標上，雖各稍有不同，但無太大差異。惟在觀念上、態度上、成果上、品質上，甚而未來導向上，則有著明顯的不同，現簡述如下：

　　觀念上：也許因許多政治上的或學說理論上的諸多因素，不管有無必然關係，總喜歡采用馬克斯、黑格爾、恩格斯、魯迅，甚而毛澤東甚麼理論學說等？[3]視臺灣學者寫文章，用孔子說、孟子說，甚而國父說、總統說為尤甚。寫學術論文，難道除了這些太權威的哲士或地位顯赫的偉人外，竟少有其他學術理論的後起者的立論可為依據嗎？讀來很難令人接受。

　　態度上：也許因許多制度上的或本身學養上的諸多因素，不管任何問題，總喜歡用奴隸主貴族、統治階級、農奴、女奴、勞動人民一類字句，甚而「《詩經》是封建社會官定的對人民的教科書。」「第一

3　〈論史詩與劇詩〉一文最多，其他論文中亦有。

次農奴大起義」、「模仿《詩經》出版過一本《紅旗歌謠》三百篇」，[4]
又「不妨把政治詩中出勞動人民之手的作品稱為諷刺詩、把貴族統治
階級作的詩歌稱作怨刺詩。」[5]如此下定義的句法，很耐人尋味。在
文章中好像不如此，不夠現代，不夠新潮，不夠前進，不夠擺脫封建
思想的包袱。要知道，任何學術文化，是有其根本、源頭的，為甚麼
一定要將過去完全否定呢？就不能以當時的情況，論斷當時事情的產
生因素之所在，而老在以今非古，炒冷飯，如何如何地抗爭、反對，
祭出二分法的對立呢？這些問題，也好像有些孔老二如何如何，禮教
殺人等意味讓人費解了。

　　成果上：也許因長期的動亂不安，反這個，反那個，此起彼落，
學者沒有研究的環境，所以略遜於臺灣。自兩岸隔絕四十多年來，雖
沒有詳確的統計數字，臺灣出版的書及論文，則在二五〇〇至二七
〇〇種之間，而大陸則在一八〇〇至三〇〇種之間。不僅此也，「臺灣
同行的研究，在許多課題研究的深度和廣度上是領先的。例如，《詩
經》學史的研究，近四十年論著近百種，其中具體評介了大陸學者尚
未研究或研究尚粗略的一些名家名著。在考證、輯佚、辨偽、異文、
古音等方面，也有顯著成效。如程元敏《三經新義輯考匯評》輯佚文
一〇四〇條及諸家評論二七三條，大陸中華書局出版的《詩義鉤沉》
相形見絀。林慶彰《子貢詩說考辨》論證《申培詩說》非明豐坊偽
作，而是王文祿鈔《魯詩世學》的詩序而成，打破了數百年來之成
說。他們注意信息，關心大陸研究的進展，重版和評介大陸出版的專
著，利用大陸考古新發現，如阜陽漢簡於一九八四年整理公布，臺灣
在一年多時間中就發表了一組多篇有見解的論文。反映快，比大陸文

4　〈論《詩經》的憂患意識〉。

5　〈二雅刺詩探〉。

章多。」[6]且大陸「研究起點低、低水平的重複多，缺乏當代理論思想的光輝；厚此薄彼，以部分代全體，對多數作品棄而不論；忽略文學藝術特徵和重複雜性的庸俗社會學傾向。」[7]這些問題，也都是事實。

論文品質上：有一些綱目井然，秩然有序，廣徵博引，詳實賅洽，理念正確，且多獨特創見，讀之稱快，深感讚佩欽羨，極願代為試投臺灣刊物廣為傳播外；也有的雖名為論文，實不太像論文，有的不僅無子目、不分段、缺附註說明出處；甚而「揮毫落紙如雲姻」，一路快意寫到底，想理出個重點，難之又難，讀來很吃力。也有的寥寥三數頁，除稍加解釋外，則翻譯一遍了事。雖譯文極佳，但站在學術研討會立場言，究竟不甚接近論文。

未來導向上：想是時代潮流所趨，大陸學者的研究方向已步入多元化，有了許多新跡象。除過去一般性的研究外，增多了新途徑、新方法、新理論。在風土禮俗、社會情態、心理活動，甚而創作表達的藝術審美上，都有較多的篇幅。這似乎已看出《詩經》將更進一步的脫離政治教條，乃至固有學術思想的羈絆。又由於某些探微、新論、辨析，甚而以解釋、翻譯出之的論文增多，《詩經》的研究，將更步入普遍化，更接近一般大眾，將成為不爭的事實。也漸漸脫離了所謂專家學者，某一特殊階層所獨擁的專利品了，這是極可喜的現象。將來所有研究者，恐將有更多的研究空間了。

在政治掛帥，經濟掛帥，科學掛帥，甚而權勢地位掛帥的今日，真正的讀書人，想真正地從事研究吾國文化遺產，被一般人視之為瓦礫的璵璠，恐怕越來越難了。在學術研究方面，號稱有悠久歷史的大國，有時竟不如一向被視為無文化根基的夷狄外邦，思之悵然。「日

6　〈繼往開來，加強合作，把《詩經》學提高到新水平〉。

7　〈近四十年來中國大陸《詩經》研究概說〉。

本學者為推展研究工作，往往以一兩人的力量，創辦刊物。在經學方面，我們也可以看到《周易研究》和《詩經研究》等兩個刊物。《詩經研究》的社址設於早稻田大學文學部村山吉廣教授的研究室內，於一九七四年（昭和四九）十月發行第一號，迄今近二十年間從未間斷，已發行十六號，每期約登四、五篇論文；另有《詩經關係文獻目錄》，報導中、日兩地的《詩經》研究成果。這不僅反映日本學者對學術工作的執著，也可以反映日本學者研究《詩經》的部份成果。這點也是國內學者所不及的。」[8]臺灣已不及，大陸更別說了。會議結束返臺後，好多大陸學者，見過面交談過的，或根本沒見過面，沒交談過的，紛紛惠寄專書、文章、資料來家，讀來函深深可體會到想真正作學問的有太多無奈，深願協手共同為《詩經》研究而努力，讀之感慨良多。又想在大陸既有實地可遊覽，實物可考查，舊有典籍可參閱，尤其難得的，有新出土的文獻可驗證。在此優厚條件下，有心人別說鼓勵、獎腋、提倡研究如何如何了，只要不橫加貶抑，以臭老九、鑽故紙堆的三家村學究視之；讓「政治的歸政治，學術的歸學術。」我想默默苦讀《詩經》的同好，如假以時日，必將有更卓越輝煌的豐碩成果可以問世了吧？

本文一九九四年（民國八十三年）四月，於第一屆經學學術討論會中宣讀，並收入該論文集中。

---

8 《日本研究經學論著目錄‧自序》。

拾　趙制陽《詩經名著評介》序

【編按：本序文為朱守亮先生為趙制陽《詩經名著評介》第二集（臺北：五南圖書，1993年7月）所作。趙制陽先生（1922-），浙江省溫嶺縣人，1946年來臺，考入臺灣省立師範學院教育系肄業；後改習中國文學，成為國文教師，並在《詩經》學術研究上造詣甚深，是戰後臺灣早期知名《詩經》學者之一。曾擔任新竹中學國文教員，以及明新工專、新竹師專、東海大學等校教授。著有《毛詩序傳六義辨》、《詩經虛字通辨》、《詩經賦比興綜論》、《詩經名著評介》（共三集）等書。趙制陽先生與朱守亮先生年齡相近，又同治《詩經》，交遊論學數十載不輟。現在朱先生家中，還保有甚多趙先生寄來的信函、字畫等，可見兩位學人的深厚情誼。】

　　制陽兄，精於葩經者也，相識近四十年，知其從事於詩經之研究，已逾三十載。專書方面，計有：「詩經虛字通辨」、「詩經賦比興綜論」二書，傳世已久。其他有關研究論文，多達四十餘篇。除對讀詩方法集問題討論外，多在史事之考辨覈實，優劣之鑑賞品評，以其筆鋒犀利，斷制謹嚴，致卓然有成。尤以民國七十三至七十七年間，其研究成果，皆榮獲國科會教授級研究成果獎。若非有特殊專精及貢獻，何尲至此？制陽兄於某一問題探討，必廣徵他說，逐一覈實。所

得結論，於前人說詩，多有糾正補充，甚而完全相反者。制陽兄乃一醇厚君子，非標新立異苛刻之士，其所以如此者，事實如此，不得不如此也。余以授詩經二十餘年，為方便授課計，十年前草成「詩經評釋」近千頁。稿成，即先影印呈制陽兄，得其糾正、增刪、修飾、潤色者至夥，心深感焉。此後為文，亦多請其過目後而安，以此可知余之感佩欽羨也。制陽兄之論文，除附刊於「詩經虛字通辨」外，另二十篇，以「詩經名著評介」專集傳世。今又收論文十三篇，以「詩經名著評介」第二集刊行。囑余序之，詳讀後，除奮然道其對茈經研究之成果及貢獻外，至其所謂「斧正」云云，則余豈敢，自當退避三舍焉！丁壯之年相識，今皆垂垂老矣，深嘆時光之無情流逝也。來函云：「相識四十年，同嗜一經之好。」噫！今後雖仍同嗜一經，但不復再有四十年矣，然否？夫子有云：「盡心焉耳已」，以此互勉可也。

民國八十一年七月二十四日朱守亮謹序於臺北木柵政治大學

拾壹　與夏傳才教授書信四通

【編按：夏傳才教授（1924-2017），安徽亳縣人，中國當代知名古典文學與《詩經》學者，曾任北京師範大學教師、天津師範大學講師、河北師範大學教授、中國詩經學會會長等職。一生戮力於古典文學與《詩經》學術研究，不僅桃李滿天下，學友亦遍及四海，朱守亮先生即其在臺學友之一。以下即朱守亮先生寄與夏傳才先生之書信四通，收錄於夏傳才編選：《詩經一瓣留餘香》（廈門：鷺江出版社，2016年4月），頁128-131。】

一

　　弟賤軀精壯如昔，雖年逾古稀，寫作仍不願稍懈，年來完成四五篇文章，十餘萬言。其所以如此者，不願負一己所志，尤不願負諸友好如吾兄者之所期勉也。家中房屋設計翻修，等於重建，頗感舒適，真符合蔣植學圃。吾兄能來臺參加學術會議，便懸榻下解，備作憩息，何等稱快。弟本學期課不多，兩校所系，專兼任僅九小時，兩個上午一個下午離開書房而已。寒冬已至，你我兄弟皆宜注意保健，蓋吾等雖老朽亦仍有弘揚學術文化使命在身也。（年月不詳）

二

弟兩個月前發表〈論語中之子貢〉一文，現在寫〈論語中之子夏〉，所內仍留有碩、博士班詩經與韓非子研究多課，上下學期輪開，各三小時，沒什麼負擔。《詩經資料考證》的計畫，因十三經編纂組織發生財務狀況，也就不幹了；許多事要交給年輕人去幹。當然，書還是要讀的，文章還是要寫的，有益的事還要做的，只是不那麼拚了。我們年齡都這麼大了，有些病其實也是正常現象，注意檢查保健，定時服應服的藥，聽醫生的話，也就是了，沒啥擔心的，對吧？（2000年7月16日）

三

在漢城相聚時說「張家界見」，這個念頭一直沒變。但返臺後，內子周鳳文腿風濕痛重犯，腸胃亦有潰瘍，今已住院數日。內子住院，九十四歲高齡的老岳母也需人照顧，在這種情況下，我怎麼能去張家界呢？

老哥曾慨歎自己老矣。據我看，人老腦不老，腦還在運轉，手還在書寫。下月政大有小型學術研討會，我已提交文章，臺灣十二月開經學會議（以詩經為主），我亦不會缺席。我們要帶頭，給青年們看看，我們這一輩吃苦受難的流亡學生，是怎樣為傳承中華學術文化在盡力。「老」不會擊敗我們，但我們又必須注意保健，爭取多工作幾年。離開會還有四個月，老哥別忘記交代一下。一個流亡異鄉數十年，仍在孤燈下苦讀，為學術努力的老朋友，真摯而虔誠地祝願大會成功，與會老友健康。（2001年4月10日）

四

　　久未見面，時在念中。臺灣最近刮颱風淹大水，弟住山坡上，無礙。惟天氣太熱，想北方故國，也好不到哪裏去，忘多珍重。《論語中之四科十子》不能再拖了，狠狠心，清稿了事。現正接洽出版，特將有關資料奉上，請過目。本書單篇文成後，復經四五位教授好友削其贅疣，補其不足，繩其謬誤，正其偏頗，甚而修飾潤色其文字，已救其將失。雖屬個人著述，實含有眾多友人之心血。年逾八十，仍孜孜不倦，未敢稍懈，振筆疾書，凡八易其稿，用心之苦，可以想見。故本書可備專家學者作專題研究參考之用，其他讀者讀是書，亦可收勵志、益智、養心、怡情之效。

　　這本不到五十萬字的小冊子，從開始寫單篇文章，竟花掉我九年多時間，何以竟如此？真的是「體貌衰乎下」，不如從前勇猛了。究其原因，則在既已發表過的文章，一發現另有可採納的資料，不管是正面的，還是反面的，就想收入附說中，期能增加多方面的認知，或據以修正一己似成定論的看法，就這樣，增呀，補呀，修正呀，竟欲罷不能。……我真不知道，如此花掉我太多的時間，值得不值得，是否浪費時間，糟蹋生命？此時猛然察覺，如此做，已經不是印書不印書的問題，而是該不該繼續工作的問題了；這一想法產生，又使自己大大地迷惑了……

　　原計畫把修正後較為滿意的清稿，在付梓前，再送給好友求教，請其再「削其贅疣，補其不足，繩其謬誤，正其偏頗，而救其將失」，但一想那時必又有新意見提出，必須再處理；世上任何文稿，哪有沒問題的，書印出後再討論，又有什麼關係？因此，本已懇請作為總校訂把關的好朋友，也就不再麻煩他了，等書出版後，再提出問題討論吧。（2005年7月8日臺北木柵寄寓亦圃齋）

輯二 《論語》、儒學與治學方法

壹 《論語》問仁

　　《呂氏春秋‧不二篇》謂孔子貴仁，而徵之論語群弟子，問者異人，教者異辭，竟無成說之可依，願就所知，試加疏證。

　　子罕言利，與命與仁。蓋計利害義，天命理微，夫子罕言之宜也。仁則《論語》所記已言之詳矣，而亦曰罕言者，何也？謂其不敢自居於仁，亦不輕以仁許人也。夫子有云：「若聖與仁，則吾豈敢。」此夫子不敢自居於仁也。子張以令尹子文三仕三已，無喜無慍；陳文子棄十乘之馬，去弒君之邦為仁矣，夫子但答之：「不知，焉得仁！」又孟武伯問子路、冉求、公西華仁乎？夫子以可使：「治賦」、「為宰」、「與賓客言」，俱以「不知其仁也」答之，此夫子不敢輕以仁許人也！是以論語一書中，惟「殷有三仁」，伯夷叔齊之「求仁而得仁」，顏回之「三月不違仁」，管夷吾之「如其仁」而已。

　　仁遠乎哉！我欲仁，斯仁至矣！故剛毅木訥近仁，博施濟眾即仁，克伐怨欲不行焉為仁，修禮習樂，力行實踐，無一非仁。其行之之道，本於辭讓進退，孝弟事親，至於問答應對，治邦敬君。當其有得於心也，能安能樂，能好能惡。小則有殺身以成仁，無求生以害仁；大則德被四海，恩及禽獸，至乎沛然莫之能禦之境矣。正路安宅，豈可舍之而弗行居也！其義甚明，群弟子問者雖異人，教者似不應異辭，而所以然者，蓋有其道存焉。

　　古者文子尚簡，紙筆未興，簡牘之用少，口耳之傳多，故書寫不

便，攜持亦難。論語所載，雖各僅問仁一詞，或問為仁之方，或問行仁之道；而記者僅以問仁書之，未加區別，能細玩夫子答語，則可窺其端緒，握其本末，而不為文辭所惑矣。此其一。

七十子之中，資有高下，學有深淺，行有所偏，志有所專，不可強而一之。師辟、由喭、柴愚、參魯；曾點樂遊，子張干祿；顏回不違，宰予晝寢；樊遲圃稼，子貢貨殖；仲弓尚簡，漆雕少信，此其不同也。中人以上，可以語上也；中人以下，不可以語上也。是以卓爾之嘆，一貫之唯，見乎顏淵曾參；性與天道，不得聞於端木賜也。且狂者進取，狷者不為。止乎兼人之仲由，進乎畫地之冉求，此亦勢之所使然。若不因材施教，就事裁之，納人一己百，知二知十於一爐而冶之，則漫乎過與不及之差等矣！此其二。

孔子論仁，多就事指點，重在親身實踐，躬行自致，從功夫中求得。道固可致，必由其方，其所以答教異辭者，即告之以求之之方也。譬諸首都，欲至者眾矣！夫子所能為諸子告者，道路舟車，某也從某往，從入之途耳，皆各就其材性所近而詔之，使其咸有以自致。致於仁果何事？都城美富，必俟夫學者躬至其地而自得焉。宗廟之美，百官之富，得其門而入者則及見之矣。此其三。

顏淵問仁，夫子以「克己復禮」答之。仲弓問仁，夫子以「出門如見大賓，使民如承大祭。己所不欲，勿施於人。在邦無怨，在家無怨」答之。司馬牛問仁，夫子以「其言也訒」答之。子貢問為仁，夫子以「工欲善其事，必先利其器。居是邦也，事其大夫之賢者，友其士之仁者」答之。子張問仁，夫子以「能行五者（恭寬信敏惠）於天下」答之。答雖異辭，告其從入之途，某也從某往則一。或曰：樊遲一人耳，問仁有三，初則告之「先難而後獲」，繼則告之「愛人」，終則告之「居處恭，執事敬，與人忠，雖之夷狄，不可棄也」。未知何者至乎仁？答曰：此三者各為樊氏從入之道途，所往之方向。一人而

復異辭者，蓋樊氏年有少長，學有淺深，欲往之方向有變耳！若答教不異辭，則昧乎溯行順流，北上南下矣。

　　本文原發表於《孔孟月刊》第4卷第5期，1966年1月。

貳　《論語》、《孟子》中「仁」字之研究

引言

　　近年來因寫《呂氏春秋》與儒、道、墨、法等諸家關係論文，深以為真正可代表中國文化者，厥為儒家。而恢復中國固有文化運動，其重點亦在恢復儒家所代表之中國文化。但儒家之所以為儒家，固然可由甚多方面瞭解之，諸如倫理學說，教育思想，政治主張，甚或處世態度，修身涵養等皆是。但最最重要者，乃一「仁」字。而有關「仁」字之記載書籍雖多，但又以《論語》、《孟子》二書為最。因之，欲研究中國固有文化，欲恢愎中國固有文化，又非由《論語》、《孟子》書中所言「仁」字入手不可，故作〈《論語》、《孟子》中「仁」字之研究〉。

　　蔡子民先生謂：「孔子所謂仁，乃是統攝諸德，完成人格之名」。（《中國倫理學史》）[1]胡適先生亦然其說。（《中國古代哲學史》）[2]李濟先生謂：「仁之成為一種學說，當從孔子開始，在孔子以前文獻中，

1　校注：蔡元培：《中國倫理學史》（臺北：臺灣商務印書館，1968年2月），頁14。原文為：「孔子理想中之完人，謂之聖人。聖人之道德，自其德之方面言之曰仁……而平日所言之仁，則即以為統攝諸德，完成人格之名。」

2　校注：胡適：《中國古代哲學史》（臺北：臺灣商務印書館，1965年2月），頁110。

似乎連仁字都很少見。」（屈萬里先生〈仁字涵義之史的觀察〉，載
《民主評論》5卷23期）屈師萬里謂：「孔子以前，仁不但不成為一種
學說，連仁字之意義，亦極含混而不易確定。至《論語》，始包括人
類全部美德，而為作人最高準則。」（仝上）[3]徐復觀先生謂：「孔學
即仁學。」並謂：「《論語》一書，應該是一部仁書。」（〈釋《論語》
的仁——孔學新論〉，載《民主評論》6卷6期）[4]由以上諸先生所言，
知論語中所謂仁，實不同於其他著述。至孟子言仁，其涵義稍狹隘，
僅就愛人一義發揮之。茲就《論語》、《孟子》中有關仁字之記載，分
析研討，以實其說，而申其義，主文分仁之涵義，仁之效用，仁之實
踐，不自居仁，不輕以仁許人者，述之於後。

一 仁之涵義

（一）《論語》以前仁字之涵義

仁字之出現甚晚，據屈師萬里先生考證：甲骨文中無仁字，早期
金文中無仁字，《詩》、《書》、《易》三書，屬於西周時代者亦無仁
字。因之，孔子以前，「仁」不但不成為學說，連仁字意義，亦含混
而不易確定。《詩》三百篇中有仁字二，其一為《鄭風・叔于田》「洵
美且仁」[5]，又一為《齊風・盧令》「其人美且仁」[6]。此二仁字之訓

---

3 校注：屈萬里：〈仁字涵義之史的觀察〉，原載《民主評論》第5卷23期（1954年12月），後收入氏著：《書傭論學集》（臺北：臺灣開明書店，1969年3月），頁255-267。

4 校注：徐復觀：〈釋《論語》的仁——孔學新論〉，原載《民主評論》第6卷6期（1955年3月），後收入氏著：《中國思想史論集續篇》（臺北：時報文化，1982年），頁355-378。

5 校注：〔漢〕毛公傳，〔漢〕鄭玄箋，〔唐〕孔穎達疏：《毛詩注疏》（影印清嘉慶二十年江西南昌府學刊本，臺北：藝文印書館，1955年），卷4之2，頁9上。

6 校注：《毛詩注疏》，卷5之2，頁7下。

釋，《毛傳》雖釋作「仁愛」，但以二詩皆咏田獵，狀田獵者，最自然之頌辭，當為勇武、雄健，不應舍此，而談他德。因之，徐復觀先生云：「所謂仁者，是很像樣的人」。而「美且仁」、「洵美且仁」，徐先生釋為：「漂亮，而且很像人樣子。言其不是婦人女子式的漂亮，而是丈夫氣慨的漂亮。」[7]此蓋仁字最初涵義，即《禮記·中庸》：「仁者，人也」[8]，《孟子·盡心下》：「仁也者，人也」[9]，《春秋繁露·仁義法》：「仁之為言人也」[10]之義。

在《尚書》二十八篇中，晚出之〈金縢〉中有「予仁若考」[11]一仁字。傅孟真先生以為〈金縢〉係魯人所記關於周公之事之傳說。而「予仁若考」，屈師謂即「予仁而孝」。仁與孝對稱，仁字應該是慈愛義，而如此解釋，在口氣上，亦使人不安。因「予仁若考」，乃周公對其祖所言。其用意，乃表示周公能善於服侍亡故祖先。因之，僅云孝即可，實無說慈愛之必要。此一仁字，是否為慈愛義，尚有推敲餘地。屈師之意，此仁字訓為慈愛，甚成問題。頗疑此一仁字，亦係上述「仁者，人也」之義。確與慈愛義無關，亦無兼說慈愛之必要。所謂「予仁若考」者，用徐先生解釋仁之涵義，應釋為「我很像人樣子，且能善於服侍亡故祖先。」周公之所以如此言者，乃在告慰其祖先。此一仁字，仍無愛義。

此外，仁在《國語》一書中，共發現二十餘次，除無法推尋可見

7　校注：徐復觀：〈釋《論語》的仁——孔學新論〉，頁363。

8　校注：〔漢〕鄭玄注，〔唐〕孔穎達疏：《禮記注疏》（影印清嘉慶二十年江西南昌府學刊本，臺北：藝文印書館，1955年），卷52，頁18下。

9　校注：〔漢〕趙岐注，〔宋〕孫奭疏：《孟子注疏》（影印清嘉慶二十年江西南昌府學刊本，臺北：藝文印書館，1955年），卷14上，頁9上。

10　校注：〔漢〕董仲舒撰，〔清〕蘇輿義證：《春秋繁露義證》（臺北：河洛圖書，1975年10月），卷29，頁175。

11　校注：〔漢〕孔安國傳，〔唐〕孔穎達疏：《尚書注疏》（影印清嘉慶二十年江西南昌府學刊本，臺北：藝文印書館，1955年），卷13，頁8上。

其義者外。其可以見義者，皆為愛，或由愛所引申出者。其最顯著者：如「仁，文之愛也。」（〈周語下〉）[12]「為仁者，愛親之謂仁。」（〈晉語一〉）[13]「明慈愛以導之仁。」（〈楚語上〉）「仁，所以保民也。」（〈周語中〉）[14]「為國者，利國之謂仁。」（〈晉語一〉）[15]「殺無道而立有道，仁也」（〈晉語三〉）[16]凡此，皆有愛義，或由愛所引申出者。此即許氏說解「仁，親也，從人二。」[17]從人二，猶言從二人，謂己與人相親偶也。但《國語》之著成時代，當在孔子後，即其涵義，亦甚單純，而為愛，而為愛人，為群德中之一德，並不統攝全德。

《左傳》中仁字涵義，漸趨複雜，極類《論語》。孝，可謂之仁。「無極曰：『（伍）奢之子材，若在吳，必憂楚國，盍以免其父召之？彼仁，必來。』」（〈昭公二十年〉）不背本，可謂之仁。「（范）文子曰：『楚囚，君子也。言稱先職，不背本也。……不背本，仁也。』」（〈成公九年〉）讓國，可謂之仁。「宋公疾，大子茲父固請曰：『目夷長且仁，君其立之。』公命子魚，子魚辭曰：『能以國讓，仁孰大焉？臣不及也。』」（〈僖公八年〉）敬，亦可謂之仁。「臣聞之，出門如賓，承事如祭，仁之則也。」（〈僖公三十三年〉）[18]觀《左傳》仁字涵義，極與《論語》中仁字涵義相近。其所以然者，左傳作

---

12 校注：〔三國吳〕韋昭註：《國語韋昭註》（影印嘉慶五年讀未見書齋重雕天聖明道本，臺北：藝文印書館，1969年10月），卷3，頁71。

13 校注：《國語韋昭註》，卷7，頁198。按：屈萬里先生〈仁字涵義之史的觀察〉與守亮師本文所抄引者，俱誤為「親愛之謂仁」，今據前引書校改。

14 校注：《國語韋昭註》，卷2，頁38。

15 校注：《國語韋昭註》，卷7，頁198。

16 校注：《國語韋昭註》，卷9，頁238。

17 校注：〔漢〕許慎撰，〔清〕段玉裁注：《說文解字注》（影印經韵樓藏版，臺北：洪葉文化，1998年10月），第8篇上，頁1下。

18 校注：〔晉〕杜預注，〔唐〕孔穎達正義：《左傳注疏》（影印清嘉慶二十年江西南昌府學刊本，臺北：藝文印書館，1955年），卷49，頁3下；卷26，頁26上；卷13，頁7下，卷17，頁17下。

者，實受孔子影響所致。因之，仁字之統攝諸德，而為諸德之長，當始自《論語》。

（二）《論語》中仁字之涵義

仁在《論語》中共出現五十八次，其涵義，舉凡孝、悌、忠、信、敬、恕、禮、義、智、勇等無不包蘊之。各為仁之隨在異名，而為仁所統攝。是以仁為大德，仁為全德之名。孔子終生所追求者以此為中心，教門人者以此為中心，七十子之所以日夜講究者，亦以此為中心。但仁究為何物，孔門竟如是重視之？就其體言，蓋仁也者，人也，猶言人之所以為人也。此即《禮記》「仁者，人也。」（〈中庸〉）[19]《孟子》「仁也者，人也。」（〈盡心下〉）[20]觀上語所謂人也之說，則知仁乃人之所以為人也。人之所以為人，乃在人有人心。人心者何？不忍人之心也，故孟子曰：「仁，人心也。」（〈告子上〉）[21]不忍人之心，即惻隱之心。孟子又曰：「惻隱之心，仁之端也。」（〈公孫丑上〉）[22]惻隱之心，即愛心，亦即同情心。而愛心，同情心之產生，以人有靈敏易感知覺，誠摯惻怛情感。有此知覺，有此情感，始人我感通，痛癢相關。宋儒程明道謂不識痛癢為不仁。[23]不識痛癢。即失其靈敏易感與誠摯惻怛，如此，則為不仁矣。是以仁乃靈敏易感誠摯惻怛之心。靈敏易感誠摯惻怛之心，即仁之體。程子言愛非仁[24]，朱子

---

19 校注：《禮記注疏》，卷52，頁18下。

20 校注：《孟子注疏》，卷14上，頁9上。

21 校注：《孟子注疏》，卷11下，頁6下。

22 校注：《孟子注疏》，卷3下，頁7上。

23 校注：程顥：「醫家以不認痛癢謂之不仁，人以不知覺、不認義理為不仁，譬最近。」見《河南程氏遺書》，卷2上，〔宋〕程顥、程頤著，王孝魚點校：《二程集》（北京：中華書局，1981年7月），頁33。

24 校注：程子言：「愛自是情，仁自是性，豈可專以愛為仁？」又言：「仁者固博愛，然便以博愛為仁則不可。」見《河南程氏遺書》，卷18，《二程集》，頁182。

發明其意為心之德，愛之理。[25]皆不以其用為仁之全體，亦就體言
之。其用也，則為愛之流露，則為愛人。韓子「博愛之謂仁」[26]，即
就其用言之。而愛之流露，又以對象，以所當不同，而名亦異。發之
於奉親則為孝，發之於從兄則為悌，發之於事君則為忠，發之於交友
則為信，發之於順長則為敬，而推己及人，恕也。接人有度，禮也。
明察乎人之危失，而無讓無避，急往救助拯濟之，義也，智也，勇
也。名雖多端，其實則一。但能有上述諸義，而為諸德之長者，舍論
語中「仁」字又何求乎？故曰：《論語》中仁字，統攝諸德，而為全
德之名。

1 就仁之一端言之

（1）孝悌謂之仁

　　有子曰：「……孝弟也者，其為仁之本與？」（〈學而〉）[27]

　　善事父母曰孝，善事兄弟曰弟。堯舜仁君也，而曰：「堯舜之
道，孝弟而已矣。」（《孟子・告子下》）[28]皆孝悌謂之仁。

　　子曰：「……君子篤於親，則民興於仁。」（〈泰伯〉）[29]

---

25 校注：朱熹言：「仁者，愛之理，心之德也。」見《四書集註》（臺北：世界書局，
　　1956年），〈論語章句〉，卷1，頁1。
26 校注：〔唐〕韓愈：〈原道〉，〔清〕馬其昶校注：《韓昌黎文集校注》（臺北：世界書
　　局，2002年），頁13。
27 校注：〔魏〕何晏集解，〔宋〕邢昺疏：《論語注疏》（影印清嘉慶二十年江西南昌府
　　學刊本，臺北：藝文印書館，1955年），卷1，頁2下。
28 校注：《孟子注疏》，卷12上，頁3下。
29 校注：《論語注疏》，卷8，頁1下。

君子，人君也。篤，厚也。人君若自於親屬篤厚，則下民化之，皆競興起仁恩，各親其親也。各親其親，則孝矣。不曰孝，而曰仁者，孝謂之仁。《禮記》:「仁者，人也，親親為大。」(〈中庸〉)[30]孟子:「親親，仁也。」(〈告子下〉，又見〈盡心上〉)[31]皆孝謂之仁。

> 宰我問:「三年之喪，期已久矣。……」宰我出。子曰:「予之不仁也，子生三年，然後免於父母之懷。……予也，有三年之愛於其父母乎？」(〈陽貨〉)[32]

宰我以三年之喪過久，而欲短之，孔子斥其不仁。不仁，謂不仁於父母，不仁於父母，則非孝矣。《大戴禮》:「凡不孝，生於不仁愛也。」(〈盛德〉)[33]故孝謂之仁。

（2）禮謂之仁

> 顏淵問仁。子曰:「克己復禮為仁。」(〈顏淵〉)[34]

克，勝也。己，私欲也。復，反也。克勝己之私欲，身反於禮，則為仁矣。故禮謂之仁。

（3）勇謂之仁

> 子曰:「……仁者必有勇，勇者不必有仁。」(〈憲問〉)[35]

---

30 校注:《禮記注疏》，卷52，頁18下。
31 校注:《孟子注疏》，卷12上，頁5上，卷13上，頁9下。
32 校注:《論語注疏》，卷17，頁8下-9上。
33 校注:〔清〕王聘珍:《大戴禮記解詁》(北京:中華書局，1983年3月)，卷8，頁143。
34 校注:《論語注疏》，卷12，頁1上。
35 校注:《論語注疏》，卷14，頁1下-2上。

所謂仁者，心無私累，見義必為。凡事之有益於人者，必果決以
行之，強恕求仁，輔以剛毅，故可見危授命，殺身成仁，勇之所施，
皆仁心之所發也。若遇有害於人，雖小不為。抑易溢之氣，遏易縱之
欲，不使不仁之事，加乎其身，孟子所謂：「行一不義，殺一不辜，而
得天下，皆不為也。」（〈公孫丑上〉）[36]皆仁中之勇也。故勇謂之仁。

（4）義謂之仁

> 子曰：「志士仁人，無求生以害仁，有殺身以成仁。」（〈衛靈
> 公〉）[37]

當死而求生，則於其心有不安。當死而死，則心安德全。其言
二，而義亦已包涵其中。《禮記》曰：「仁者，義之本也。」（〈禮
運〉）[38]且勇既謂之仁，而《論語》之謂：「見義不為，無勇也。」
（〈為政〉）[39]見義不為，則愛生懼死，而無殺身成仁之義舉，此志士
仁人之所不為也。故義謂之仁。

（5）恭敬、寬恕、忠、信、敏、惠謂之仁

> 仲弓問仁。子曰：「出門如見大賓，使民如承大祭，己所不
> 欲，勿施於人。在邦無怨，在家無怨。」（〈顏淵〉）[40]

出門如見大賓，見大賓必起敬心。使民如承大祭，使民力役，恆
用心敬之，如承大祭然。是二事敬也。己所不欲，勿施於人，此《禮

---

36 校注，《孟子注疏》，卷3上，頁11下。
37 校注：《論語注疏》，卷15，頁4上。
38 校注：《禮記注疏》，卷22，頁20下。
39 校注：《論語注疏》，卷2，頁10上。
40 校注：《論語注疏》，卷12，頁1下。

記・大學》所謂「絜矩之道」[41]，恕也。故敬、恕謂之仁。

　　樊遲問仁。子曰：「居處恭，執事敬，與人忠。雖之夷狄，不可棄也。」(〈子路〉)[42]

　　居處恭遜不倨傲，以自持其容。執事勤慎不慢易，以專精其事。且交結朋友盡忠不相欺，何人而可至於此？且常人居處多放恣。執事則懈惰，與人交結不盡忠。能至於此者，厥為仁人。故恭、敬、忠謂之仁。又比干諫而死，孔子稱其仁。(見《論語・微子》)[43]。《禮記》「所求乎臣以事君。」(〈中庸〉)[44]皆忠謂之仁。

　　子張問仁於孔子。孔子曰：「能行五者於天下為仁矣。」請問之。曰：「恭、寬、信、敏、惠。」(〈陽貨〉)[45]

　　恭、寬、信、敏、惠，總是在仁之隨在異名。析而言之有五，合而言之，只是一仁。恭者以敬肅自持，寬者以恕道容人，信者篤誠不欺，敏者治事捷疾，惠者愛施好與。凡此，皆仁之一端。故恭、寬、信、敏、惠謂之仁。

（6）言難、剛毅木訥謂之仁

　　司馬牛問仁。子曰：「仁者，其言也訒。」(〈顏淵〉)[46]

41　校注：《禮記注疏》，卷60，頁9上。
42　校注：《論語注疏》，卷13，頁7下。
43　校注：《論語注疏》，卷18，頁1上。
44　校注：《禮記注疏》，卷52，頁9上。
45　校注：《論語注疏》，卷17，頁3上-3下。
46　校注：《論語注疏》，卷12，頁2上。

其言也訒者，言難也。古者言之不出，恐行之不逮，是以仁者
必不易出言，而有「仁而不佞」（《論語‧公冶長》）[47]之語。故言難謂
之仁。

> 子曰：「剛、毅、木、訥近仁。」（〈子路〉）[48]

言此四事，與仁相似，故曰近仁。仁者靜，剛者無欲堅定，故剛
近仁。仁者必有勇，毅者果敢決斷，故毅近仁。仁者不尚華飾，木者
質樸少文，故木近仁。仁者其言也訒，訥者言語遲鈍，故訥近仁。故
剛毅木訥謂之仁。

（7）遜位讓國謂之仁

> （子貢）入曰：「伯夷叔齊何人也？」曰：「古之賢人也。」
> 曰：「怨乎？」曰：「求仁而得仁，又何怨？」（〈述而〉）[49]

伯夷叔齊，兄弟讓國，孔子稱其求仁得仁。故夷齊之遜位讓國謂
之仁。

（8）明哲保身謂之仁

> 微子去之，箕子為之奴，比干諫而死。孔子曰：「殷有三仁
> 焉。」（〈微子〉）[50]

---

47 校注：《論語注疏》，卷5，頁2下。
48 校注：《論語注疏》，卷13，頁10下。
49 校注：《論語注疏》，卷7，頁5上。
50 校注：《論語注疏》，卷18，頁1上。

殷之三仁。除比干死忠外，微子箕子之或去，或佯狂為奴，皆明哲保身。故明哲保身謂之仁。

（9）愛人謂之仁

> 樊遲問仁。子曰：「愛人。」（〈顏淵〉）[51]

愛人為仁之最高境界，亦為仁之最普通訓釋，孟子亦承此意而屢屢言之。「愛人不親，反其仁。」（〈離婁上〉）[52]「仁者愛人。」（〈離婁下〉）[53]「仁者無不愛也，急親賢之為務。」（〈盡心上〉）[54]「人能充無欲害人之心，而仁不可勝用也。」（〈盡心下〉）[55]皆仁為愛人也。故孔子曰：「仁者莫大於愛人。」（《大戴記・主言》）[56]故愛人謂之仁。

此上所舉，皆就仁之一端言，故仁統攝諸德。

2 就仁之全貌言之

（1）勇、多才藝、達禮儀、不可謂之仁

> 孟武伯問：「子路仁乎？」子曰：「不知也。」又問，子曰：「由也，千乘之國，可使治其賦也，不知其仁也。」「求也何如？」子曰：「求也，千室之邑，百乘之家，可使為之宰也，不知其仁也。」「赤也何如？」子曰：「赤也，束帶立於朝，可使與賓客言也，不知其仁也。」（〈公冶長〉）[57]

---

51 校注：《論語注疏》，卷12，頁10上。
52 校注：《孟子注疏》，卷7上，頁8下。
53 校注：《孟子注疏》，卷8下，頁5上。
54 校注：《孟子注疏》，卷13下，頁13上。
55 校注：《孟子注疏》，卷14下，頁3下。
56 校注：《大戴禮記解詁》，卷1，頁8。
57 校注：《論語注疏》，卷5，頁3下-4上。

千乘之國，可治其賦之子路，勇也。千室之邑，百乘之家，可為
之宰之冉求，多才藝也。束帶立於朝，可與賓客言也之公西華，達禮
儀也。孟武伯問三子仁乎？孔子皆答不知也。是勇、多才藝、達禮
儀、皆不得謂之仁。

（2）忠、清、不可謂之仁

> 子張問曰：「令君子文，三仕為令尹，無喜色。三已之，無慍
> 色。舊令尹之政，必以告新令尹。何如？」子曰：「忠矣。」
> 曰：「仁矣乎？」曰：「未知，焉得仁。」「崔子弒齊君，陳文
> 子有馬十乘。棄而違之，至於他邦。則曰：『猶吾大夫崔子
> 也。』違之，之一邦。則又曰：『猶吾大夫崔子也。』違之，
> 何如？」子曰：「清矣。」曰：「仁矣乎？」曰：「未知，焉得
> 仁。」（〈公冶長〉）[58]

令尹子文，陳文子之行，孔子既許其「忠矣」、「清矣」，宜其為
仁也。但當子張復問「仁矣乎」時，則皆曰：「未知，焉得仁。」是
忠與清，皆不得謂之仁。

（3）克、伐、怨、欲不行也，不可謂之仁

> （憲問）：「克、伐、怨、欲不行焉，可以為仁矣？」子曰：
> 「可以為難矣，仁則吾不知也。」（〈憲問〉）[59]

克，好勝也。伐，自矜也。怨，忿恨也。欲，貪欲也。四者制
之，使不得行，似可以為仁矣。但孔子曰：可以為難，仁則吾不知

---

58 校注：《論語注疏》，卷5，頁8下-9上。
59 校注：《論語注疏》，卷14，頁1上。

也。是克、伐、怨、欲四者不行，不可謂之仁。

此上所舉，皆就仁之全貌言，諸德皆非仁。

3 就仁之反面言之

（1）巧言令色少仁

子曰：「巧言令色，鮮矣仁。」（〈學而〉，又見〈陽貨〉）[60]

巧言多出偽作，便避其言語以使人悅之也。令色意在佞媚，柔善其顏色以使人喜之也。內懷深險之人，往往如此。孔子又云：「巧言、令色、足恭，左丘明恥之，丘亦恥之」（〈公冶長〉）[61] 又《書》：「何畏乎巧言令色孔壬。」（〈皋陶謨〉）[62] 是巧言令色，不仁可知。然夫子猶云鮮矣者，不忍重斥之，猶若不絕於仁也。《大戴禮》：「巧言令色，能小行而篤，難於仁矣。」（〈曾子立事〉）[63] 與此同。是巧言令色，少仁也。

（2）懷寶迷邦非仁

陽貨……謂孔子曰：……「懷其寶而迷其邦，可謂仁乎？」曰：「不可。」（〈陽貨〉）[64]

由仁者愛人之心，引出仁當拯弱興衰，使被當世。若懷藏其道德，知國不治，而不為政以救之，使其邦國遘亂，是不仁也，故曰不可。是懷寶迷邦，非仁也。

---

60 校注：《論語注疏》，卷1，頁3上；卷17，頁7下。

61 校注：《論語注疏》，卷5，頁11上。

62 校注：《尚書注疏》，卷4，頁18上。

63 校注：《大戴禮記解詁》，卷49，頁75。

64 校注：《論語注疏》，卷17，頁1上。

（三）《孟子》中仁字之涵義

　　《孟子》書中，關於仁字之記載凡七十餘見，然有關仁字之涵義話語並不多。其涵義遠較論語中之仁字涵養狹隘，僅親愛人一義發揮之。茲特約述於此，以見孟子書中之仁之涵義，乃以愛人之狹義為基始，推此愛人之心而至父母為孝，推此愛人之心用於政治，則為仁政。雖稍有不同，要以愛心為本，未若《論語》中統攝諸德涵養之廣也。

　　　　仁也者，人也。合而言之，道也。（〈盡心下〉）[65]
　　　　仁，人心也。（〈告子上〉）[66]

　　以「仁，人心也。」「仁也者，人也」之言視之，仁乃人心所獨有者。而所謂人心，實即愛人之心。故孟子又言：

　　　　惻隱之心，仁之端也。（〈公孫丑上〉）[67]
　　　　惻隱之心，仁也。（〈告子上〉）[68]

又依孟子所舉孺子入井事觀之，則知惻隱之心，即愛人之心。而孟子又曰：
　　　　無惻隱之心，非人也。（〈公孫丑上〉）[69]

---

65 校注：《孟子注疏》，卷14上，頁9上。
66 校注：《孟子注疏》，卷11下，頁6下。
67 校注：《孟子注疏》，卷3下，頁7上。
68 校注：《孟子注疏》，卷11上，頁7下。
69 校注：《孟子注疏》，卷3下，頁6下。

此正與「仁，人心也」，「仁者，人也」之義合。於此，則知孟子所謂仁，其意義僅為愛人。故孟子又曰：

> 愛人不親，反其仁。(〈離婁上〉) [70]
> 仁者，愛人。(〈離婁下〉) [71]
> 仁者，無不愛也，急親賢之為務。(〈盡心上〉) [72]
> 人能充無欲害人之心，而仁不可勝用也。(〈盡心下〉) [73]

據此愛人之心，用之於父母，則為孝。故孟子曰：

> 未有仁而遺其親者也。(〈梁惠王上〉) [74]
> 仁之實，事親是也。(〈離婁上〉) [75]
> 親親，仁也。(〈盡心上〉，又見〈告子下〉) [76]
> 則孝子仁人之掩其親，亦必有道矣。(〈滕文公上〉) [77]

　　此乃推愛人之心，至於父母，故為孝。如推此愛人之心而至政治，則為仁政。能行仁政，則可達立人達人，保有其民，化民於善等安人治國目的之仁之效用矣。是以《孟子》書中，凡言政治，無不以仁為前題，正與孔子仁道學說之最終目的相合。其不同者，孔子視仁為做人最高準則，涵養較廣。而孟子僅愛人一義，涵義較狹而已。

---

70 校注：《孟子注疏》，卷7上，頁8下。
71 校注：《孟子注疏》，卷8下，頁5上。
72 校注：《孟子注疏》，卷13下，頁13上。
73 校注：《孟子注疏》，卷14下，頁3下。
74 校注：《孟子注疏》，卷1上，頁2下。
75 校注：《孟子注疏》，卷7下，頁12上。
76 校注：《孟子注疏》，卷12上，頁6上，卷13上，頁9下。
77 校注：《孟子注疏》，卷5下，頁11下。

二　仁之效用

　　上文言仁既以愛人為最高境界，是以仁貴及人及物。而及人及
物，由己所不欲，勿施於人之恕道為起點，而誠己修身。己立矣、己
達矣，進而以己所欲而施於人，終至老安少懷，立人達人之境。孟子
謂仁君之得民心也，在「所欲與之聚之，所惡勿施爾也。」(〈離婁
上〉)[78]《韓詩外傳》之言曰：「己惡饑寒焉，則知天下之欲衣食也；
己惡勞苦焉，則知天下之欲安佚也；己惡衰乏焉，則知天下之欲富足
也。知此三者，聖王之所以不降席而匡天下。故君子之道，忠恕而已
矣。」(卷3)[79]由此觀之，己所不欲，勿施於人。則己所欲，必又當
施諸人矣。《禮記・大學》所謂修齊治平之政治哲學，以及子路之問
君子也，曰：「修己以敬。」曰：「修己以安人。」曰：「修己以安百
姓」(見《論語・憲問》)[80]之孔子答語，皆謂仁之始自誠己修身，己
立己達，而至老安少懷，立人達人之弘大效用矣。

(一) 修己安人

1　修己

(1) 無惡

　　　子曰：「苟志於仁矣，無惡也。」(《論語・里仁》)[81]

　　惡字兼心與事，無惡者，惡自然而消之之謂也。其所以如是言

78　校注：《孟子注疏》，卷7下，頁1上。
79　校注：賴炎元註譯：《韓詩外傳今註今譯》(臺北：臺灣商務印書館，1972年9月)，
　　卷3，頁147。
80　校注：《論語注疏》，卷14，頁17下。
81　校注：《論語注疏》，卷4，頁1下。

之，蓋人若誠能志在於仁，則是為行之勝者，故所思所行皆善，雖未必無過，但為惡則無矣。

（2）無怨

> 仲弓問仁。子曰：「出門如見大賓，使民如承大祭。己所不欲，勿施於人。在邦無怨，在家無怨。」（〈顏淵〉）[82]

能敬以持己，恕以及物，則私意無所容，而德全矣。全德之仁人，自無惡行。如此，人皆親愛之，故必無怨懟之加於身也。

（3）無憂

> 子曰：「知者不惑，仁者不憂，勇者不懼。」（《論語・子罕》，又〈憲問〉「仁者不憂」居上）[83]

仁者樂天知命，內省不疚，且能居其所居，無惡思惡行，以招致怨懟，故可無憂也。

> 子曰：「……仁者安仁，知者利仁。」（《論語・里仁》）[84]

安仁者，心安於仁也。何以能心安於仁。以仁者無私慾縈心，內省自無愧疚。無惡思惡行，外來自無怨憂。且欲仁不貪，故能安於仁也。

82　校注：《論語注疏》，卷12，頁1下。
83　校注：《論語注疏》，卷9，頁10上；卷14，頁12下。
84　校注：《論語注疏》，卷4，頁1上。

（4）樂山靜壽

> 子曰：「知者樂水，仁者樂山。知者動，仁者靜。知者樂，仁者壽。」（《論語・雍也》）[85]

　　仁者之樂於山也，《韓詩外傳》之言曰：「問者曰：『夫仁者，何以樂於山也？』曰：『夫山者，萬民之所瞻仰也。草木生焉，萬物植焉，飛鳥集焉，走獸休焉，四方益取與焉，出雲道風，嵷乎天地之間。天地以成，國家以寧，此仁者所以樂於山也。』」（卷三）[86]就《外傳》之言觀之，乃山者安固不動，自萬物生焉，有類仁之性也，故樂之。所謂靜者，乃厚重不遷，安處有常也，非枯木之靜。仁者本無私欲，物欲形色不足以動之。且能居其所居，心安於仁，故能靜也。所謂壽者，仁者內無愧疚，安靜無憂。外無怨懟，咎徵不至，故多壽考也。《春秋繁露》：「故仁人之所以多壽者，外無貪而內清淨，心和平而不失中正，取天地之美，以養其身，是其且多且治。」（〈循天之道〉）[87]《申鑒》：「仁者，內不傷性，外不傷物，上不違天，下不違人，處正居中，形神以和。故咎徵不至，而休嘉集之，壽之術也。」（〈俗嫌〉）[88]皆深得仁者壽之旨。

---

85 校注：《論語注疏》，卷6，頁8上-8下。

86 校注：《韓詩外傳今註今譯》，卷3，頁129。

87 校注：《春秋繁露義證》，卷16，頁316。

88 校注：〔漢〕荀悅撰，〔明〕黃省會注：《申鑒》（臺北：世界書局，1975年11月），頁18。

2 安人

A 執常當理

　　子曰：「唯仁者，能好人，能惡人。」（《論語・里仁》）[89]

　　凡人用情，多由己愛憎之私，於人之善不善，有所不計，故不能好人惡人也。若夫仁者，情得其正，於人之善者好之，不善者惡之。好惡咸當於理，惟斯人者能之也。

　　子曰：「不仁者，不可以久處約，不可以常處樂。」（《論語・里仁》）[90]

　　夫君子之處貧困也，能無諂而樂其所安。處富貴也，能無驕而好禮不倦。其所以然者，不失其自守也。若不仁之人，久處貧困，則移變其節，而斯濫為非。久處空貴，則淫蕩其心，而驕溢佚侈。其所以如此者，失其當節也，是以貧富皆不可以久處。先王之制民也，使有恆產，且富而教之，而篤其恆，使不變其常節也。

　　宰我問曰：「仁者雖告之曰：『井有仁焉』，其從之也？」子曰：「何為其然也？君子可逝也，不可陷也。可欺也，不可罔也。」（《論語・雍也》）[91]

---

[89] 校注：《論語注疏》，卷4，頁1下。

[90] 校注：《論語注疏》，卷4，頁1上。

[91] 校注：「井有仁焉」，何晏《集解》：「問有仁人墮井，將自投下從而出之不乎？」朱熹引劉聘君云：「『有仁』之『仁』當作『人』」，蔣伯潛從之。見《論語注疏》，卷6，頁9上，以及蔣伯潛廣解：《四書讀本》（臺北：啟明書局，1996年），頁83。按：原引文作「井有人焉」，是依朱、劉之說，確較合理，然為保留傳世文獻原貌，乃據前引書校改。

可欺者，可誑之以理之所或有。不可罔者，不可昧之於理之所必無也。仁者雖急人患難，理之所在，雖赴湯蹈火，亦不避之，所謂無求生以害仁也。若不問其事之有無，理之當否，人罔以井中有人，則蹇裳徑投井中以出之。不復問其計之如何，身之溺否，則好仁於乎愚，殺身無益矣。是以君子審乎理之當與不當，則可逝不可陷也。孟子亦曰：「君子可欺以其方，難罔以非其道。」（〈萬章上〉）[92]亦衡諸理之當否，可欺不可罔也。

> 子曰：「由也，女聞六言六蔽矣乎？……好仁不好學，其蔽也愚。」（《論語・陽貨》）[93]

此勸學令人凡事須加裁度，使其持常當理，始無愚蔽。脫好仁不好學，不知所以裁之，則愚蕩無所適守。愚蕩無所適守，則可陷可罔矣。若能好學，則無斯累。故荀子曰：「君子博學而日參省乎己，則知明而行無過矣。」（〈勸學〉）[94]佑明行無過，又何愚之有。

B 不為已甚

> 好勇疾貧，亂也。人而不仁，疾之已甚，亂也。（《論語・泰伯》）[95]

仁者之人，不疾惡不仁之人太甚，可恕則恕之，蓋不仁有大小，有淺深，有不容不誅殛者，有小懲已足者，亦有當蕩然肆放者，視事

---

92 校注：《孟子注疏》，卷9上，頁5下。

93 校注：《論語注疏》，卷17，頁4下。

94 校注：〔唐〕楊倞注，〔清〕王先謙集解：《荀子集解》（臺北：華正書局，1979年7月），卷1，頁1。

95 校注：《論語注疏》，卷8，頁4下。

勢何如，只要無私當理，疾之已甚，便是過當不合理處。夫生民之慘，莫大於亂，而天下之亂，未有無所激而成者。不仁之人，誠有可惡，然須有包承之量，轉移之權，以開其自新之路。若阻抑羅織太甚，使無容身托命，必逞其無忌憚之習，而肆毒反噬，此亂由人作者也。亂由人者，亦由人激成之，故不可疾之已甚也。

> 人之過也，各於甚黨。觀過，斯知仁矣。（《論語・里仁》）[96]

　　人之過失，各於性類之不同。君子常失於厚，小人常失於薄。君子過於愛，小人過於忍。觀其過，則人之仁與不仁可知。所謂過者，乃無心之失，能勿以無心之失小過，而為之已甚，絕棄其人則可矣。

> 不仁哉，梁惠王也。仁者以其所愛，及其所不愛。不仁者，以其所不愛，及其所愛。（《孟子・盡心下》）[97]

　　梁惠王以土地之故，麋爛其民而戰之。大敗，將復之，恐不能勝，故驅其所愛子弟以殉之。以其所不愛而及其所愛，為之已甚，故孟子譏其不仁也。

C 立人達人

> 夫仁者，己欲立而立人，己欲達而達人。（《論語・雍也》）[98]

　　己已立矣，己已達人，仁者更以己所欲而施於人，使人亦立亦

---

96 校注：《論語注疏》，卷4，頁3上。
97 校注：《孟子注疏》，卷14上，頁1下-2上。
98 校注：《論語注疏》，卷6，頁10下。

達，此仁之大愛也。阮氏元曰：「所謂仁者，己之身欲立，則亦立人。己之身欲達，則亦達人。……即如己欲立孝道，亦必使人立孝道，所謂不匱錫類也。己欲達德行，亦必使人達德行，所謂愛人以德也。」又曰：「為之不厭，己立己達也。誨人不倦，立人達人也。立者如三十而立之立，達者如在邦必達，在家必達之達。」（《揅經室集・論仁篇》）[99]是立謂身能立道，達謂道可行諸人也。道可行諸人，乃仁之效用至於人也。

（二）治國化民

1 禮樂興成

> 子曰：「人而不仁，如禮何！人而不仁，如樂何！」（《論語・八佾》）[100]

此言禮樂資仁而行也。人而不仁，奈此禮樂何，謂必不能行禮樂也。是禮樂所以飾仁，惟仁者能行禮樂。且禮節者，仁之貌也；歌樂者，仁之和也。安上治民，莫善於禮，移風易俗，莫貴乎樂。（見《禮記》〈儒行〉、〈經解〉及〈樂記〉）是禮樂之行，大有助於治國化民也。而禮樂興成，又必賴仁者而後行之。

2 保有其民

> 子曰：「知及之，仁不能守之，雖得之，必失之。知及之，仁能守之，不莊以涖之，則民不敬。知及之，仁能守之，莊以涖

99　校注：〔清〕阮元：《揅經室集》（北京：中華書局，1993年5月），一集卷8，〈論語論仁論〉，頁178。

100　校注：《論語注疏》，卷3，頁3上。

之，動之不以禮，未善也。」（《論語‧衛靈公》）[101]

　　此言君之保有其民也，乃在以仁守之。《大戴禮》：「師尚父曰：……且臣聞之，以仁得之，以仁守之，其量百世。以不仁得之，以仁守之，其量十世。以不仁得之，以不仁守之，必及其世。」（〈武王踐阼〉）[102]是言凡得民者，皆當以仁守之也。

　　孟子曰：「三代之得天下也以仁，其失天下也以不仁。國之所以廢興存亡者亦然。天子不仁，不保四海。諸侯不仁，不保社稷。卿大夫不仁，不保宗廟。士庶人不仁，不保四體。今惡死亡，而樂不仁，是猶惡醉而強酒」。（《孟子‧離婁上》）[103]

　　孟子之言，欲保其民，必先以仁。此等言論，《孟子》中屢屢言之。

3 化民於善

　　樊遲問仁。……樊遲未達。子曰：「舉直錯諸枉，能使枉者直。」……子夏曰：「富哉言乎！舜有天下，選於眾，舉皋陶，不仁者遠矣。湯有天下，選於眾，舉伊尹，不仁者遠矣。」（《論語‧顏淵》）[104]

　　所謂「能使枉者直，不仁者遠矣」者，遠猶化也。枉者，不仁者盡化而為直善，故近傍眼前無之也。且舜湯之治天下也。用一仁人如

---

101 校注：《論語注疏》，卷15，頁9上。
102 校注：《大戴禮記解詁》，卷6，頁104。
103 校注：《孟子注疏》卷7上，頁7下-8上。
104 校注：《論語注疏》，卷12，頁10上-10下。

皋陶伊尹者，則可化行天下，仁風所播，邪惡斂跡。仁之效用，一至
於斯。

> 子曰：「如有王者，必世而後仁。」（《論語・子路》）[105]

有王者之治天下也，則世而後仁。仁謂德化流洽，禮樂興成也。
其所以如此者，王者之君，必行仁政。行仁政，則民化於上矣。故
《禮記》曰：「上好仁，則下之為仁爭先。」（〈緇衣〉）

> 孟子曰：「君仁莫不仁。」（《孟子・離婁上》）[106]
> 民之歸仁也，猶水之就下，獸之走壙也。（仝上）[107]

孟子亦極言仁之化民於善效用之大。君仁，則天下莫不仁。且民
之歸仁，如水就下，獸走壙，莫能禦之。是化民於善，又必恃於仁也。

三　仁之實踐

《論語》、《孟子》中言仁，多就日常生活言之。所言皆日用尋
常，平易切實之事，人人皆可致力。是以貴乎實踐。全在身體力行，
勉強為之。《禮記》曰：「力行近乎仁。」（〈大學〉）孟子曰：「人能充
無欲害人之心，而仁不可勝用也。」（〈盡心下〉）[108]又曰：「善推其所
為而已矣。」（〈梁惠王上〉）[109]阮元曰：「一介之士，仁具於心。然具

---

105 校注：《論語注疏》，卷13，頁5上。
106 校注：《孟子注疏》，卷7下，頁9下。
107 校注：《孟子注疏》，卷7下，頁1上。
108 校注：《孟子注疏》，卷14下，頁3下。
109 校注：《孟子注疏》，卷1下，頁5上。

心者，仁之端也。必擴而充之，著於行事，始可稱仁。」[110]又曰：
「凡仁必於身所行者驗之而始見。……若一人閉戶齋居，瞑目靜坐，
雖有德理在心，終不得指為聖門所謂之仁矣。」[111]（《揅經室集·論
仁篇》）皆深得《論語》、《孟子》中仁字之旨。所謂力行，所謂充無
欲害人之心，所請善推其所為，所謂著之行，必欲身所行者驗之而始
見者。是《論語》、《孟子》中仁，非行不足以成之矣。然行之之人不
一，行之之途多端。故門人弟子所問，孔子所答，皆異人異辭，而
無成說，其原因乃在孔子論仁，多就事指點。重在親身實踐，躬行自
致，從工夫中求得。道固可致，必由其方。告之以所行之方，不得不
答教異辭也。（另有短文〈論語問仁〉可參閱，載《孔孟月刊》4卷1
期）不僅因材施教，不得不如此一因。

　　仁之力行實踐也，在孔子則為不厭不倦，甚或知其不可為而為
之。在群弟子，則以日常生活不同，個人所處境偶不同，而行之亦
異。要之，欲實踐力行則一。是以門弟子之問也，不獨欲聞其說，又
必欲知其方。不獨欲知其方，又必欲為其事。如樊遲之問仁也，夫子
告之盡矣。樊遲未達，故又問焉。而猶未知其何以為之也，乃退而問
諸子夏，然後有以知之。使其未喻，則必將復問矣。既問於師，又辨
諸友，當時弟子之欲實踐力行也如是。顏回之問仁也，既了其為之之
方，復請其為之之目。待全部了然後，而曰：請事斯語矣。仲弓之問
仁也。既得其為仁之道，及仁之效用後，則曰：請事斯語矣。司馬牛
之問仁也，已獲其言也訒矣，而猶感未足。曰：如此而仁乎？而孔子
告之以為之難。司馬牛不復請，則知牛之退也，必亦從而事之矣。是
以聖門之中，未有不以實際行動，以履之踐之者矣。

　　由上述，則知《論語》、《孟子》中仁字，只在實踐力行。識乎

---

110 校注：〔清〕阮元：《揅經室集》，一集卷9，〈孟子論仁論〉，頁195。
111 校注：〔清〕阮元：《揅經室集》，一集卷8，〈論語論仁論〉，頁176。

此，則知問者異人，答者異辭。表面似呈矛盾，其實皆行之之道也。
如何行之，列述於后。

（一）態度

1 仁至重要、不可或違

> 夫仁，天之尊爵也。人之安宅也。（《孟子·公孫丑上》）[112]
> 仁，人之安宅也。（《孟子·離婁上》）[113]
> 民非水火不生活，昏暮叩人之門戶求水火，無弗與者，至足
> 矣。聖人治天下，使有菽粟如水火。菽粟如水火，而民焉有不
> 仁者乎？（《孟子·盡心上》）[114]
> 子曰：「民之於仁也，甚於水火。水火吾見蹈而死者矣，未見
> 蹈仁而死者也。」（《論語·衛靈公》）[115]

仁者，天地生物之心，得之最先。統攝諸德，所謂元者，善之長
也，故曰尊爵。在人則為本心全體之德，有天理自然之安，無陷溺之
危。人當常在其中，而不可須臾離者也。其重要如是，不可或違如
是，故居之則安矣。且民之於菽粟水火，所賴以生，不可一日無之，
亦可謂重要矣。然菽粟水火乃所賴以養其身者，而仁則養其心。無菽
粟水火不過害其身，而不仁則失其心，是仁又甚於菽粟水火，而尤不
可一日無者也。且仁之實踐，皆日用常行，至順至安，有何蹈仁而死
之事乎？故言之如是，而勉人為之也。

---

112 校注：《孟子注疏》，卷3下，頁8下。
113 校注：《孟子注疏》，卷7下，頁2下。
114 校注：《孟子注疏》，卷13下，頁1下-2上。
115 校注：《論語注疏》，卷15，頁9下-10上。

君子去仁，惡乎成名。（《論語・里仁》）[116]

言君子之所以為君子，以其仁也。若違而去之。則於何理成名而為君子乎？言去仁則不得成名為君子也。其要如此，不可不勉為之也。

子曰：「我未見好仁者，惡不仁者。好仁者，無以尚之，惡不仁者，其為仁矣！不使不仁者加乎其身。有能一日用其力於仁矣乎！我未見力不足者。」（《論語・里仁》）[117]

尚猶加也，勝也。言若好仁者，則為德之上，無復德可加勝此也。而惡不仁者，則不使不仁加乎其身矣。好仁與惡不仁，均為之仁也。仁如是重要，惜未之目見，至為可嘆。仁困難行乎？曰：不難。欲之斯至，求之則得，厥在乎欲而求之也。是以有能一日用其力以行之，未有力不足者，又何難之有，亦勉人為人也。

君子無終食之間違仁，造次必於是，顛沛必於是。（《論語・里仁》）[118]

終食者，一飯之頃也。造次，忽遽苟且之時，顛沛，傾覆流離之際。言君子之行仁，不可或違，雖值一飯之頃，非常之時，亦不可須臾去身也。此就時間言，不可或違。

君子而不仁者有矣夫，未有小人而仁者也。（《論語・憲問》）[119]

116　校注：《論語注疏》，卷4，頁2上。
117　校注：《論語注疏》，卷4，頁2下。
118　校注：《論語注疏》，卷4，頁2上。
119　校注：《論語注疏》，卷14，頁3下。

行仁既不可須臾離身，然君子既志於仁矣，既躬行實踐之矣。然毫忽之間，或心不在焉，則未免為不仁也。不仁意輕，猶言未仁。聖門群弟子，置德行之首如顏淵者，亦僅三月不違仁，而其餘則日月至焉。於此，益見力行實踐之匪易。不可須臾去身以違之矣。亦就時間言，不可或違。若夫小人，遠於仁道，故云：未見小人而仁者也。樊遲問仁，子曰：「居處恭，執事敬，與人忠。雖之夷狄，不可棄也。」（《論語・子路》）[120]

不可棄，猶言不可違而廢之。夫恭敬忠三者，君子任性而行，所以為仁也。若不行之於無常，則偽斯見，偽見則去仁遠矣。是以雖入夷狄無禮義之處，亦不可舍棄之，違去之。此就空間言，不可或違。

2 為仁由己，不讓於師

顏淵問仁：「子曰……為仁由己，而由人乎哉？」（《論語・顏淵》）[121]

為仁者，所以全其心之德。全其心之德，自必一己力行實踐，他人代不得。故曰：為人由己不由人也。且仁以為己任，既為己任，亦非他人可能預，故能仁由己也。

子曰：「當仁，不讓於師。」（《論語・衛靈公》）[122]

當仁者，猶言臨仁。當為仁之時，不復讓於師也。賓主須相讓，長幼朋友亦皆須讓。然讓之極，莫甚於師，故以師為言。不讓猶言不

---

120 校注：《論語注疏》，卷13，頁7下。
121 校注：《論語注疏》，卷12，頁1上。
122 校注：《論語注疏》，卷15，頁10上。

後，不後，狀力行實踐之奮勇不他顧也。且為仁由己，汲汲行之，又何讓之有？

3 任重道遠，死而後已

> 曾子曰：「士不可以不弘毅，任重而道遠。仁以為己任，不亦重乎！死而後已，不亦遠乎！」（《論語・泰伯》）[123]

弘，大也。毅，強而能決斷也。以仁為己任，重莫重焉；死而後已，遠莫遠焉。若無弘大強毅精神，何能負此重任，致此遠路？

（二）步驟

1 反己、務本

> 仁者如射，射者正己而後發。發而不中，不怨勝己者，反求諸己而已矣。（《孟子・公孫丑上》）[124]
> 有人於此，其待我以橫逆，則君子必自反也，我必不仁也。（《孟子・離婁下》）[125]
> 愛人不親，反其仁。（《孟子・離婁上》）[126]

自反工夫，全由為仁由己一義發。既為仁由己，必躬自厚而薄責於人。能如此，自必遠怨。遠怨則仁至矣。故孟子曰：「反身而誠，樂莫大焉，強恕而行，求仁莫近焉。」（〈盡心上〉）[127]是仁之實踐，

---

123 校注：《論語注疏》，卷8，頁4上。
124 校注：《孟子注疏》，卷3下，頁8下。
125 校注：《孟子注疏》，卷8下，頁5下。
126 校注：《孟子注疏》，卷7上，頁8下。
127 校注：《孟子注疏》，卷13上，頁4上-4下。

其步驟之始，必在反己。

> 有子曰：「……君子務本，本立而道生，孝悌也者，其為仁之
> 本歟？！」（《論語・學而》）[128]

　　務本者，謂行仁必自孝悌始也。孝悌所以為行仁之本者，蓋仁之
發見，其切近而精實者，莫先於此。《禮記》曰：「立愛自親始」、「立
教自長始。」（〈祭義〉）[129]《孝經》云：「夫孝，德之本也，教之所由
生也。」（〈開宗明義章〉）皆就本言之。脫舍其本而他求，終是不
仁。是以《孝經》又曰：「故不愛其親，而愛他人者，謂之悖德。不
敬其親，而敬他人者，謂之悖禮。以順則逆，民無則焉。不在於善，
而皆在於凶德。雖得之，君子不貴也。」（〈聖治章〉）[130]觀此，則不
孝不悌，雖有他善，終是不仁。故行仁必由孝悌始，而務其本也。

2 志於仁、依於仁

> 子曰：「苟志於仁矣，無惡也。」（《論語・里仁》）[131]
> 苟不志於仁，終身憂辱，以陷於死亡。（《孟子・離婁上》）[132]

　　志於仁，乃行仁最先步驟。謂心嚮於仁，而立志行之也。

> 子曰：「志於道，據於德，依於仁，游於藝。」（《論語・述

128　校注：《論語注疏》，卷1，頁2下。

129　校注：《禮記注疏》，47，頁10下。

130　〔唐〕李隆基注，〔宋〕邢昺疏：《孝經注疏》（影印清嘉慶二十年江西南昌府學刊
　　　本，臺北：藝文印書館，1955年），卷5，頁6下。

131　校注：《論語注疏》，卷4，頁1下。

132　校注：《孟子注疏》，卷7下，頁1下。

而》）[133]

　　既心嚮於仁，立志行之矣。故不可須臾遠離自失，所謂依者，如身著衣，不相違離也。

3 親仁、處仁

> 子曰：「弟子入則孝，出則悌，謹而信，汎愛眾，而親仁。」（《論語·學而》）[134]

　　既孝矣，既悌矣，而由此擴充之，故愛人及物，而汎愛眾，而親仁。所謂親仁者，有仁德者，則親之友之也。若非仁德，則不親之友之，但廣愛之而已。《孟子》：「仁者無不愛也，急親賢之為務。」（〈盡心上〉）[135]又曰：「君子之於物也，愛之而弗仁。於民也，仁之而弗親，親親而仁民。」（仝上）[136]皆由孝悌之本發出，其步驟簡而明。

> 子貢問為仁，子曰：「……居是邦也，事其大夫之賢者，友其士之仁者。」（《論語·衛靈公》）[137]

　　大夫之賢者事之，士之仁者友之，此孔子告子貢行仁之道也，與上文有仁德者親之友之全同。荀子「遊必就士」（〈勸學〉）[138]之言，亦此義。

---

133 校注：《論語注疏》，卷7，頁2上。
134 校注：《論語注疏》，卷1，頁5下。
135 校注：《孟子注疏》，卷13下，頁13上。
136 校注：《孟子注疏》，卷13下，頁12下-13上。
137 校注：《論語注疏》，卷15，頁4上。
138 校注：《荀子集解》，卷1，頁4。

子曰：「里仁為美，擇不處仁，焉得知。」（《論語・里仁》）[139]

此言居必擇仁里而處之，處仁者，自遠邪僻而就中正。久之，則一已亦為仁者，而不離仁矣。孟子：「居惡在，仁是也。」（〈盡心上〉）[140]荀子：「居必擇鄉。」（〈勸學〉）[141]皆此義。

（三）方法

1 由切近易得行之

子曰：「仁遠乎哉？我欲仁，斯仁至矣。」（《論語・述而》）[142]

仁者，心之德，非在外也，非在外則不遠矣。且為仁由己，反而求之則仁至矣。故孟子云：「求則得之，舍則失之，是求有益於得也，求在我者也。」（〈盡心上〉）[143]求在我，故至近易得，欲之即至。

子曰：「欲仁而得仁，又焉貪。」（《論語・堯曰》）[144]

既欲仁，斯仁至，是仁至近也。既欲仁而得仁，是得至易也。欲仁得仁，皆在切近易得處，故行之亦如是也。

夫仁者，己欲立而立人，己欲達而達人，能近取譬，可謂仁之

---

139 校注：《論語注疏》，卷4，頁1上。

140 校注：《孟子注疏》，卷13下，頁6上。

141 校注：《荀子集解》，卷1，頁4。

142 校注：《論語注疏》，卷7，頁64。

143 校注：《孟子注疏》，卷13上，頁3下。

144 校注：《論語注疏》，卷20，頁4上。

方也已。(《論語・雍也》)[145]

立人達人，乃以己及人，固仁者之心也。及人取譬於己，故曰近。是行仁之方，必於近處行之也。

2 由博學切問行之

子夏曰：「博學而篤志，切問而近思，仁在其中矣。」(《論語・子張》)[146]

此言好學近於仁也。蓋學不博，則不能守約。志不篤，則不能力行。四者皆學問思辨之事，雖未及乎力行為仁，然從事於此，心不外馳，而所存自熟，故曰：仁在其中矣。且《禮記・中庸》之博學、審問、慎思、明辨、篤行[147]，為擇善固執之功。擇善固執是誠之者，誠者，所以行仁也。可與此相發明。

3 由誠敬勉強行之

孟子曰：「萬物皆備於我矣，反身而誠，樂莫大焉。強恕而行，求仁莫近焉。」(《孟子・盡心上》)[148]

強，勉強也。恕，推己以及人也。反身而誠，則仁矣。其有未誠，則是猶有私意之隔，而理未純也。故當凡事，勉強推己及人，庶幾心安理得，而仁不遠也。

---

145 校注：《論語注疏》，卷6，頁10下。
146 校注：《論語注疏》，卷19，頁2上-2下。
147 校注：《禮記注疏》，卷53，頁2上。
148 校注：《孟子注疏》，卷13上，頁4上-4下。

4 由友朋輔助行之

> 曾子曰：「君子以文會友，以友輔仁。」（《論語・顏淵》）[149]

為仁雖由己，而觀摩薰陶，常賴良友。天機以有所鼓舞而後暢，義理以有所商量而日新。故殘刻之行，藉賢友以箴止之。惻隱之端，藉賢友以感激之。擴欲無害仁之心，使之充滿洋溢，賴賢友以獎勸于不倦也。遭顛沛造次之候，使之堅忍操守，賴賢友以扶掖於易衰也。人無賢友，何以成其仁哉？是以友輔仁，乃相依為仁也。

（四）諸弟子之實踐力行處

1 一己擬如此行之者

> 子夏曰：「博學而篤志，切問而近思，仁在其中矣。」（《論語・子張》）[150]

此子夏擬由博學篤志，切問近思行仁，亦即由好學近乎仁行之。

2 告語之使如此行之者

> 子曰：「由也，女聞六言六蔽矣乎？」對曰：「未也。」「居，吾語女，好仁不好學，其蔽也愚。」（《論語・陽貨》）[151]

此夫子告子路由好學行仁。先從學問思辨入手，作充實工夫，收斂工夫，然後始免於愚。蓋子路聞斯行之，其快速兼人，且好勇過

---

149 校注：《論語注疏》，卷12，頁11上。
150 校注：《論語注疏》，卷19，頁2上-2下。
151 校注：《論語注疏》，卷17，頁4下。

我，無所取材，雖暴虎馮河，死而無悔。又子路輕率粗野，不甚讀書，故有何必讀書，然後為學之言。率爾而對之輕狂，子之迂也之粗野，不從好學作充實工夫，收斂工夫，則必過而亂，不得其死，故夫子告之如此。

3　問而答以如此行之者

（1）顏淵

> 顏淵問仁。子曰：「克己復禮為仁。一日克己復禮，天下歸仁焉。為仁由己，而由人乎哉！」顏淵曰：「請問其目。」子曰：「非禮勿視，非禮勿聽，非禮勿言，非禮勿動。」顏淵曰：「回雖不敏，請事斯語矣。」（《論語・顏淵》）[152]

　　此夫子以顏淵之問，而告之由克己復禮行仁。其行之之細目，則為視聽言動四者皆準乎禮，即復禮矣。蓋四者古人皆致慎之，所以勉成德行，而不使不仁者加乎其身。顏子有言：夫子博我以文，約我以禮。是夫仰以禮勉顏淵行仁矣。且顏子好學不惰，無違於言，名列德行，不遷怒，不貳過，自知克己，故夫子告之如此。

（2）仲弓

> 仲弓問仁。子曰：「出門如見大賓，使民如承大祭，己所不欲，勿施於人。在邦無怨，在家無怨。」仲弓曰：「雍雖不敏，請事斯語矣。」（《論語・顏淵》）[153]

---

152 校注：《論語注疏》，卷12，頁1上。

153 校注：《論語注疏》，卷12，頁1下。

　　此夫子以仲弓之問，而告之由敬恕行仁。蓋仲弓名列德行，厚重
簡默，拙於應付。不但律己嚴，律人亦嚴，如欲無怨，必由忠恕入
手。故夫子告之如此。

（3）樊遲

> （樊遲）問仁。（子）曰：「仁者先難而後獲，可謂仁矣。」
> （《論語・雍也》）[154]
> 樊遲問仁。子曰：「愛人。」……子貢曰：「富哉言乎！舜有天
> 下，選於眾，舉皋陶，不仁者遠矣。湯有天下，選於眾，舉伊
> 尹，不仁者遠矣。」（《論語・顏淵》）[155]
> 樊遲問仁。子曰：「居處恭，執事敬，與人忠。雖之夷狄，不
> 可棄也。」（《論語・子路》）[156]

　　此夫子以樊遲之屢問，而屢告之也。樊遲問仁有三，初則告之「先
難而後獲。」繼則告之「愛人。」終則告之「居處恭，執事敬，與人
忠。雖之夷狄，不可棄也。」蓋樊氏年有少長，學有淺深。雖同在問
仁，但答之也，則必就其年之少長，學之淺深耳。故夫子告之如此。

（4）司馬牛

> 司馬牛問仁。子曰：「仁者，其言也訒。」曰：「其言也訒，斯
> 謂之仁矣乎？」子曰：「為之難，言之，得無訒乎。」（《論
> 語・顏淵》）[157]

---

154 校注：《論語注疏》，卷6，頁8上。
155 校注：《論語注疏》，卷12，頁10上-10下。
156 校注：《論語注疏》，卷13，頁7下。
157 校注：《論語注疏》，卷12，頁2上。

此夫子以司馬牛之問，而告之由言難行仁。訒，忍也，難也。仁者心存而不放，故其言若有所忍，而不易發。蓋司馬牛多言而躁，故夫子告之如此。

（5）子貢

> 子貢問為仁。子曰：「工欲善其事，必先利其器。居是邦也，事其大夫之賢者，友其士之仁者。」（《論語・衛靈公》）[158]
>
> 子貢曰：「如有博施於民，而能濟眾，何如，可謂仁乎？」子曰：「何事於仁，必也聖乎，堯舜其猶病諸。夫仁者，己欲立而立人，己欲達而達人，能近取譬，可謂仁之方也已。」（《論語・雍也》）[159]

此夫子以子貢之問，而先以工欲善其事，必先利其器為喻，而告之以事之友之，以行仁也。蓋子貢利口巧辭，未及乎恕，故夫子嘗黜其辯，屢告以恕，使子貢切近作工夫，不比博施濟眾專求于功用也。故夫子告之如此。

（6）子張

> 子張問仁於孔子。孔子曰：「能行五者於天下為仁矣。」請問之。曰：「恭、寬、信、敏、惠。恭則不侮，寬則得眾，信則人任焉，敏則有功，惠則足以使人。」（《論語・陽貨》）[160]

此夫子以子張之問，而告之由五事以行仁。子張一生病痛，只是

158　校注：《論語注疏》，卷15，頁4上。

159　校注：《論語注疏》，卷6，頁10下。

160　校注：《論語注疏》，卷17，頁3上-3下。

務外。故曾子有堂堂乎張也，難與並為仁矣。孔子有色取仁而行違，居之不疑之缺。是子張之為人，嘉虛榮，尚表面。其問行，則告之以言忠信，行篤敬。此問仁，乃以五者告之。蓋此五者，乃子張有所不足也。故夫子告之如此。

（7）原憲

> （憲問）：「克、伐、怨、欲不行焉，可以為仁矣？」子曰：「可以為難矣，仁則吾不知也。」（《論語‧憲問》）[161]

此夫子以原憲之問，而告之以克伐怨欲不行，可以為難，仁則不知，未可以此行仁也。人而無克伐怨欲，惟仁者能之，有之而能制其情使不行，斯亦難矣，謂之仁則未也。蓋求仁之功，全在勉強，克復敬恕，皆勉強工夫。但彼是於本原處用力，使私欲不留於心。不行是遏其流，使私欲不發於外，而私欲之心尚在，未能克盡，尚有可萌四者之根在。且僅能如此，此但能無損於人，不能有益於人。未能立人達人，故孔子不許為仁。蓋四者不行，已近忠恕，可以求仁，不可遽謂仁也。故夫子告之如此。

四　不自居仁、不輕以仁許人

一部《論語》，言仁者至夥，故或有謂仁書之說。孔子終生所追求者，以此為中心。教門弟子者，以此為中心。七十子所以日夜講求者，亦以此為中心。群弟子一聞為仁之言，求仁之方，必欣然奉持，不啻拱璧之賜，而未敢須臾或忘，無不罷勉求之。何以得之者，如許

161　校注：《論語注疏》，卷14，頁1上。

之少？不僅此也，孔子言仁，既如許之多，而〈子罕篇〉竟謂：「子罕言利，與命與仁。」[162]或謂仁之道大難及，或謂仁者行盛難就，故夫子罕言之。罕言之義，或出於此，然未盡必也。所謂罕言者，蓋非子不語，亦非教人言。乃謹慎其言，不輕易其言也。阮氏元有言：「孔子言仁者詳矣，曷為曰罕言也？所謂罕言者，孔子每謙不敢自居於仁，亦不輕以仁許人也。」[163]斯言得之，茲述之於后。

（一）不自居仁

> 子曰：「君子道者三，我無能焉。仁者不憂，知者不惑，勇者不懼。」子貢曰：「夫子自道也。」（《論語·憲問》）[164]

君子所行之道有三，而夫子既云吾無能焉，非夫子無能行，乃謙言不自居於仁也。故子貢曰：「夫子自道也。」自道者，自謙其言如是道之，夫子實三者備之也。

> 子曰：「若聖與仁，則吾豈敢，抑為之不厭，誨人不倦，則可謂云爾已矣。」公西華曰：「正唯弟子不能學也。」（《論語·述而》）[165]

豈敢者，不敢也。言聖與仁二者，則夫子不敢自許有此二事也。夫子雖不受仁聖之目。而以為之不厭，誨人不倦二者自許。公西華僅知正唯弟子不能學。子貢則知夫子自謙，不自居於仁聖，夫子實二者

---

162 校注：《論語注疏》，卷9，頁1上。
163 校注：〔清〕阮元：《揅經室集》，一集卷8，〈論語論仁論〉，頁194。
164 校注：《論語注疏》，卷14，頁12下。
165 校注：《論語注疏》，卷7，頁11下。

備之也。觀孟子所云,則知之矣。

> 昔者子貢問於孔子曰:「夫子聖矣乎?」孔子曰:「聖則吾不
> 能,我學不厭,而教不倦也。」子貢曰:「學不厭,智也;教
> 不倦,仁也。仁且智,夫子既聖矣。」(《孟子·公孫丑上》)[166]

《論語》作「為之不厭,誨人不倦。」《孟子》作「我學不厭,
而教不倦。」言雖有別,其義則一。但子貢明言「學不厭,智也。教
不倦,仁也。仁且智,夫子既聖矣。」既仁且聖,而曰吾豈敢,吾不
能者,謙言不自居於仁也。

> 子罕言利,與命與仁。(《論語·子罕》)[167]

罕言者,慎言也。慎言者,不僅夫子不自居於仁,並不輕以仁許
人也。

(二)不輕以仁許人

1 以仁許之者

A 顏淵三月不違仁

> 子曰:「回也,其心三月不違仁。其餘,則日月至焉而已矣。」
> (《論語·雍也》)[168]

---

166 校注:《孟子注疏》,卷3上,頁10上-10下。
167 校注:《論語注疏》,卷9,頁1上。
168 校注:《論語注疏》,卷6,頁3下。

此孔子許顏回三月不違仁也。云三月者，固非指三月後必違，然不可保其或違也。蓋顏子體仁，未得位得道，其仁無所施於人，然其心則能不違，故夫子許之也。至其他門弟子，或日月一至，暫有至仁時，唯回能移時而不變。於此，則知顏回之所以列於四科中德行之首也。孔子之於顏回也。屢稱道之。曰：「賢哉回也。一簞食，一瓢飲，在陋巷，人不堪其憂，回也不改其樂，賢哉回也。」（《論語・雍也》）[169]又曰：「吾與回言終日，不違如愚。退而省其私，亦足以發，回也不愚。」（《論語・為政》）[170]又曰：「用之則行，舍之則藏，唯我與爾有是夫。」（《論語・述而》）[171]又曰：「有顏回者好學，不遷怒，不貳過。」（《論語・雍也》）[172]既許其好學，又稱其賢，故能「克己復禮，天下歸仁焉。」（《論語・顏淵》）[173]三月不違仁，有其必然者在。

B 伯夷叔齊求仁得仁

> 冉有曰：「夫子為衛君乎？」子貢曰：「諾，吾將問之。」入曰：「伯夷叔齊何人也？」曰：「古之賢人也。」曰：「怨乎？」曰：「求仁而得仁，又何怨？」出曰：「夫子不為也。」（《論語・述而》）[174]

此孔子許伯夷叔齊求仁得仁也。云求仁而得仁，又何怨者，此孔子答不怨也。初心讓國，求為仁也。君子殺身以成仁，夷齊雖終於餓

---

169 校注：《論語注疏》，卷6，頁5上。
170 校注：《論語注疏》，卷2，頁4上。
171 校注：《論語注疏》，卷7，頁3下。
172 校注：《論語注疏》，卷6，頁1下。
173 校注：《論語注疏》，卷12，頁1上。
174 校注：《論語注疏》，卷7，頁5上。

死，得成於仁，豈有怨乎？且夷齊之讓，出於親愛之誠，全係由仁之本孝悌發出，伯夷以父命為尊，孝也。叔齊以天倫為重，悌也，既求而得之，故無所怨，是以孔子許以求仁得仁也。且伯夷叔齊之行也，不僅孔子稱道之，孟子並尊為聖之清者。孔子之言曰：「伯夷叔齊，不念舊惡，怨是用希。」（《論語・公冶長》）[175]孟子之言曰：「非其君不事，非其民不使，治則進，亂則退，伯夷也。」（《孟子・公孫丑上》）[176]又曰：「伯夷目不視惡色，耳不聽惡聲，非其君不事，非其民不使。治則進，亂則退。橫政之所出，橫民之所止，不忍居也。思與鄉人處，如以朝衣朝冠，坐於塗炭也。當紂之時，居北海之濱，以待天下之清也。故聞伯夷之風者，頑夫廉，懦夫有立志。……伯夷，聖之清者也。」（《孟子・萬章下》）[177]孔子稱其怨是用希，孟子稱其聖之清，宜乎求仁得仁也。

C 管仲如其仁

> 子路曰：「桓公殺公子糾，召忽死之，管仲不死。」曰：「未仁乎？」子曰：「桓公九合諸侯，不以兵車，管仲之力也。如其仁，如其仁。」（《論語・憲問》）[178]

此孔子聞子路言管仲未仁，故就仁之大用，言管仲行仁之事，許其為仁也。夫齊桓公九合諸侯，不以兵車，存亡繼絕，功齊天下，諸侯久安，此仁之大節，皆管仲之力也。足得為仁，餘更有誰如管仲之仁？至召忽之於糾也，雖殺身以為仁矣，然死節，仁之小者也，未如

---

175 校注：《論語注疏》，卷5，頁10下。
176 校注：《孟子注疏》，卷3上，頁10下。
177 校注：《孟子注疏》，卷10上，頁1上-2上。
178 校注：《論語注疏》，卷14，頁8下。

管仲佐桓公，九合諸侯，不以兵車，而匡天下，仁被萬物也。夫以一人之不死，而全億萬生靈之不死，此仁之大者也。夫子就其事功，以示仁之大用，宜矣。阮元曰：「一介之士，仁具於心。然具於心，仁之端也。必擴而充之著於行，始可稱仁。」又曰：「若一人閉戶齋居，瞑目靜坐。雖有德理在心，終不得指為聖之所謂仁矣。」阮氏深得夫子之心。孟軻每言擴而充之，義亦在此。或曰：「夫子曾云：『志士仁人，無求生以害仁，有殺身以成仁。』」（《論語・衛靈公》）[179]管仲之不死，於此相忤，何可至乎仁？」焦循云：「殺身成仁，皇邢兩疏引比干夷齊，固矣。乃殺身不必盡刀鋸鼎鑊也。舜勤眾事野死，冥勤其官而水死，為民禦大災，捍大患。所謂仁也，以死勤事，即是殺身成仁。苟自惜其身，則禹不腓胝，不至於跳步，則水不平，民生不遂，田賦不能成。即是不能成仁，故有殺身以成仁者也。不愛其身以成仁，則能敬其事，故脩己以敬，即能安人安天下也。管仲不死，而民到于今受其賜，則成仁不必殺身。死不死之，關乎仁不仁。……死而成仁，則死為仁。死而不足以成仁，則不必以死為仁。仁不在必死，亦不在不死。」（《論語補疏》）焦氏之言，解或問之惑矣。孔門弟子中，不僅子路言管仲未仁，子貢亦疑管仲非仁。「子貢曰：『管仲非仁者與？桓公殺公子糾。不能死，又相之。』」（《論語・憲問》）[180]子貢之意，亦謂管仲與召忽，同事公子糾，則有君臣之義，理當授命致死。管仲不能致命，復為桓公之相，是無仁心於公子糾也。孔子答之曰：「管仲相桓公，霸諸侯，一匡天下，民到于今受其賜。微管仲，吾其被髮左衽矣。豈若匹夫匹婦之為諒也，自經於溝瀆，而莫之知也。」（《論語・憲問》）[181]如無管仲，則可能被髮左衽。被髮左

---

179 校注：《論語注疏》，卷15，頁4上。
180 校注：《論語注疏》，卷14，頁9上。
181 校注：《論語注疏》，卷14，頁9上-9下。

祫，則社稷破，宗廟滅，祭祀絕，使先王衣冠禮樂之盛，盡污於夷狄。仁者見此，如仍執著匹夫匹婦之硜硜小節，而不振力挽救之。則真非仁者之所懷，而有違仁之博施濟眾，澤及萬物之大旨矣。死與不死，全在當與不當。管仲之不死，不僅至於仁。且權衡得失，亦及乎義也。故夫子重其如其仁，如其仁，以深許之也。

D 殷有三仁

> 微子去之，箕子為之奴，比干諫而死。孔子曰：「殷有三仁焉。」（《論語‧微子》）[182]

此孔子以微子、箕子、比干，共跡雖異，而同為仁，故云殷有三仁焉。《中論》云：「微子介於石不終日，箕子內難而能正於志，比干諫而剖心。」（〈智行〉）[183]介於石，正於志，皆仁者之性行也。故或去亂邦而免污身，或處濁世而遠危害。去者類伯夷之清，奴者類寧武子之愚，皆聖人之所深許者也。至諫而剖心，此殺身以成仁者也。蓋仁以憂亂寧民忘己身為用，不有去者，則誰保宗祀耶？不有佯狂者，則誰為親寄耶？不有死者，則誰為亮臣節耶？各盡其所宜，俱為為臣之道，於教有益焉。三人事跡雖異，若易地而處之，則皆互能耳。故朱熹曰：「三人之行不同，而同出於至誠惻怛之意。故不咈乎愛之理，而有以全其心之德也。」[184]楊氏亦曰：「此三人者，各得其本心，故同謂之仁」[185]，伯夷叔齊求仁得仁亦此意。比干諫而死，此殺身以成仁者，姑勿復論。至去之之微子，佯狂之箕子，果冷淡於物，

---

182 校注：《論語注疏》，卷18，頁1上。
183 校注：〔漢〕徐幹：《中論》（臺北：世界書局，1975年11月），卷上，頁21。
184 校注：〔宋〕朱熹：《四書集註》（臺北：世界書局，1957年12月），卷9，頁126。
185 校注：〔宋〕朱熹：《四書集註》，卷9，頁126。

不憂世民者與？亦未可如此言之也。《史記・宋世家》云：「周武王克殷，微子乃持業祭器造於軍門，肉袒面縛。左牽羊，右把茅，膝行而前以告。於武王乃釋微子，復其位如故。」又曰：「武王乃封箕子於朝鮮，而不臣也。」[186]先去之，而後得復其立如故，則能保宗祀矣。先佯狂，而後封於朝鮮不臣之，則能為親寄矣。是以或去之，或為之奴，或諫而死。其跡雖異，而其心同在憂亂寧民之仁愛也。皆稱其為仁，不亦宜乎？《論語・堯曰》引《周書》云：「周有大賚，善人是富。雖有周親，不如仁人。」[187]此仁人乃比干死後，三仁中所遺之微子箕也。孔安國固嘗明言之矣。夫殷亡國之民也，而武王於微子箕子，而曰：「雖有周親，不如仁人。」則夫子殷有三仁之論不謬矣。

2 不以仁許之者

（1）令尹子文、陳文子

> 子張問曰：「令尹子文，三仕為令尹，無喜色。三已之，無慍色。舊令尹之政，必以告新令尹，何如？」子曰：「忠矣。」曰：「仁矣乎？」曰：「未知，焉得仁。」「崔子弒齊君，陳文子有馬十乘，棄而違之，至於他邦，則曰：『猶吾大夫崔子也。』違之。之一邦，則又曰：『猶吾大夫崔子也。』違之，何如？」子曰：「清矣。」曰：「仁矣乎？」曰：「未知，焉得仁。」（《論語・公冶長》）[188]

子文之為人也，嘉恕不形，物我無間，知有其國而不知其身。其

---

186 校注：〔漢〕司馬遷著，〔唐〕張守節正義，〔宋〕裴駰集解：《史記》，（影印清乾隆武英殿刊本，臺北：藝文印書館，1955年），卷38，頁3上-8下。
187 校注：《論語注疏》，卷20，頁1下。
188 校注：《論語注疏》，卷5，頁8下-9上。

忠盛矣，故子張疑其仁。然其所以三仕三已，而告新令尹者，未知其
皆出於天理，而無人欲之私也。是以夫子但許其忠，而未許其仁也。
至文子之潔身去國。可謂清矣。然未知其心，果見義理之當然，而能
脫然無所累乎？抑不得已於利害之私，而猶未免於怨悔也。故夫子特
許其清，而不許其仁。夫子之所以許其忠清，而未許其仁者，蓋當理
而無私心則仁矣。且其德大，其用廣，全之於心，行之於身。而又使
天下之人，皆歸於我，而得為人之道。夫然後仁之心德功用始全，仁
豈易言邪！今以是而觀二子之事，雖其制行之高，若不可及，然皆未
有以見其必當於理，而真無私心也。子張未識仁體，而悅於苟難，遂
以小者，信其大者。夫子之不許，宜也。

（2）子路、冉求、公西華

> 孟武伯問：「子路仁乎？」子曰：「不知也。」又問，子曰：
> 「由也，千乘之國，可使治其賦也，不知其仁也。」「求也，
> 何如？」子曰：「求也，千室之邑，百乘之家，可使為之宰
> 也。不知其仁也。」「赤也，何如？」子曰：「赤也，束帶立於
> 朝，可使與賓客言也，不知其仁也。」（《論語·公冶長》）[189]

　　子路之為人也，性鄙粗嗲，好勇兼人，知其猛進，而有率爾輕狂
之失。其瑟也，雖有北鄙殺伐之聲，盛乎剛勇，不足中和，然已升堂
矣。其才也，則可治攝乎大國之間，加之以師旅，因之以饑饉之千乘
大國。三年之間，可使有勇，且知方也。惟有何必讀書，然後為學之
言，知其不甚讀書，而可死暴虎馮河之勇也。是以夫子但稱其才，而
不許其仁。冉求之為人也，性卻退而不知長進。其為季氏宰也，則為

---

189 校注：《論語注疏》，卷5，頁3下-4上。

之聚歛，而附益季氏富於周公之富。夫子有非吾徒也，小子鳴鼓而攻之之責。其才也，則可治小國，使其足民。至於禮樂君子之事，是非其能，是以夫子亦稱其才，而不許其仁。至公西華之為人也，其使於齊也，則乘肥馬、衣輕裘，不辭五秉之粟，夫子已有微辭。其才也，則可為端章甫，束帶立於朝之小相，贊宗廟會同之禮。是以夫子亦稱其才，而不許其仁。夫子之所以稱三子之才，而不許其仁者，亦以仁道弘大，三子各有所失，未能有之也。故夫子僅以其才答孟武伯，而於其所疑三子為仁，則示以未知也。其所以云未知者，蓋不欲指言無仁，此夫子獎誘之教之所在也。

（3）仲弓

> 或曰：「雍也，仁而不佞。」子曰：「焉用佞，禦人以口給，屢憎於人。不知其仁，焉用佞。」（《論語・公冶長》）[190]

　　仲弓之為人也，重厚簡默，可使南面，四科中與乎德行。是仲弓德行中人，行必先人，言必後人，故或疑其賢至乎仁，美其優於德，而惜其短於才也。夫子但云仁者不必佞，而不許其仁。夫子之所以不許其仁者，亦以仁道弘大，非全體而不息者，不足以當之。夫子久於仲弓也，雖列之德行，雖云可使南面，雖謂犁牛之子，騂且角，雖欲勿用，山川其舍諸，不以其父之賤而行惡，而廢其善。然亞聖如顏子者，猶不能無違乎三月之後，況仲弓雖賢，未及顏子乎？是以不以仁輕許之也。

---

190 校注：《論語注疏》，卷5，頁2下。

（4）子張

> 子游曰：「吾友張也為難能也。然而未仁。」（《論語·子張》）[191]

　　子張之為人也，務外自飾，外有餘而內不足，行過高而少誠實。不可輔而為仁，亦不能有以輔人之仁也。故曾子曰：堂堂乎張也。難與並為仁矣。子游之所以云其未仁者，乃子游服其才量之宏大，而病其心德之未純。蓋子張容儀堂堂然盛，如此，則少質樸。孔子有云：剛毅木訥近仁。寧外不足，而內有餘。子張於此，似有所短。然《大戴禮·衛將軍文子》篇云：「業功不伐，貴位不善，不侮可侮，不佚可佚，不敖無告，是顓孫之行也。孔子言之曰：『其不伐則猶可能也，其不弊百姓者則仁也。《詩》云：「愷弟君子，民之父母。」』，夫子以其仁為大也。」[192]據此，顓孫師之仁，夫子許之，子游曾子何以如此短其友？試觀《論語》一書，夫子僅謂殷有三仁，管仲如其仁，顏子三月不違仁，伯夷叔齊求仁得仁。夫子如是罕許之，何於《大戴禮》中遽許顓孫其仁。而夫子於其學干祿也，則令其言寡尤，行寡悔。於其問行也，則曰：言忠信，行篤敬。於其問仁也，則告之以行五事：恭寬信敏惠。此皆顓孫師之所短也。且師也辟，有習於容止而少誠實。色取仁而行違之嫌。夫子何以仁輕許之？觀此，曾子難與並為仁，子游然而未仁之說可信，《大戴禮》之說，乃言之無徵者也。

3 直斥其不仁者

（1）宰我

> 宰我問：「三年之喪，期已久矣。君子三年不為禮，禮必壞。

---

191 校注：《論語注疏》，卷19，頁4下。
192 校注：《大戴禮記解詁》，卷6，頁110。

三年不為樂，樂必崩。舊穀既沒，新穀既升，鑽燧改火，期可已矣。」子曰：「食夫稻，衣夫錦，於女安乎？」曰：「安。」「女安則為之。夫君子之居喪，食旨不甘，聞樂不樂，居處不安，故不為也。今女安，則為之。」宰我出，子曰：「予之不仁也！子生三年，然後免於父母之懷。夫三年之喪，天下之通喪也。予也，有三年之愛於其父母乎？」（《論語‧陽貨》）[193]

　　喪之久暫，雖代有不同，人各異說，然以心安為主，此不易之論也。聖人制禮，使賢者俯就，不肖企及。三年之喪，其所以為天下之通喪者，子生三年，然後免於父母之懷。云三年者，聊報父母懷乳之恩，非止此三年，即可報其昊天罔極也。短喪之說，雖下愚且恥言之，宰我親學聖人之門，名躋四科，冠言語之先，而以是問，陋矣。且孔子以食夫稻、衣夫錦安乎問之，而竟答之曰安。則宰我之不仁其父母，亦已甚矣！蓋宰我之為人也，利口辯其辭，晝寢懈其志。孔子每誅責之，今又有短乎親喪，而薄其行之問，根本已動搖，故夫子直以不仁斥之。

（2）梁惠王

孟子曰：「不仁哉！梁惠王也。仁者以其所愛，及其所不愛；不仁者以其所不愛，及其所愛。」公孫丑曰：「何謂也？」「梁惠王以土地之故，糜爛其民而戰之，大敗，將復之，恐不能勝，故驅其所愛子弟以殉之，是之謂以其所不愛，及其所愛也。」（《孟子‧盡心下》）[194]

---

193 校注：《論語注疏》，卷17，頁8下-9上。
194 校注：《孟子注疏》，卷14上，頁1下-2上。

仁者，愛也。仁者，無不愛也。然愛有差等，其本在乎孝悌。擴
之充之，則仁民及物矣。故老吾老，以及人之老。幼吾幼，以及人之
幼。其所厚者不得薄，而薄者不可厚也。故君子之於物也，愛之而弗
仁。於民也，仁之而弗親。親親而仁民，仁民而愛物。此以其所愛，
及其所不愛也。梁惠王以土地之故，糜爛其民而戰之。大敗之後，又
將復之，恐不能勝，而驅其所愛子弟以殉之。是之謂以其不愛，及其
所愛，大違仁愛之旨。故曰：不仁哉，梁惠王也。蓋梁惠王之為人
也，重利好戰。以其重利，故不道仁義。以其好戰，故死其長子焉。
夫以利而戰，不惜驅所愛子弟以殉之。是以動搖其根本，故孟子直以
不仁斥之。

結論

綜上所述，則知《論語》、《孟子》中仁字，其涵義：在《論語》
中，涵義遠較論語前載籍所記，非作人最高準則者為廣。舉凡孝悌忠
信，禮義智勇等美德，無不包括統攝之，而為作人最高準則。在《孟
子》中，涵義又趨狹隘，僅就愛人一義發揮之。其效用：在修己方
面，則無惡思惡行，無怨懟憂愧，而能安能靜，且多壽考也。在安人
方面：則始自一己之執常當理以對人，且不為之已甚，絕棄其人。終
至立人達人，人立人達之境。人立矣，人達矣，安人之事畢矣。在治
國化民方面：為禮樂興成，德化流洽。以仁得其民，而保有其民，且
使之盡化於善也。其實踐：在態度上，則為仁至重要，不可或違；為
仁由己，不讓於師；且任重道遠，死而後已。在步驟上，則首為反己
務本，次為志於仁，依於仁，而終至親仁處仁。在方法上，則由切近
易得，博學切問，誠敬勉強，友朋輔助等諸方面行之。至群弟子之實
踐力行也，則多就日常生活言之。所言皆日用尋常，平易切實之事。

且群弟子才有高下，年有少長，學有深淺，是以行之之途多端。故弟子所問，孔子所答，皆異人異辭，各就其所能行者，而就事指點答教之也。至其不自居仁，不輕許人以仁也：乃仁之德大，其用也廣。須全之於心，行之於身，而又使天下之人，皆歸於我，而後為人之道。夫然後，仁之心德功用始全。是以孔子每謙退不敢自居，不輕許人以仁也。故論語一書，或雖謂為仁書，僅顏子三月不違仁，伯夷叔齊求仁得仁，殷有三人，管仲如其仁而已。至直斥其不仁者，在孔子有宰我，在孟子有梁惠王。

　　仁之涵義、效用、實踐等既如是。於此，可知仁在中國文化上所佔地位。人世間之所以充滿光明同情與溫暖，皆此仁字所含之愛心呈露使然，舍此復有可言者乎？耶穌基督言博愛，言拯救世人。釋迦牟尼言慈航，言普渡眾生。途雖各殊，然其所本，皆此愛心也。此即東西方聖人之所同然者歟？當此力征相向，暴亂滋多之今日。有識之士，皆思有所振救之。然如不思由此愛心善端根本入手，徒堅其甲，利其兵，多其殘殺工具，惟武力是視。此特以暴易暴，以亂去亂，吾固知其不可也。書此以誌所感，並終茲篇。

　　此文係國家長期發展科學委員會五十七年度甲種補助下論文，惟略作修正刪削。於一九七三年九月發表於政大中文研究所《中華學苑》第12期[195]。

---

195 校注：《中華學苑》第12期（1973年9月），頁37-75。

參 用一「中」字去認識孔子

　　近來因談中國文化，而談到孔子的言論文章，不知有多少。大體言之，多以孔子的精神思想，學說主張，可以代表中國文化。但孔子的所以為孔子，他的精神思想學說主張所以可以表中國文化，固然可從許多方面去瞭解。比如說：忠恕一貫之道，孝悌為仁之本，倫理學說，教育思想，政治主張。甚或修身涵養，處世態度等，不一而足，都可以去認識孔子。這些，都對，都是正確的。但孔子的所以為孔子，能不能再簡單一些說出來，而又能包涵上述許多概念，似乎很少有人再去探討。暑假中與一同鄉長輩，談到這一點，都深感不足。他曾再三叮囑說：「是否可用一『中』字去認識孔子，寫篇短文，看看是否能引起專家學者注意，是否能共同起來談談這個問題。目的是在提出問題，至於自己所寫的文章，好不好，成理不成理，似可以不必去管它。」一來難拂老人家期勉之意，二來也想談談這個問題，現在就以此文為乘韋之先。如有值得討論的話，希望博雅君子，用更有力的文字，作更進一步的深度探討，補我不足，匡我不逮吧。

　　首先要說明的，本文所說的「中」字，不是上中下之中，不是平均數，中間數，而是「宜也」、「當也」、「適也」、「合也」、「恰」等意義。這是《廣韻》「中，宜也」[1]，《集韻》「中，當也」[2]，《易·蹇》

1　校注：《廣韻》「中」字：「中，平也，成也，宜也，堪也，任也，和也，半也。」見〔宋〕陳彭年等重修，林尹校訂：《新校正切宋本廣韻》（臺北：黎明文化，1976年9月），卷1，頁24。

釋文「中，適也」[3]，《管子・四時》注「中，猶合也」[4]，以及《助字辨略》「可中，正適之辭，猶俗云恰好也」[5]，所明白標出的。由此，我們瞭解，「中」字的意義，是沒有過與不及，沒有或偏或頗，沒有過猛過寬，過剛過柔，也沒有輕重失衡，長短失度；而是隨時皆宜，隨地皆宜的「適當」、「合宜」、「恰到好處」。用此去認識孔子，甚至孔子所代表的中國文化，似乎錯不到哪裏去。現在再看下面許多「中」字連結詞，是否也是上面所說的那樣。《禮記・中庸》：

> 喜怒哀樂之未發謂之中，發而皆中節謂之和。中也者，天下之大本也。和也者，天下之達道也。致中和，天地位焉，萬物育焉。[6]

---

2 校注：《集韻》錄「中」字有平去二聲，平聲：「中，陟隆切，《說文》：和也，從口從丨，上下通，亦姓。古作𠁩，籀作𠁦。」去聲：「中，陟仲切，當也。」見〔宋〕丁度等撰，〔清〕方成珪考正：《集韻》（上海：商務印書館，1937年3月），卷1，頁29；卷7，頁955。按：以「當」釋「中」（去聲）似以《漢書》為最早，〈成帝紀〉「朕涉道日寡，舉錯不中」，顏師古注曰：「中，當也，音竹仲反。」見〔漢〕班固撰，〔唐〕顏師古注：《漢書》（影印清乾隆武英殿刊本，臺北：藝文印書館，1955年），卷10，頁130。

3 校注：《經典釋文》釋塞卦《象傳》「往得中也」之「中」言：「如字，鄭云：和也，又張仲反。王肅云：中，適也。」見〔唐〕陸德明：《經典釋文》（上海：上海古籍出版社，1985年10月），卷1，頁102。

4 校注：〔唐〕尹知章注，〔清〕戴望校正：《管子校正》，《諸子集成》（臺北：世界書局，1955年），卷14，頁41。

5 校注：《助字辨略》「中」字條：「《廣韻》云：『堪也。』《史記・外戚世家》：『武帝擇宮人不中用者，斥出歸之。』又王仲初《鏡聽辭》：『可中三日得相見。』可中，正適之辭，猶俗云恰好也。」見〔清〕劉淇撰：《助字辨略》（臺北：臺灣開明書店，1958年4月），卷1，頁1。

6 校注：〔漢〕鄭元注，〔唐〕孔穎達疏：《禮記注疏》（影印清嘉慶二十年江西南昌府學刊本，臺北：藝文印書館，1955年），卷52，頁1下。

《荀子・勸學》：

> 樂之中和也。[7]

中和之義；是寬猛得中，無有偏頗。《禮記・中庸》：

> 故君子和而不流，強哉矯。中立而不倚，強哉矯。國有道，不變塞焉，強哉矯。國無道，至死不變焉，強哉矯。[8]

中立之義：是恪守中正之道，無有差忒。《禮記・中庸》：

> 齊莊中正，足以有敬也。[9]

《禮記・樂記》：

> 中正無邪，禮之質也。[10]

《管子・五輔》：

> 為人君者，中正而無私。[11]

---

7 校注：〔唐〕楊倞注，〔清〕王先謙集解：《荀子集解》（臺北：華正書局，1979年7月），卷1，頁7。

8 校注：《禮記注疏》，卷52，頁6上。

9 校注：《禮記注疏》，卷53，頁13上。

10 校注：《禮記注疏》，卷37，頁16下。

11 校注：《管子校正》，卷3，頁48。

《荀子・勸學》：

　　君子居必擇鄉，遊必就士，所以防邪僻而就中正也。[12]

中正之義：是內心純貞，無有邪僻。《論語・子路》：

　　子曰：「不得中行而與之，必也狂狷乎！狂者進取，狷者有所
不為也。」[13]

《孟子・盡心下》：

　　孔子不得中道而與之，必也狂狷乎！狂者進取，狷者有所不為
也。孔子豈不欲中道哉，不可必得，故思其次也。[14]

中行與中道同，其義：是行能得其中正之道，不狂不狷。《論語・雍
也》：

　　子曰：「中庸之為德也，其至已乎，民鮮能久矣。」[15]

《禮記・中庸》：
　　子曰：「……人皆曰『予知』，擇乎中庸，而不能期月守也。」[16]

---

12 校注：《荀子集解》，卷1，頁4。
13 校注：〔魏〕何晏集解，〔宋〕邢昺疏：《論語注疏》（影印清嘉慶二十年江西南昌府
　　學刊本，臺北：藝文印書館，1955年），卷13，頁8下。
14 〔漢〕趙岐注，〔宋〕孫奭疏：《孟子注疏》（影印清嘉慶二十年江西南昌府學刊
　　本，臺北：藝文印書館，1955年），卷14下，頁8上。
15 校注：《論語注疏》，卷6，頁10上。
16 校注：《禮記注疏》，卷52，頁5上。

又說：

> 子曰：「……君子依乎中庸，遯世不見知而不悔，唯聖者能之。」[17]

又說：

> 子曰：「回之為人也，擇乎中庸，得一善則拳拳服膺，而弗失之矣。」[18]

鄭玄《三禮目錄》：

> 名曰中庸者，以其記中和之為用也。庸、用也。[19]

朱熹《中庸章句》：

> 中者，不偏不倚，無過不及之名。庸，平常也。[20]

又引程頤語說：

> 不偏之謂中，不易之謂庸。中者天下之正道，庸者天下之定理。[21]

---

17 校注：《禮記注疏》，卷52，頁7上。

18 校注：《禮記注疏》，卷52，頁5上。

19 校注：〔漢〕鄭玄：《三禮目錄》，《叢書集成三編》（臺北：藝文印書館，1971年），頁14上。

20 校注：〔宋〕朱熹：《四書集註》（臺北：世界書局，1956年12月），〈中庸章句〉，頁1。

21 校注：〔宋〕朱熹：《四書集註》，〈中庸章句〉，頁1。

中庸之義：是不偏不易之正道定理，或是中和之為用。《論語·堯曰》：

> 堯曰：「咨，爾舜，天之厤數在爾躬，允執其中。四海困窮，天祿永終。」[22]

《偽古文尚書·大禹謨》：

> 帝曰：「來！禹，⋯⋯⋯⋯天之歷數在汝躬，汝終陟元后。人心惟危，道心惟微，惟精惟一，允執厥中。」[23]

《孟子·離婁下》：

> 孟子曰：「⋯⋯湯執中，立賢無方。」[24]

執中之義：是執中正之道，無過不及。《禮記·中庸》：

> 子曰：「舜其大知也與？舜好問而好察邇言，隱惡而揚善，執其兩端，用其中於民，其斯以為舜乎！」[25]

用中之義：是折中而用之。去其極端。《史記·孔子世家》贊曰：

---

22 校注：《論語注疏》，卷20，頁1上。
23 校注：〔漢〕孔安國傳，〔唐〕孔穎達疏：《尚書注疏》（影印清嘉慶二十年江西南昌府學刊本，臺北：藝文印書館，1955年），卷4，頁8下。
24 校注：《孟子注疏》，卷8上，頁10下-11上。
25 校注：《禮記注疏》，卷52，頁4下。

自天子王侯中國言六藝者，折中於夫子。[26]

《漢書‧王貢兩龔鮑傳》：

微孔子之言，亡所折中。[27]

《管子‧小匡》：

（管仲曰）：「決獄折中，不殺不辜，不誣無罪。」[28]（《呂氏春秋‧勿躬》同[29]）

折中之義：是裁斷是非，得其適宜。《禮記‧中庸》：

仲尼曰：「……君子之中庸也，君子而時中。」[30]

朱熹《中庸章句》：

君子之所以為中庸者，以其有君子之德，而又能隨時以處中也。[31]

---

26 校注：〔漢〕司馬遷著，〔唐〕張守節正義，〔宋〕裴駰集解：《史記》（影印清乾隆武英殿刊本，臺北：藝文印書館，1955年），卷47，頁29。
27 校注：〔漢〕班固著，〔唐〕顏師古注，〔清〕王先謙補注：《漢書補注》（影印清乾隆武英殿刊本，臺北：藝文印書館，1955年4月），卷72，頁15上。
28 校注：《管子校正》，卷8，頁129。
29 校注：〔清〕高誘注：《呂氏春秋》（影印四部叢刊初編本，臺北：藝文印書館，1974年1月），卷17，頁466。
30 校注：《禮記注疏》，卷52，頁3上。
31 校注：〔宋〕朱熹：《四書集註》，〈中庸章句〉，頁3。

時中之義：是隨時制宜，處其中當。

從上面這些意義看來，「中」字確是沒大過與不及，沒有或偏或頗，沒有過猛過寬，過剛過柔。也沒有輕重失衡，長短失度，而是隨時皆宜，隨地皆宜的「適當」、「合宜」、「恰到好處」。

瞭解了「中」字意義後，再來看看孔子的態度。就前面所引，他把不狂不狷，無過不及的中行，或中道之士，看得是那麼難得。把不偏不易，或是記中和之為用中庸，看得是那麼難把握。而能去其極端，執守中正之道的執中，用中，也只有少數堯舜禹湯一類的聖人才配談，才能作到。至於孔子他自己呢，又無不以達到「適當」、「合宜」、「恰到好處」的「中」字意義，去教育學生，期勉自己。《論語・先進》：

> 子貢問：「師與商也，孰賢？」曰：「然則師愈與？」子曰：「過猶不及。」[32]

《禮記・中庸》：

> 子曰：「道之不行也，我知之矣，知者過之，愚者不及也。道之不明也，我知之矣，賢者過之，不肖者不及也。」[33]

不及，是沒有把握到「適當」、「合宜」、「恰到好處」。同樣的，過之，仍是沒有把握到「適當」、「合宜」、「恰到好處」。《論語・先進》：

---

32 校注：《論語注疏》，卷11，頁5下。
33 校注：《禮記注疏》，卷52，頁3下。

子路問：「聞斯行諸？」子曰：「有父兄在，如之何其聞斯行
之！」冉有問：「聞斯行諸？」子曰：「聞斯行之！」公西華
曰：「由也問：『聞斯行諸？』子曰：『有父兄在。』求也問：
『聞斯行諸？』子曰：『聞斯行之。』赤也惑，敢問。」子
曰：「求也退，故進之。由也兼人，故退之。」[34]

退的使之進，兼人的使之退，其目的何在？是在去其過與不及，把握
「適當」、「合宜」、「恰到好處」。

　　上面是孔子教育學生，以「中」為最後目的。再看孔子如何期勉
自己。《論語・雍也》：

子曰：「質勝文則野，文勝質則史。文質彬彬，然後君子。」[35]

這文質彬彬的君子，當然是文不勝質，質也不勝文。既不偏於野，也
不偏於史的無過與不及，這是每一個人所願意作到的。《論語・子
罕》：

子曰：「麻冕，禮也。今也純，儉，吾從眾。拜下，禮也，今
拜乎上，泰也。雖違眾，吾從下。」[36]

《論語・八佾》：

子曰：「周監於二代，郁郁乎文哉！吾從周。」[37]

---

34 校注：《論語注疏》，卷11，頁8上-8下。
35 校注：《論語注疏》，卷6，頁7上。
36 校注：《論語注疏》，卷9，頁1下。
37 校注：《論語注疏》，卷3，頁8上。

《論語‧先進》：

> 子曰：「先進於禮樂，野人也。後進於禮樂，君子也。如用
> 之，則吾從先進。」[38]

《論語‧八佾》：

> 林放問：「禮之本。」子曰：「大哉問！禮，與其奢也，寧儉。
> 喪，與其易也，寧戚。」[39]

《論語‧述而》：

> 子曰：「奢則不孫，儉則固。與其不孫也，寧固。」[40]

從與不從，用與不用，全在事之是否「適當」，是否「合宜」，是否
「恰到好處」。即不太「適當」，不太「合宜」，不太「恰到好處」，也
要取其接近者。

上面是孔子期勉自己，以「中」為最後目的。既然孔子以「中」
教育學生，期勉自己。但如何才能達到「適當」、「合宜」、「恰到好
處」？又必須去掉主意，不執著。《論語‧子罕》：

> 子絕四：毋意，毋必，毋固，毋我。[41]

---

38 校注：《論語注疏》，卷11，頁1上。
39 校注：《論語注疏》，卷3，頁3上。
40 校注：《論語注疏》，卷7，頁12上。
41 校注：《論語注疏》，卷9，頁2上-2下。

《論語・里仁》：

> 子曰：「君子之於天下也，無適也，無莫也，義之與比。」[42]

不管適、莫的解釋：是厚與薄，是專主與不肯，是可與不可，還是敵與慕（即反對與向慕），都不影響本文大義。只要無適無莫，惟義是從就可以。這義也不管如何解釋，總離不開「適當」、「合宜」、「恰到好處」。同時這無適，無莫之無。這毋意，毋必，毋固，毋我之毋，自無執著存在。因之，孔子「無可無不可」（《論語・微子》）[43]的權之一義，又不容忽視了。《論語・子罕》：

> 子曰：「可與共學，未可與適道。可與適道，未可與立。可與立，未可與權。」[44]

有一權字出現，則可權衡輕重，捐有餘，補不足，隨時隨地制其宜，無不「適當」、「合宜」、「恰到好處」了。

　　綜上所述，深以為孔子之所以為孔子。他的精神思想，學術主張之所以能代表中國文化。全在一「中」字之隨時制宜，隨地制宜的「適當」、「合宜」、「恰到好處」。換言之，也就是禮記大學上所說的「止於至善」之「至善」。惟其如此，所以才能放諸四海而皆準，百世以俟聖人而不惑。《史記・孔子世家》贊：「自天子王侯中國言六藝者，折中於夫子，可謂至聖矣。」[45]《孟子・萬章下》：「可以速而

---

42 校注：《論語注疏》，卷4，頁3下。
43 校注：《論語注疏》，卷18，頁6下。
44 校注：《論語注疏》，卷9，頁10上。
45 校注：《史記》，卷47，頁29上。

速，可以久而久，可以處而處，可以仕而仕，孔子也。」又曰：「孔子，聖之時者也。」[46]太史公，孟子的贊語，都是根據這放諸四海而皆準，百世以俟聖人而不惑的「至善」之境而發出的。寫到這裏，再回頭看看所提到的，從許多方面去認識孔子，比如說：忠恕一貫之道，孝悌為仁之本，倫理學說，教育思想，政治主張，甚而修身涵養，處世態度的話。不管那一方面，甚真正意義，無不以一「中」字為依據，而應該如此作，應該如此行。也惟有如此作，惟有如此行，才能達到最後人與人，人與事的「適當」、「合宜」、「恰到好處」的「至善」境地。用此認識孔子，似乎不會錯。用此認識孔子所代表的中國文化，也似乎不會錯。關於後者，因篇幅所限，再則已超出本文範圍，只好留在以後再說了。

本文原發表於《孔孟月刊》第6卷第3期，1967年11月28日。

---

46 校注：《孟子注疏》，卷10上，頁2上。

肆　用一「中」字去認識中華文化

前言

　　總統　蔣公為挽救中華文化，提倡中華文人，進而發揚中華文化，在　國父百年誕辰時，提出復興中華文化後，有太多的人在談中華文化。有的從「倫理、民主、科學」上講，有的從「禮、義、廉、恥」四維上講，有的從「忠、孝、仁、愛、信、義、和、平」八德上講。也有的認為孔子的精神思想，學說主張，可代表中華文化，於是又從這一方面去認識。比如說：忠恕一貫之道，孝悌為仁之本，倫理學說，教育思想，政治主張，甚或修身涵養，處世態度等，不一而足。這些都對，都是正確的；但孔子之所以為孔子，中華文化之所以為中華文化，能不能再簡單一些說出來，而又能包涵上述許多概念，似乎很少有人再去探討。

　　在五十六年暑假中，與一同鄉長輩，談到這一點，都深感不足。他曾再三叮囑說：「是否可用一『中』字去認識，寫篇短文，看看能否引起專家學者注意，是否能共同起來談談這個問題。目的是在提出問題，至於自己所寫的文章，好不好，成理不成理，似可不必去管它。」一來難拂老人家期勉之意，二來也想談談這個問題，於是寫了一篇〈用一『中』字去認識孔子〉短文（刊五十六年十一月二十八日《孔孟月刊》第六卷第三期），並在該短文中如此說：「現在就以此文

為乘韋之先,如有值得討論的話,希望博雅君子,用更有力的文字,作更進一步的深度探討,補我不足,匡我不逮吧。」

該短文刊出了十年後,我沒有看到任何有關文章的出現,這當然是由於我識短文拙,所提出的問題,根本不值得討論。去年中華文化復興節前後,以「用一『中』字去認識中華文化」為題,向系中學生作了一次試探性的演講。在講後的座談中,發現有一提出討論的必要。現整理成此文,以求教於大方之家。

一　就字義言之

首先要說明的,中華文化之所以光明燦爛,博大精深;所以日新又新,歷久不衰;所以放諸四海而皆準,百世以俟聖人而不惑。必有一裁制其宜之隨時制宜,隨地制宜的「適當」、「合宜」、「和諧」、「平允」、「無過不及」、「佳善可行」、「恰到好處」,也就是大學上所說的「止於至善」之「至善」的基本精神,始克如此。但這意義,甚麼字可涵攝之?那是中字。《易・蹇》釋文引王肅云:

> 中,適也。[1]

《集韻》及王逸注《楚辭》引宋均並云:

> 中,當也。[2]

---

[1] 校注:《經典釋文》釋蹇卦《象傳》「往得中也」之「中」言:「如字,鄭云:和也,又張仲反。王肅云:中,適也。」見〔唐〕陸德明:《經典釋文》(上海:上海古籍出版社,1985年10月),卷1,頁102。

[2] 校注:《集韻》錄「中」字有平去二聲,平聲云:「中,陟隆切,《說文》:和也,从

《家語‧弟子行篇》注云：

中，猶當也。[3]

《管子‧四時注》云：

中，猶合也。[4]

《廣韻》云：

中，宜也。[5]

潘重規先生講〈中庸〉「用其中於民」句云：

中，事與理相宜也。

口從丨，上下通，亦姓。古作㣎，籀作㗁。」去聲云：「中，陟仲切，當也。」見〔宋〕丁度等撰，〔清〕方成珪考正：《集韻》（上海：商務印書館，1937年3月），卷1，頁29；卷7，頁955。按以「當」釋「中」（去聲）似以《漢書》為最早，〈成帝紀〉「朕涉道日寡，舉錯不中」，顏師古注曰：「中，當也，音竹仲反。」見〔漢〕班固撰，〔唐〕顏師古注：《漢書》（影印清乾隆武英殿刊本，臺北：藝文印書館，1955年4月），卷10，頁130。

3　校注：〔三國魏〕王肅注：《孔子家語》，《諸子集成》（臺北：世界書局，1955年），卷3，頁28。

4　校注：〔唐〕尹知章注，〔清〕戴望校正：《管子校正》，《諸子集成》（臺北：世界書局，1955年），卷14，頁41。

5　校注：《廣韻》「中」字：「中，平也，成也，宜也，堪也，任也，和也，半也。」見〔宋〕陳彭年等重修，林尹校訂：《新校正切宋本廣韻》（臺北：黎明文化，1976年9月），卷1，頁24。

《易‧蹇》釋文引鄭云：

> 中，和也。[6]

周敦頤《通書》云：

> 中者，和也。

《國語‧晉語》云：

> 中，平也。[7]

《孟子‧離婁》篇下「中也養不中」，《集註》云：

> 無過不及之謂中。

《家語‧弟子行篇》云：

> 子貢既與衛將軍文子言，適魯見孔子曰：「衛將軍文子問二三
> 子之於賜，不壹而三焉。賜也辭不獲命，以所以者對矣，未知
> 中否？請以告。」[8]

又〈觀周篇〉云：

---

6 校注：〔唐〕陸德明：《經典釋文》，卷1，頁102。
7 校注：〔三國吳〕韋昭註：《國語韋昭註》（影印嘉慶五年讀未見書齋重雕天聖明道
  本，臺北：藝文印書館，1969年10月），卷15，頁347。
8 校注：《孔子家語》，卷3，頁28。

孔子既讀斯文（指太祖后稷廟堂右階前三緘其口金人的背銘之文）也，顧謂弟子曰：「小人識之，此言實而中，情而信。」[9]

程子〈中庸〉語云：

中者，天下之正道。[10]

山東河南方言云：

凡言與事之佳善、可行曰中。

《助詞辨略》云：

可中，正適之辭，猶俗云恰好也。[11]

徐幹《中論·序》云：

上求聖人之中，下救流俗之昏。[12]

9　校注：《孔子家語》，卷3，頁26。

10　校注：《河南程氏遺書》，卷7，〔宋〕程顥、程頤著，王孝魚點校：《二程集》（北京：中華書局，1981年7月），頁100。

11　校注：《助字辨略》「中」字條：「《廣韻》云：『堪也。』《史記·外戚世家》：「武帝擇宮人不中用者，斥出歸之。」又王仲初《鏡聽辭》：『可中三日得相見。』可中，正適之辭，猶俗云恰好也。」見〔清〕劉淇撰：《助字辨略》（臺北：臺灣開明書店，1958年4月），卷1，頁1。

12　校注：〔漢〕徐幹：《中論》（臺北：世界書局，1975年11月），〈徐幹中論序〉，頁3。按：此〈序〉作者名已佚，嚴可均疑為任嘏所作，見〔清〕嚴可均輯：《全上古三代秦漢三國六朝文》（臺北：宏業書局，1975年8月），卷55，頁8下。

張橫渠《誠明篇》云：

> 天地之性，純粹至善，此子思之所謂中也。[13]

看了上述中字的「適當」、「合宜」、「和諧」、「平允」、「無過不及」、「佳善可行」、「恰到好處」、「純粹至善」等解釋後，把它看作是中華文化隨時制宜，隨地制宜的基本精神，想不會有錯。所以就字義言，是中。

道統一詞，不管是出自《宋史・朱熹傳》[14]，還是始見於李元綱《聖門事業圖》，都無關緊要。吾人常說的中國道統，大義是吾國的立國之道，民族精神，優良傳統，也就是堯、舜、禹、湯、文、武、周公、孔子相繼不絕，一脈相傳下來的。在〈三民主義與文化復興〉一文中說：

> 堯、舜、禹、湯至孔子一脈相傳的道統，主要的是「中道」，
> 也就是「執兩用中」。

中國道統就是中道，所謂中道，是執兩用中的行能得其中正之道。能如此，自然是寬猛得中，剛柔相宜，而無偏頗、差忒、矛盾、衝突、過或不及等極端情事。這當然是中字所涵攝的「適當」、「合宜」、「和諧」、「平允」、「無過不及」、「佳善可行」、「恰到好處」、「純

---

13 校注：〔宋〕張載撰，〔宋〕朱熹注：《張子全書》（臺北：臺灣商務印書館，1979年1月），卷2，頁43。

14 校注：《宋史・朱熹傳》云：「（朱熹）其為學，大抵窮理以致其知，反躬以踐其實，而以居敬為主。嘗謂聖賢道統之傳散在方冊，聖經之旨不明，而道統之傳始晦。於是竭其精力，以研窮聖賢之經訓。」見〔元〕脫脫等著：《宋史》（臺北：鼎文書局，1980年5月），卷729，頁12769。

粹至善」之義。再用此義去了解道統中的教育原理，立身準則，政治哲學，又無一不與之相合。現僅以此作一簡單的舉例說明。

　　談教育原理，我認為周敦頤《通書》的：

　　　　聖人立教，俾人自易其惡，自至其中而已。[15]

　　話說的不錯，這和《禮記·學記》所說：

　　　　教也者，長善而救其失也。[16]

有相同處。好的使之更好，這不要再談。其有偏失而救之，這種教育原理，至今仍是如此。至於救其失，有那些失要救？朱熹注云：

　　　　方氏曰：「或失則多者，知之所以過；或失則寡者，愚之所以不及。或失則易，賢者之所以過；或失則止，不肖者之所以不及。多聞見而適乎邪道，多之失也；寡聞見而無約無卓，寡之失也。子路好勇過我，無所取材，易之失也；冉求之今汝畫，止之失也。約我以禮，所以救其失之多；博我以聞，所以救其失之寡。兼人則退之，所以救其失之易；退則進之，所以救其失之止也。」[17]

15　校注：〔宋〕周敦頤著：《元公周先生濂溪集》（長沙：岳麓書社，2006年），卷4，《通書》〈師第七〉，頁58。

16　校注：〔漢〕鄭玄注，〔唐〕孔穎達疏：《禮記注疏》（影印清嘉慶二十年江西南昌府學刊本，臺北：藝文印書館，1955年），卷36，頁12下。

17　校注：〔明〕胡廣等撰：《禮記大全》，《四庫全書珍本六集》（臺北：臺灣商務印書館，1976年），卷17，頁16上。

從這些話中，我們可以看到，全在過或不及上，所以周氏提出「自致其中」，是有其道理的。

〈中庸〉又提到子路的問強，孔子告以「寬柔以教，不報無道，南方之強也，君子居之。」[18]《說苑·修文》篇又提到子路的鼓瑟，有北鄙殺伐之聲，孔子告以「故君子執中以為本，務生以為基。故其音溫和而居中，以象生育之氣；憂哀悲痛之感，不加乎心，暴厲淫荒之動，不在乎體。」[19]（《家語·辯樂解》作子路鼓琴，略同於此。[20]）也都是在救其失，落在無過不及的中字上。

教育原理是如此，立身準則，也不可不注意過或不及之中，所以《論語·先進》篇說：

> 子貢問：「師與商也，孰賢？」子曰：「師也過，商也不及。」曰：「然則師愈與？」子曰：「過猶不及。」[21]

既然過猶不及，就應該把握中才是；但人有智愚不肖之分，仍然不是過，就是不及，所以〈中庸〉說：

> 子曰：「道之不行也，我知之矣，知者過之，愚者不及也。道之不明也，我知之矣，賢者過之，不肖者不及也。」[22]

這仍然不能把握中，而一般又自以為是智者的人，多不知避害常

---

18 校注：《禮記注疏》，卷52，頁5下。

19 校注：〔漢〕劉向：《說苑》（臺北：世界書局，1978年3月），卷19，頁165。

20 校注：《孔子家語》，卷8，頁80。

21 校注：《論語注疏》（影印清嘉慶二十年江西南昌府學刊本，臺北：藝文印書館，1955年），卷11，頁5下。

22 校注：《禮記注疏》，卷52，頁3下。

守用中之道，所以〈中庸〉說：

> 子曰：「人皆曰：『予知。』驅而納諸罟擭陷阱之中而莫之知辟
> 也。人皆曰：『予知。』擇乎中庸，而不能期月守也。」[23]

不僅不能常守用中之道，甚而有反乎此者，因之有君子小人之
分。能用其時措之宜之中者，稱為君子；其肆無忌憚者，則為小人，
所以〈中庸〉又說：

> 仲尼曰：「君子中庸，小人反中庸。君子之中庸也，君子而時
> 中。小人之中庸也，小人而無忌憚也。」[24]

人之立身，絕不可肆無忌憚，必須如顏回之擇乎用中之道得其一善，
拳拳奉持，存之於心，永不失之才可以，所以〈中庸〉說：

> 子曰：「回之為人也，擇乎中庸，得一善，則拳拳服膺，而弗
> 失之矣。」[25]

至此，我們可以知道，立身為人，必須擇乎用中之道，而為一既
不偏於野，也不偏於史的無過或不及，「優柔平中，德之盛也」（周敦
頤語）[26]的彬彬君子才好。

　　立身準則是如此，而政治哲學又如何？先看《偽古文尚書・洪

---

23 校注：《禮記注疏》，卷52，頁4下-5上。
24 校注：《禮記注疏》，卷52，頁3上。
25 校注：《禮記注疏》，卷52，頁5上。
26 校注：《元公周先生濂溪集》，卷4，《通書》〈樂上第十七〉，頁63。

範》中，一向被國人稱道的是甚麼？是須遵循先生治國之義、之道、
之路，而不可不平，不可不正，不可有偏陂，話是這樣說的：

> 無偏無陂，遵王之義；無有作好，遵王之道；無有作惡，遵王
> 之路。無偏無黨，王道蕩蕩；無黨無偏，王道平平；無反無
> 側，王道正直。會其有極，歸其有極。[27]

這些無一不與中字所涵攝之義相合，同時這極字，如照陸象山〈太極
圖說〉：「曰極曰中，其實一也」說法，極即是中，所以《孔正義》說：

> 會集其有中之道而行之，若其行必得中，則天下歸其中矣，言
> 人皆謂此人為大中之人也。[28]

一連用了這麼多中字，這不能不引起人的注意。除上面所說者外，再
看一向被稱為中華道統中最最完善的修齊治平的政治哲學。〈大學〉
上如此說：

> 古之欲明明德於天下者，先治其國；欲治其國者，先齊其家；
> 欲齊其家者，先脩其身；欲脩其身者，先正其心；欲正其心
> 者，先誠其意；欲誠其意者，先致其知，致知在格物。物格而
> 后知至，知至而后意誠，意誠而后心正，心正而后身脩，身脩
> 而后家齊，家齊而后國治，國治而后天下平。[29]

---

27 校注：〔漢〕孔安國傳，〔唐〕孔穎達疏：《尚書注疏》（影印清嘉慶二十年江西南昌
  府學刊本，臺北：藝文印書館，1955年），卷12，頁14上。
28 校注：《尚書注疏》，卷12，頁14下。
29 校注：《禮記注疏》，卷60，頁1上-1下。

這極不平凡的政治哲學，其重心落在致知上，而致知又在格物。因之，要想了解其基本精神所在，必須由此下手。這點前人也都注意到了。然各人有各人的說法、講法，在我總認為沒有抓到癢處。「致知」，我只用程伊川《語錄》的話：

致知，但知止於至善。[30]

我為甚麼獨采此說？因為致知在格物，其意必與格物相應。所以朱子注云：

格，至也，物，猶事也，窮至事物之理，欲其極處無不到也。[31]

提到了「物猶事也」，「事物之理」，話說對了，但這物字、事字、理字，如再拿程伊川《語錄》：「一物不該，非中也；一事不為，非中也。萬物無一物失所，便是天理謂中也」[32]的說法作一補充，就更明確了。要知，一物有不該，須格而至之，否之，則非至善；一事有不為，須格而至之，否之，則非至善。本此，將「窮至事物之理，欲其極處無不到。」釋為「物無不該，是為至善；事無不為，是為至善；而其極也，未有一失，而無不至其至善。」是不是更清楚了些？同時，尤其奇妙的，程子的「致知，但知止於至善」又有了相應，而真的止至於至善了。談到這裏，可以將中字說出了吧？道統中的政治哲學基本精神，始自至善之中，誰曰不宜？

　　上述種種觀念，無論古今，都深植國人心中，這就是道統。而從

---

30 校注：《河南程氏遺書》，卷7，《二程集》，頁100。
31 校注：《四書集註》，〈大學章句〉，頁2。
32 校注：《河南程氏遺書》，卷4，《二程集》，頁75。

簡單的舉例說明中，又都是中。所以就道統言，是中。

三　就傳授言之

韓愈在師說一文中提出傳道此一問題，因為與授業解惑並列，必
為一重要道統，所以他在〈原道〉篇又明確說出：

> 斯道也，何道也？曰：斯吾所謂道也，非向所謂老與佛之道
> 也。堯以是傳之舜，舜以是傳之禹，禹以是傳之湯，湯以是傳
> 之文、武、周公，文、武、周公傳之孔子，孔子傳之孟軻。軻
> 之死，不得其傳焉。荀與揚也，擇焉而不精，語焉而不詳。[33]

這很清楚地可以看出是中華文化的基本精神，一脈相傳的道統。道統
已是中字，不再贅述；但就傳授言，也必如此。而道字，朱子又在
〈中庸〉「道之不行也，我知之矣」下，竟突然如此說出：

> 道者，天理之當然，中而已矣。[34]

這一中字，好不平凡，好使人震驚，非深於中華文化基本精神真
義者說不出，絕不能輕意滑過去。而韓愈所說歷代帝王聖哲所傳之斯
道，在文獻中，竟全部不是道字，而是中字，這絕不是偶然，現條列
如下：

《論語‧堯曰》篇云：

---

33 校注：〔唐〕韓愈撰，〔清〕馬其昶校注：《韓昌黎集》（臺北：河洛圖書，1975年3
　月），卷1，頁10。
34 校注：《四書集註》，〈中庸章句〉，頁4。

　　堯曰：「咨！爾舜，天之麻數在爾躬，允執其中，四海困窮，
　　天祿永終。」舜亦以命禹。[35]

當帝王相繼之次第，一如歲時節氣先後之列次曆數在舜身時，堯以
「允執其中」（堯之所以有此觀念，想得自其父帝嚳。《史記・五帝本
紀》：「帝嚳溉執中，而徧天下。」《正義》：「帝嚳治民，若水之溉灌
平等，而執中正徧於天下也。」索隱：「即尚書允執厥中是也。」[36]）
命舜，能如此，則可窮極四海，天祿所以長終。別的不講，單單提出
「允執其中」，此中字當然是垂訓將來的聖人之道。所以董仲舒在，
《春秋繁露・循天之道》篇中說：「道莫正於中，中者，天地之美達
理也。聖人之所保守也。」[37]而可以垂訓將來的聖人之道，必又是
「適當」、「合宜」、「和諧」、「平允」、「無過不及」、「佳善可行」、「恰
到好處」、「純粹至善」，這自無疑義。而當舜得此聖人之道後又如
何？〈中庸〉云：

　　子曰：「舜其大知也與！舜好問而好察邇言，隱惡而揚善，執
　　其兩端，用其中於民，其斯以為舜乎！」[38]

舜在接受堯所命可以垂訓將來的聖人之道後，於是執其本末是非兩
端，而得其「適當」、「合宜」、「和諧」、「平允」、「無過不及」、「佳善
可行」、「恰到好處」、「純粹至善」之中，以用之於民，舜之所以為大
智者在此。

35　校注：《論語注疏》，卷20，頁1上。
36　校注：《史記》，卷1，頁10上。
37　校注：〔漢〕董仲舒撰，〔清〕蘇輿義證：《春秋繁露義證》（臺北：河洛圖書，1975
　　年10月），卷16，頁312。
38　校注：《禮記注疏》，卷52，頁4下。

堯命舜是如此，舜之命禹，在《論語‧堯曰》篇是「舜亦以命禹」一言，而在《偽古文尚書‧大禹謨》中則為：

> 帝曰：「來：禹，降水儆予，成允成功惟汝賢，克勤于邦，克儉于家，不自滿假惟汝賢。汝惟不矜，天下莫與汝爭能；汝惟不伐，天下莫與汝爭功。予懋乃德，嘉乃丕績。天之歷數在汝躬，汝終陟元后。人心惟危，道心惟微，惟精惟一，允執厥中。」[39]

舜在大大地喜賞禹之賢能功績後，告以為君之原則，最後仍是那句老話「允執厥中」、「堯咨舜，舜命禹，三聖相授，惟中而已。」（楊時語）[40]就是指此。

湯之距禹也遠，禹自然不能呼之說：「湯，來！」如何如何了，但《孟子‧離婁下》則又將其得之於前哲者說出：

> 湯執中，立賢無方。[41]

這執中是謹守可以垂訓將來的聖人之道，（要與子莫之執中，分別觀之。）湯之執中，落在中和上，故詩《商頌‧長發》：「不競不絿，不剛不柔。」[42]《左傳‧昭二十年》傳引同，注云：「言湯政得中

---

39 校注：〔漢〕孔安國傳，〔唐〕孔穎達疏：《尚書注疏》（影印清嘉慶二十年江西南昌府學刊本，臺北：藝文印書館，1955年），卷4，頁8下。

40 〔宋〕楊時：《楊龜山先生全集》（臺北：臺灣學生書局，1974年6月），卷14，〈答問〉，頁703。

41 校注：〔漢〕趙岐注，〔宋〕孫奭疏：《孟子注疏》（影印清嘉慶二十年江西南昌府學刊本，臺北：藝文印書館，1955年），卷8上，頁10下-11上。

42 校注：《毛詩注疏》，卷20之4，頁5下。

和，競、強也，絿、急也。」[43]子莫之執中，則是走中間路線。程伊
川《語錄》云：「若子莫執中，卻是子莫見楊、墨過不及，遂於過不
及二者之間執之。卻不知有當摩頂放踵利天下時，有當拔一毛利天下
不為時，執中而不通變，與執一無異。」[44]其所以如此者，必然有其
所由。在《偽古文尚書・仲虺之誥》中，就有仲虺告訴湯說：「王懋
昭大德，建中于民」的話。注謂「欲王自勉明大德，立大中之道於
民。」[45]

至文、武、周公，除前所引〈洪範〉箕子告訴武王為君治民的最
高原則，《孔正義》云云之外，而《偽古文尚書・立政》說：「周公若
曰：太史，司寇蘇公，式敬爾由獄，以長我王國，茲式有慎，以列用
中罰。」注：「用中罰、不輕不重。」[46]同時《孟子・離婁下》又說：

> 周公思兼三王，以施四事，其有不合者，仰而思之，夜以繼
> 日，幸而得之，坐以待日。[47]

所謂三聖，中有湯：所謂四事，中有湯執中云云。

孔子對文、武、周公的景仰孺慕，從〈中庸〉的「憲章文、
武」[48]、《論語・子罕》篇的「文王既沒，文不在茲乎？」[49]及〈述
而〉篇的「久矣！吾不復夢見周公。」[50]三則記載，就可以看出。「玄

---

43 校注：《春秋左傳注疏》，卷49，頁21上。
44 校注：《河南程氏遺書》，卷18，《二程集》，頁213。
45 校注：《尚書注疏》，卷8，頁9上。
46 校注：《尚書注疏》卷17，頁26上。
47 校注：《孟子注疏》，卷8上，頁11上。
48 校注：《禮記注疏》，卷53，頁12下。
49 校注：《論語注疏》，卷9，頁2下。
50 校注：《論語注疏》，卷7，頁1下-2上。

聖創典」,「素王述訓」[51],其獨秀前哲的成就,自然不能從某一方而論之。但奇特的事情又出現了,《史記・孔子世家》贊云:

> 自天子王侯,中國言六藝者,折中於夫子。[52]

《漢書・貢禹傳》云:

> 微孔子之言,亡所折中。[53]

多少可稱道的不道,偏偏又提出此一中字。而《論語・子罕》篇云:

> 子曰:「不得中行而與之,必也狂狷乎?狂者進取,狷者有所不為也。」[54]

《孟子・盡心下》云:

> 孔子不得中道而與之,必也狂狷乎?狂者進取,狷者有所不為也。孔子豈不欲中道哉?不可必得,故思其次也。[55]

---

51 校注:此二語出自《文心雕龍・原道》篇,見〔南朝梁〕劉勰著,范文瀾注:《文心雕龍注》(臺北:開明書局,1958年),卷1,頁1。

52 校注:〔漢〕司馬遷著,〔唐〕張守節正義,〔宋〕裴駰集解:《史記》(影印清乾隆武英殿刊本,臺北:藝文印書館,1955年),卷47,頁29上。

53 校注:〔漢〕班固著,〔唐〕顏師古注,〔清〕王先謙補注:《漢書補注》(影印清乾隆武英殿刊本,臺北:藝文印書館,1955年),卷72,〈王貢兩龔鮑傳〉,頁15上。

54 校注:《論語注疏》,卷13,頁8下。

55 校注:《孟子注疏》,卷14下,頁8上。

七十弟子，其得之於孔子者，據《孟子‧公孫丑上》所載：「子夏、子游、子張，皆有聖人之一體；冉牛、閔子、顏淵，則具體而微。」[56]孔子之道，不可謂不得其人而授之傳之，何以竟有此退而求其次之歎？這又必須注意那個中行、中道之中字了。

韓愈說傳道，朱子說：「道，天理之當然，中而已矣。」諸文獻所載可以垂訓將來的聖人之道，又是一中字，所以就傳授言，是中。

四　就變遷言之

《易經》這部書是重要的，有人認為孔子學說的一切根本在易經，也有人認為中華文化的一切根本在易經。但《易》的書籍太多，我們讀不完；《易》的說法太雜，我們理不清；《易》的道理也太玄妙，太深奧，我們更看不懂。雖然如此，既然為孔子學說，甚而為中華文化的一切根本所在，必有其可把握，可了解的道理。馮某在其所著思想史中說：「《易傳》似只持執兩用中之義，此其所以為儒家之典籍也。」[57]惠棟在《易漢學‧易尚時中說》中說：「《易》道深矣，一言以蔽之曰：時中。」[58]都說出了道理的所在。我們更可發現，書既名之曰《易》，必有變義在。所以《繫辭下》說：

> 為道也屢遷，變動不居。[59]

56　校注：《孟子注疏》，卷3上，頁10下。

57　校注：馮友蘭：《中國哲學史》，第15章，〈易傳及淮南鴻烈中之宇宙論〉，頁474。

58　校注：〔清〕惠棟：《易漢學》，〔清〕王先謙編刊，王進祥重編：《皇清經解續編》（臺北：漢京文化，1986年），卷7，頁114。

59　校注：〔魏〕王弼、〔晉〕韓康伯注，〔唐〕孔穎達疏：《周易注疏》（影印清嘉慶二十年江西南昌府學刊本，臺北：藝文印書館，1955年），卷8，頁18下。

　　因其屢遷，變動不居，所以須時中，須執兩用中，這該是我們可把握，可了解的，同時也是該書的真正價值所在。宋儒有關《易》的討論甚多，觀其大旨，也都在這點上。

　　其為道也屢遷，變動不居。為甚麼遷？「蔽交於前，其中則遷。」[60]（程伊川語）為甚麼變？「窮則變，變則通。」（《繫辭下》語）[61]但不管怎麼變，怎麼遷，總要落在「適當」、「合宜」、「和諧」、「平允」、「無過不及」、「佳善可行」、「恰到好處」、「純粹至善」上，這是我們可斷言的，所以《繫辭下》說：

　　　　神而化之，使民宜之。[62]

又說：

　　　　唯變所適。[63]

《益卦・象辭》說：

　　　　君子以見善則遷。[64]

《繫辭下》說：

　　　　變通者，趣時者也。[65]

---

60 校注：《河南程氏文集》，卷9，〈四箴〉，《二程集》，頁589。
61 校注：《周易注疏》，卷8，頁6上。
62 校注：《周易注疏》，卷8，頁6上。
63 校注：《周易注疏》，卷8，頁19上。
64 校注：《周易注疏》，卷4，頁30下。

《繫辭正義》說：

　　變動貴於適時。[66]

《偽古文尚書・說命》中說：

　　慮善以動，動惟厥時。[67]

　　就因為隨時變，隨時遷，趣時，適時，動惟厥時，所以又提出了立乎中，時中。《繫辭上》說：

　　乾坤成列，而易立乎其中矣。[68]

《蒙卦・象辭》說：

　　蒙亨，以亨行，時中也。[69]

〈中庸〉說：

　　君子而時中。[70]

---

65 校注：《周易注疏》，卷8，頁2上。
66 校注：《周易注疏》，卷8，頁19上。
67 校注：《尚書注疏》，卷10，頁5下。
68 校注：《周易注疏》，卷7，頁31下。
69 校注：《周易注疏》，卷1，頁32上。
70 校注：《禮記注疏》，卷52，頁3上。

所謂立乎其中，時中，則是：「無時而不中。」（晁說之語）[71]朱子解釋時中為：「隨時以處中。」[72]這是對的。蔣伯潛在《四書讀本》中解為：「隨時而處其中。」[73]加一其中，就知不懂時中義，遑言其他。《繫辭上》又說：

化而裁之謂之變，推而行之謂之道。[74]

《孔子家語·五儀解》篇說：

所謂聖者，德合於天地，變通無方。[75]

我想，孔子之所以稱為時中之聖，聖之時者也，上兩則話，有其重要性。再說，唯變所適，貴於適時，見善則遷，立乎中，時中，這都是極好的言語。本此，我總認為中華文化之所以放諸四海而皆準，百世以矣聖人而不惑者在此；日新又新，歷久不衰者在此；永垂不朽，萬古常青者亦在此。

有太多人批評中華文化是封建的，退化的，非進步的，不合時代的，我都認為說這些話的人，沒有認清楚中華文化所以為中華文化的真精神。也有太多人持法家韓非「法與時移，禁與世變」[76]一觀念，

---

71 校注：〔宋〕晁說之：《嵩山文集》，《四部叢刊續編》（臺北：臺灣商務印書館，1966年），卷12，〈中庸傳〉，頁2下。

72 校注：《四書集註》，〈中庸章句〉，頁3。

73 校注：蔣伯潛：《新刊廣解四書讀本》（臺北：商周出版，2011年5月），頁46。

74 校注：《周易注疏》，卷7，頁31下-32上。

75 校注：《孔子家語》，卷1，頁11。

76 校注：陳啟天：《增訂韓非子校釋》（臺北：臺灣商務印書館，1986年12月），卷9，〈心度〉，頁816。

說是甚麼進化論而跟著韓非大肆批評儒家，詆毀孔子，我也認為沒有認清楚孔子之所以為孔子的真精神。為甚麼如此說？在變遷一義下，如何能談封建，退化，非進步，不合孔子，我也認為沒有認清楚孔子之所以為孔子的真精神。為甚麼如此說？在變遷一義下，如何能談封建，退化，非進步，不合時代？且韓非此一觀念，完全根自儒家的時措之宜，孔子的聖之時，有甚麼了不起，認為是創見？只著眼在死的條文規則上，而忽略其真精神，是不對的。認清了此一變遷義，想會明白的。在中之「適當」、「合宜」、「和諧」、「平允」、「無過不及」、「佳善可行」、「恰到好處」、「純粹至善」義下，我更認為，有了從此廚房不用火柴的電子打火瓦斯爐後，任何人不會再鑽木取火；有了鋼筋水泥蓋好的既堅固，又講衛生之道的建築物後，任何人不會再穴居巢處；有了既講色香味，又懂烹飪術，燒煮出來的好吃食物後，任何人也不會再茹毛飲血。又為甚麼？因有見善則遷，貴於適時，惟變所適在。因有「適當」、「合宜」、「和諧」、「平允」、「無過不及」、「佳善可行」、「恰到好處」、「純粹至善」之中在。所以就變遷言，是中。

五　就權選言之

權選一義，在中華文化中。亦佔有極重要的地位。所謂權，衡也；選，善也。是權選者，權衡輕重、利弊、得失、可否，求其中不失中之「適當」、「合宜」、「和諧」、「平允」、「無過不及」、「佳善可行」、「恰到好處」、「純粹至善」後，選而取之，然後居之，用之，或施行之。於此，可知此義，亦聖人之大用，何等重要。所以「建皇極，求大中，不可不知權。」（張橫渠語）[77]《韓詩外傳·二》云：

---

77 校注：〔宋〕張載撰，〔宋〕朱熹注：《張子全書》，卷3，《正蒙》，〈樂器篇〉，頁77。

天道二，常之謂經，變之謂權。[78]

權雖是變，反乎經，而是變通經之常法，使合於道。所以《公羊·桓公十一年傳》說：

權者反於經，然後有善者也。[79]

《孟子·離婁上》「嫂溺，援之以手者，權也」，趙岐注云：

權者，反經而善也。[80]

《左傳·襄公二十六年》云：

與其殺不辜，寧失不經，懼失善也。[81]（不經，注：「不用常法」，寧失之不用常法之經。謂行權也。）

《易·繫辭下》「巽以行權」，《正義》云：

巽順以既能順時合宜，故可以權行也。[82]

78 校注：賴炎元註譯：《韓詩外傳今註今譯》（臺北：臺灣商務印書館，1972年9月），卷2，頁41。

79 校注：〔漢〕公羊壽傳，〔漢〕何休解詁，〔唐〕徐彥疏：《春秋公羊傳注疏》（影印清嘉慶二十年江西南昌府學刊本，臺北：藝文印書館，1955年），卷5，頁63。

80 校注：《孟子注疏》，卷7下，頁6下-7上。

81 校注：〔晉〕杜預注，〔唐〕孔穎達正義：《春秋左傳注疏》（影印清嘉慶二十年江西南昌府學刊本，臺北：藝文印書館，1955年），卷37，頁13下。

82 校注：《周易注疏》，卷8，頁18下。

這些善與順時合宜字眼，又是何等重要。是「權、所以平物之輕重，聖人行權，酌其輕重而行之，合其宜而已。」（邵雍語）[83]

權選例子太多，不能一一列舉。現僅就孔子、孟子之言之行作代表，以見其一般。先看孔子，《孟子・萬章下》云：

> 孔子之去齊，接淅而行。去魯曰：「遲遲吾行也，去父母國之道也。」可以速而速，可以久而久，可以處而處，可以仕而仕，孔子也。……孔子，聖之時者也。[84]

《論語・微子》篇云：

> ……我則異於是，無可無不可。[85]

又〈子罕〉篇云：

> 子曰：「可與共學，未可與適道；可與適道，未可與立；可與立，未可與權。」[86]

孔子之所以被稱為時中之聖，聖之時，全在可以，無可無不可，時措得中之權衡後而得其善上。所以易艮象辭說：「時止則止，時行則行，動靜不失其時，其道光明。」再看孔子的取決如何？《論語・八佾》篇云：

---

83 校注：〔宋〕邵雍：《皇極經世書》（北京：華夏出版社，2006年1月），〈觀物外篇〉，頁668。

84 校注：《孟子注疏》，卷10上，頁2上。

85 校注：《論語注疏》，卷18，頁6下。

86 校注：《論語注疏》，卷9，頁10上。

林放問：「禮之本。」子曰：「大哉問！禮，與其奢也，寧簡；喪，與其易也，寧戚。」[87]

又〈述而〉篇云：

又曰：「奢則不孫，儉則固，與其不孫也，寧固。」[88]

這些取決，是經過權衡，而得其善，其順時合宜的。

再看孔子的從用如何？《論語‧子罕》篇云：

子曰：「麻冕，禮也，今也純，儉。吾從眾。拜下，禮也；今拜乎上，泰也。雖違眾，吾從下。」[89]

又〈八佾〉篇云：

子曰：「周監於二代，郁郁乎文哉！吾從周。」[90]

〈中庸〉云：

子曰：「吾說夏禮，杞不足徵也；吾學殷禮，有宋存焉。吾學周禮，今用之，吾從周。」[91]

---

87 校注：《論語注疏》，卷3，頁3上。
88 校注：《論語注疏》，卷7，頁12上。
89 校注：《論語注疏》，卷9，頁1下。
90 校注：《論語注疏》，卷3，頁8上。
91 校注：《禮記注疏》，卷53，頁10上。

《論語・先進》篇云：

> 子曰：「先進於禮樂，野人也；後進於禮樂，君子也。如用之，則吾從先進。」[92]

這些從用，也是經權衡，而得其善，其順時合宜的。再說：可與不可，從與不從，用與不用，與其如何，吾寧如何，全在權衡後，是否落在「適當」、「合宜」、「和諧」、「平允」、「無過不及」、「佳善可行」、「恰到好處」、「純粹至善」之中上。

孔子是如此，再看孟子。孟子是提出權字最明確，舉例也是最精采的人，他在《孟子・離婁上》如此說：

> 淳于髡曰：「男女授受不親，禮與？」孟子曰：「禮也。」曰：「嫂溺，則援之以手乎？」曰：「嫂溺不援，是豺狼也。男女授受不親，禮也；嫂溺援之以手者，權也。」[93]

男女授受不親，是常道之禮，而在生死關頭援之以手，是反經有善、而善、順時合宜，可以權行變道之禮。而朱子在此提出了中字，他注說：

> 權，稱錘也，稱物輕重而往來以取中者也。權而得中，是乃禮也。[94]

---

92 校注：《論語注疏》，卷11，頁1上。

93 校注：《孟子注疏》，卷7下，頁6下-7上。

94 校注：《四書集註》，〈孟子章句〉，卷4，頁106。

同篇又云：

> 孟子曰：「不孝有三，無後為大。舜不告而娶，為無後也，君
> 子以為猶告也。」[95]

朱子又提出了中字，他注說：

> 告者禮也，不告者權也。猶告，言與告同也。蓋權而得中，則
> 不離於正矣。[96]

孟子舉出此一權字後，他的取決從用又是如何？《孟子・告子
上》云：

> 孟子曰：「魚我所欲也，熊掌亦我所欲也，二者不可得兼，舍
> 魚而取熊掌者也。生亦我所欲也，義亦我所欲也，二者不可得
> 兼，舍生而取義者也。生亦我所欲，所欲有甚於生者，故不為
> 苟得也；死亦我所惡，所惡有甚於死者，故患有所不辟也。如
> 使人之所欲，莫甚於生，則凡可以得生者，何不用也？使人之
> 所惡，莫甚於死者，則凡可以辟患者，何不為也？由是則生而
> 有不用也，由是則可以辟患而有不為也。是故所欲有甚於生
> 者，所惡有甚於死者，非獨賢者有是心也，人皆有之，賢者能
> 勿喪耳。一簞食，一豆羹，得之則生，弗得則死。嘑爾而與
> 之，行道之人弗受，蹴爾而與之，乞人不屑也。萬鍾則不辯禮

---

95 校注：《孟子注疏》，卷7下，頁11下。
96 校注：《四書集註》，〈孟子章句〉，卷4，頁109。

義而受之，萬鍾於我何加焉。為宮室之美，妻妾之奉，所識窮
乏者得我與？鄉為身死而不受，今為宮室之美為之；鄉為身死
而不受，今為妻妾之奉為之；鄉為身死而不受，今為所識窮乏
者得我而為之，是亦不可以已乎！此之謂失其本心。」[97]

　　這欲之取舍，生死之趨避，何不用也？而有不用也；何不為也？
而有不為也。與之，弗受不屑；受之，與我何加；為之不可以已乎云
云，也全在權衡後而得其中上。因為文字重要，所以我全抄在這裏。
至於〈公孫丑下〉記與陳臻言於齊、宋、薛之餽金受與不受[98]，及
〈離婁下〉「可以取，可以無取，取傷廉；可以與，可以無與，與傷
惠；可以死，可以無死，死傷勇」[99]等，多為已引文所涵攝，也就不
一一詳加敘述了。所以就權選言，是中。

六　就誠致言之

　　宋儒傾全力下工夫處，特重《易》與〈中庸〉，是因為二書多討
論儒家性命義與中華道統。《易》在前權選中已言其價值。至〈中
庸〉，其最能籠罩該書之義者，是中與誠二字。所以晁說之之〈中庸
說〉，幾將所有話語，皆解為「中也」，「誠也」、「誠明也」。而致中和
一義，他們又那麼喜歡講，這都可以看出中字的重要，誠、致與中字
關係的重要。
　　關於〈中庸〉「誠」字，我不想從天命、率性、修道該書總綱上
講，也不想從慎獨、不可須臾相離工夫上講，怕牽扯太多，橫生枝

---

97 校注：《孟子注疏》，卷11下，頁4上-5下。
98 校注：《孟子注疏》，卷4上，頁7上-7下。
99 校注：《孟子注疏》，卷8下，頁1上。

節，說不清楚。我只想本「至誠如神」，「至誠能化」，誠之功效上
談：「至誠為能佑天地之化育」，「贊天地之化育」及「與天地參矣」，
給「致中和，天地位焉，萬物育焉」的中之誠致問題。先談誠，〈中
庸〉云：

> 唯天下至誠，為能經綸天下之大經，立天下之大本，知天地之
> 化育。[100]

又云：

> 唯天下至誠，為其盡其性。能盡其性，則能盡人之性；能盡人
> 之性，則能盡物之性；能盡物之性，則可以贊天地之化育。可
> 以贊天地之化育，則可以與天地參矣。[101]

立天下大本的大本，也就是「中也者，天下之大本也」的大本，
就是中。先知天地之化育，繼以贊天地之化育，最後與天地參，相合
並立，至此，就是「致中和，天地位焉，萬物育焉。」再說，如就文
字講，〈中庸〉云：

> 誠者，天之道也；誠之者，人之道也。[102]

《孟子‧離婁上》亦云：

---

100 校注：《禮記注疏》，卷53，頁13下。
101 校注：《禮記注疏》，卷53，頁3上。
102 校注：《禮記注疏》，卷53，頁1下。

誠者，天之道也；思誠者，人之道也。[103]

　　不管是屬於天之道之誠者，還是人之道之誠之者、思誠者，究竟當何所落？〈中庸〉又云：

誠者，不勉而中，不思而得，從容中道，聖人也；誠之者，擇善而固執之者也。[104]（兩中字，朱子在集註中皆選去聲，但答徐產章書中又說：「不勉而中，以未發言，恐未妥，此中字卻是發而無過不及之中。」蔣伯潛以為：「則兩中字，當如本字讀平聲。」後說義長，故用之。）

　　這又落在中上，擇善而固執之上，其意義之重大，是不容忽視的。誠與中之關係是如此，再看致，〈中庸〉云：

喜怒哀樂之未發，謂之中；發而皆中節，謂之和。中也者，天下之大本也；和也者，天下之達道也。致中和，天地位焉，萬物育焉。[105]

　　朱子雖未在《集註》中詳言，但《語類》中卻如此說：

所謂致中者，非但只是在中而已。纔有些子偏倚，便不可。須是常在那中心十字上立，方是致中。[106]

103　校注：《孟子注疏》，卷7下，頁3上。

104　校注：《禮記注疏》，卷53，頁1下。

105　校注：《禮記注疏》，卷52，頁1下。

106　校注：〔宋〕黎靖德輯：《朱子語類》（臺北：華世出版社，1987年1月），卷113，〈訓門人一〉，頁2747。

這「纔有些子偏倚，便不可」，於一致字的重要作用，說的再清楚也沒有了。

所謂中和，是「萬物各盡其性之所到達之一種恰好的境界或狀態。」（錢穆語）[107]惟其如此，所以致中和，才能天地各當其位，萬物各得其育。而天地各當其位，萬物各得其育。如此，則可得〈洪範〉所謂「曰雨曰霽」[108]，《易・繫辭》所謂「一陰一陽之為道」[109]之陰陽調和，而無宇宙間之失常，以害及萬物之正常的，應有的化育，而為一個和諧的，安詳的至善世界，這太不平凡的意義，我們應該認真地去了解，為甚麼會如此？

不僅此也，《朱子語類》中的「所謂致中，如孟子之『求放心』與『存心養性』是也；所謂致和，如孟子論平旦之氣，與充廣其仁義之心是也。」[110]這又從致的工力上，目的上說了。但不管如何，也應落在中之至善上。所以〈大學〉說：

> 大學之道，在明明德，在親民，在此於至善。[111]

其所以明甚為氣稟所拘，人欲所蔽，而失其得乎天，虛靈不昧，具眾理而應萬物之明德者，其所以革其舊，維其新者，亦在止乎事理當然之至善，這又是中之至善。程伊川《語錄》中更有：「致知，但知止於至善。」不管如何兜圈子，似乎都在：「自至其中而止矣」（周

---

107 校注：錢穆：《中國學術思想史論叢（二）》，〈中庸新義〉，《錢賓四先生全集》第18冊（臺北：聯經，1994年），頁103。

108 校注：《尚書注疏》，卷12，頁16下。

109 校注：《周易注疏》，卷7，頁11上。

110 校注：《朱子語類》，卷113，〈訓門人一〉，頁2746。

111 校注：《禮記注疏》，卷60，頁1上。

敦頤語）[112]話上。我在前面講致知在格物時，亦曾言及之。這許多問題，如連在一起討論，會發現有一共同基本精神在，那是中。所以就誠致言，是中。

七 就執用言之

執用之義，是操執無過不及之至善之中，而居之，處之；而用之，行之。堯之命舜，在「允執其中」，舜之命禹，在「允執厥中」。這兩句是緊緊把握住無過不及之至善之中，尚未落在用上、行上。而「執其兩端，用其中於民。」「湯執中，立賢無方。」就將緊緊把握住的無過不及之至善之中而落在用上，行上了。所以程伊川《語錄》說：「執只是一箇執，舜執兩端，是執持而不用。湯執中而不失，將以用之也。」[113]先居之、處之，身先立乎中，而後再用之、行之，這是合理的。

我就誠致言時，曾提到中庸，那是重在誠致與中的關係。此處我再提到它，則是重在用與中的關係。嚴格說來，中庸一書，就是用中。這在前面的引述中，已用此義，但未明言。鄭玄《三禮目錄》說：

> 名曰中庸者，以其記中和之為用，庸、用也。

如何用？〈中庸〉說：

> 執其兩端，用其中於民。[114]

---

112 校注：〔宋〕周敦頤：《通書》，〈師第七〉。
113 校注：《河南程氏遺書》，卷18，《二程集》，頁213。
114 校注：《禮記注疏》，卷52，頁4下。

此處「執其兩端」,《論語・子罕》篇又有「叩其兩端」[115]。兩端,朱子於《論語》注為:「始終、本末、上下、精粗。」[116]於〈中庸〉注為:「大小、厚薄。」[117]但不管如何,執其兩端,用其中,是裁折其過與不及,求其合乎事與理相宜之中,然後用之,這是須首先把握的。由此往下推,則又須把握時間空間相宜至善之中,而不失之,所以程伊川《語錄》說:

> 中字最難識,須是默識心通。且試言一廳,則中央為中;一家則廳終非中,而堂為中;言一國則堂非中,而國之中為中,推此類可見矣。且如初寒時,則薄裘為中;如在盛寒而用初寒之裘,則非中也。更如三過其門不入,在禹、稷之世為中,若居陋巷,則不中矣。居陋巷,在顏子之時為中,若三過其門不入,則非中也。[118]

韓愈之所以言:「夏葛而冬裘」者,是此義。孟子之所以言:「禹稷顏回同道」、「易地則皆然」。「曾子子思同道」、「易地則皆然」者[119],亦是此義。所以朱子注說:

> 聖賢心無不同,事則所遭或異,然處之各當其理,是乃所以為同也。尹氏曰:當其可之謂時,前聖後聖,其心一也,故所遇皆盡善。[120]

---

115 校注:《論語注疏》,卷9,頁4上。
116 校注:《四書集註》,〈論語章句〉,卷5,頁57。
117 校注:《四書集註》,〈中庸章句〉,頁5。
118 校注:《河南程氏遺書》,卷18,《二程集》,頁214。
119 校注:《孟子注疏》,卷8下,頁7上、頁10上。
120 校注:《四書集註》,〈孟子章句〉,卷4,頁122。

又引尹氏曰：

> 或遠害，或死難，其事不同者，所處之地不同也。君子之心，
> 不繫於利害，惟其是而已，故易地則皆能為之。[121]

朱子的「處之各當其理」，尹氏的「當其可之謂時」，「所遇皆盡善」，「惟其是而已」等。在在都是「行之只是中庸（用中）也」（程明道語）[122]，「是以其行之也中」（朱子語）[123]，「苟得其中，則我心悅焉」、「苟失其中，則我心不悅焉」（中論語）[124]，「中之為用其至矣乎」（司馬光語）了。

也就因此，我們看孔子之所以說：「殷有三仁」，是因為去之之微子，為之奴之箕子，諫而死之比干，行雖異而同歸得中。而「邦有道則知，邦無道則愚」[125]、「天下有道則見，無道則隱」[126]，亦在時措之宜之至善中上。再說，孔子之「用之則行，舍之則藏」[127]，《孟子》之「窮則獨善其身，達則兼善天下」，又何獨不然。所以或智、或愚、或見、或隱、或行、或藏，窮如何？達又如何？一準時措之宜，無不同道而易地皆然。這同道，應該是扣緊至善之中道說的。時有不同，地有不同，唯求其中，故所行不一，此《繫辭下》所謂：「天下同歸而殊塗」。韓愈〈原道〉所謂：「其事雖殊，其所以為智一也。」《易·繫辭上》：「君子之道，或出或處，或默或語，二人同心，其利斷金」之

---

121 校注：《四書集註》，〈孟子章句〉，卷4，頁122。
122 校注：《河南程氏遺書》，卷11，《二程集》，頁119。
123 校注：《近思錄補注》，卷1，「聖人定之以中正仁義」文下。
124 校注：《中論》，卷上，〈覈辯第八〉，頁19。
125 校注：《論語注疏》，卷5，頁10上。
126 校注：《論語注疏》，卷8，頁5上。
127 校注：《論語注疏》，卷7，頁3下。

注所謂：「君子出處默語，不違其中，則其跡雖異，道同則應。」所以
君子人，用之所趨雖異，但必同歸於至善之中。

寫到這裏，我更注意到《論語·子罕》篇所說的：

　　子絕四，毋意，毋必，毋固，毋我。[128]

程子解釋此毋字說：「非禁止之詞。」但我站在中之執用上看，卻不
同意程子的說法。倒是「以道為度，故不任意。」「則之則行，舍之
則藏，故無專必。」「無可無不可，故無固行。」「述古而不自作，處
群萃而不自異，唯道是從，故不有其身。」作絕去義之傳統解法，深
獲我心。何以如此言？看《論語·里仁》篇所說：

　　子曰：「君子之於天下也，無適也，無莫也，義之與比。」[129]

再看《孟子·離婁下》所說：

　　言不必信，行不必果，惟義所在。[130]

不管適與莫的解釋，是厚與薄，是專主與不肯，是可與不可，還
是反對與向慕之敵與慕，都無關緊要。只要義之與比就可以。不管言
不信，行不果，有無害於一已操持，只要唯義所在就可以。此處說的
義，不管如何解釋，自是「適當」、「合宜」、「和諧」、「平允」、「無過
不及」、「佳善可行」、「恰到好處」、「純粹至善」之中。所以程伊川

128 校注：《論語注疏》，卷9，頁2上-2下。
129 校注：《論語注疏》，卷4，頁3下。
130 校注：《孟子注疏》，卷8上，頁7上。

《語錄》說：「義在我，由而行之，從容自中。」[131]

　　有一朋友，看到就執用言底稿時，開玩笑地說：「在麻將桌上，一張紅中要不要打，打了是不是全包？也要看全牌局的能不能如此行，如此處理？該不該如此行，如此處理？不也全在一個中不中的中字上？」我也開玩笑地說：「在棒球場中，兩好三壞，形成關鍵球後，投手如何投，才不會保送上壘，投好球還是壞球，在中不中的中字上。球投出後，打擊手如何擊，才不會三振出局，揮棒還是不揮棒，也在中不中昏中字上。一投一擊之間，也全靠中不中的中字呢？」這雖是玩笑話，說真的，天下任何事情的處理，不都是如此？善則得之，不善則失之。所以程子於〈中庸〉一書，開宗明義就說：「善讀者，玩索而有得焉，則終身用之，有不能盡者矣。」[132]這是真理至言，但誰會有注意到這些？甚而有人仍認為本是道學家近年迂腐之言呢！所以就執行言，是中。

結論

　　由字義，我們發現了中字的「適當」、「合宜」、「和諧」、「平允」、「無過不及」、「佳善可行」、「恰到好處」、「純粹至善」涵義。把這涵義，不管冠在吾先聖先賢所說的其麼：精神、思想、學說、主張、道術、方法、原理，準則上，都無不可以。也就因此，從古傳至今。要知道世上一切在變，適應這一切變的中之本身亦在變。為甚應變？楊萬里《誠齋易外傳·自序》說的好：「唯中為能中天下之不中」[133]，其將不中，以中中之，使之隨時遷就（遷而就之，非一般遷

---

131 校注：《河南程氏遺書》，卷21下，〈附師說後〉，《二程集》，頁273。
132 校注：《四書集註》，〈中庸章句〉，頁1。
133 校注：〔宋〕楊萬里：《楊萬里集箋校》（北京：中華書局，2007年9月），卷80，〈易外傳序〉，頁3254。

就義。）中之為中，永不失中之時中。所以「《易經·象辭傳》層次言中，即以為調整之功。」（陳立夫語）《易·乾》象辭：「天行健，君子以自強不息」[134]者，恐亦落在這上面。天行健，係求「天地位焉，萬物育焉。」「四時行焉，百物生焉。」天體及生態之平衡。而君子自強不息，則係調整中之處處合理，時時適中。處處全理，時時適中，但這不是一件容易的事，有很大很深的工夫在。所以更要權之，選之，誠之，致之，最後執處之，用行之。為了敘述方便，我才如此分開寫。事實上，有太多地方，都緊扣在一起。通其制動之樞機，方係妙為運用之言行君子，於一中字，我們就不可僅從某一方把握的。僅從某一方去把握，有時可，有時則不同，此處也要注意中呢。

我中華民族，從古至今，之所以有那麼多可傲視外人的善政美德，嘉行義舉。而所表現出的，不管在任何方面，又是那麼的雍容都雅，溫潤厚重，安泰祥和，說這中間沒有一中字所涵攝諸義的基本精神存在，我不相信。〈中庸〉上有：「故君子之道，本諸身，徵諸庶民，考諸三王而不繆，建諸天地而不悖，質諸鬼神而無疑，百世以俟聖人而不惑。」「是故君子動而世為天下道，行而世為天下法，言而世為天下則。」[135]《孝經》上有：「言滿天下無口過，行滿天下無怨惡。」其所以如此者，說不是一中字所涵攝諸義的基本精神使然，我也不相信。

我又想，〈中庸〉說：「人皆曰：『予知』，擇乎中庸，而不能期月守也。」「回之為人也，擇乎中庸，得一善則拳拳服膺，而弗失之矣。」《論語·雍也》說：「中庸之為德也，其至矣乎！民鮮能久矣。」[136]〈中庸〉又說：「君子依乎中庸，遯世不見佑而不悔，唯聖

---

134 校注：《周易注疏》，卷1，頁8上。

135 校注：《禮記注疏》，卷53，頁10下。

136 校注：《論語注疏》卷6，頁10上。

者能之。」[137]為甚麼用中之道，常人不能期月執守，只有顏淵擇之，
得一善始能拳拳服膺，而弗失之？為甚麼其至矣用中之道，民甚久少
有之，而依乎用中之道，遯世不見知，唯聖者能之？又為甚麼「允執
其中」、「允執厥中」、「執兩用中」、「執中」、「折中」，也只有少數聖
哲一類的人才配談？才能作到？那都要注意到程伊川「中字最難識」
的話了。因為「適當」、「合宜」、「和諧」、「平允」、「無過不及」、「佳
善可行」、「恰到好處」、「純粹至善」中字，本身確是如此。因之，吾
人將須臾不可相失，而造次必於是，顛沛必於是，隨時隨地，把握此
一中字。能如此，則雖難亦易矣了。我於中華文化，之所以作如此認
識，就是在想了解這些問題的所在。

　　我的用意，我的著眼點是如此，自認不錯；但有沒有說清楚，我
不知道。又如果文字不通順，那是我的表達能力不夠；遣辭不妥當，
那是我的哲學修養不夠；論辨不明晰，那是我的邏輯訓練不夠，這都
無關緊要。我一如前〈用一「中」字去認識孔子〉態度，只是在提出
問題。也一如那篇短文中所言：「現在就以此文為乘韋之先，如有值
得討論的話，希望博雅君子，用更有力的文字，作更進一步的深度探
討，補我不足，匡我不逮吧。」

　　本文原發表於《孔孟學報》第35期，1978年4月。

---

137 校注：《禮記注疏》，卷52，頁7上。

伍　研讀古籍應有方法之一
——考虛妄

緒言

虛妄者，無實反真之謂也。既無實反真，故不為他人所信。《論衡・知實篇》曰：「凡論事者違實，不引效驗，則雖甘義繁說，眾不見信。」[1]是以《孟子・盡心下》曰：「盡信書，則不如無書。吾於武成，取二三策而已矣。」[2]孟軻之所以如此者，乃武成有無實反真虛妄之言，不可盡信也。書籍所載，雖言之鑿鑿，傳之昭昭，但究其實，類多子虛烏有。稗官野語，本在聳人聽聞，動人耳目。故琢奇雕怪，飾詭誇誕，盡其瓌琦淫麗之能事，所載虛妄，姑勿置論。即經傳子史諸書，亦何嘗無之！讀書如不釋虛實真偽，則不可謂智。故《論衡・書虛篇》又曰：「世信虛妄之書，以為載於竹帛上者，皆賢聖所傳，無不然之事，故信而是之，諷而讀之。睹真是之傳，與虛妄之書相違，則并謂短書不可信用。夫幽冥之實尚可知，沈隱之情尚可定，顯文露書，是非易見，籠總并傳，非實事，用精不專，無思於事

1　校注：〔漢〕王充：《論衡》，《諸子集成》（臺北：世界書局，1955年），頁257。

2　校注：〔漢〕趙岐注，〔宋〕孫奭疏：《孟子注疏》（影印清嘉慶二十年江西南昌府學刊本，臺北：藝文印書館，1955年），卷14上，頁3上。

也。」[3]因之,虛妄之不可不考。

一　虛妄之起因

虛妄大多數起因於神話。所謂神話,乃以神格為中心之古代傳說,亦即原始民族思想之產物。蓋其時人智幼稚,人神觀念未分,認宇宙萬物皆具與人同樣之生命,故常借此以說明一切,而為一民族所共同信依仰者,雖亦出於想像,但又與個人有意構造之寓言不同。既為神話,違背情實者必多,換言之,虛妄之言必多。中國神話,散見於古之《詩經》、《莊子》、《列子》、《韓非子》、《楚辭》、《淮南子》、《山海經》、《穆天子傳》等書。虛妄之起因,除神話外,尚有下列諸端。

(一)由於寓言而荒唐淫麗

寓言之文,別有寄託。惟此類之作,多淫麗失實。《漢書・敘傳》:「寓言淫麗。」[4]《史記・莊周傳》:「莊子者……其學無所不闚。……其著書十餘萬言,大抵率寓言也。……畏累虛,亢桑子之屬,皆空語無事實。」[5]《莊子・天下》篇:「以謬悠之說,荒唐之言,無端崖之辭,時恣縱而不儻,不以觭見之也。以天下為沉濁,不可與莊語。」[6]說必謬悠,言必荒唐,辭必無端涯,則虛妄必多矣。

3　校注:《論衡》,頁35。

4　校注:〔漢〕班固著,〔唐〕顏師古注,〔清〕王先謙補注:《漢書補注》(影印清乾隆武英殿刊本,臺北:藝文印書館,1955年4月),卷100下,頁13上。

5　校注:〔漢〕司馬遷著,〔唐〕張守節正義,〔宋〕裴駰集解:《史記》,(影印清乾隆武英殿刊本,臺北:藝文印書館,1955年4月),卷63,〈老莊申韓列傳〉,頁4上-4下。

6　校注:〔清〕郭慶藩編:《莊子集釋》(臺北:木鐸出版社,1982年9月),卷10下,頁1098。

（二）由於誇侈而增美益惡

誇侈之文，多增美益惡，意在動人耳目，快人心意，不必盡合理論，盡符事實。《論衡・藝增篇》：「譽人不增其美，則聞者不快其意；毀人不益其惡，則聽者不愜於心。聞一增以為十，見百益以為千。」[7]《莊子・人間世》篇：「言必或傳之。夫傳兩喜兩怒之言，天下之難者也。夫兩喜必多溢美之言，兩怒必多溢惡之言。凡溢之類妄，妄則其信也莫（薄也）。」[8]一增為十，百益為千，增美益惡，鮮有不至乎虛妄者也。

（三）由於好奇而謬誣詭誕

好奇之心，人所期有，蓋質樸平實之言，多不入於人也。《論衡・書虛》篇：「夫世間傳書，諸子之語，多欲立奇造異，作驚目之論，以駭世俗之人；為譎詭之書，以著殊異之名。」[9]又〈藝增篇〉：「世俗所患，患言事增其實；著文垂辭，辭出溢其真，稱美過其善，進惡沒其罪。何則？俗人好奇，不奇，言不用也。」[10]論必驚目駭人，書必譎詭殊異，求其不虛妄，不可得矣。

（四）由於偶合而事虛語妄

好奇之心，既人所共有，兩事各自發生，本不奇異虛妄，但因於同一時間偶然會合，好事者遂連而為一傳之。《淮南子・本經訓》：「昔者蒼頡作書，而天雨粟，鬼夜哭。」高誘注曰：「蒼頡始視鳥跡之文，造書契，則詐偽萌生；詐偽萌生，則去本趨末，棄耕作之業，而務錐

7　校注：《論衡》，頁83。
8　校注：《莊子集釋》，卷2中，頁157。
9　校注：《論衡》，頁35。
10　校注：《論衡》，頁83。

刀之利。天知其將餓，故為雨粟。鬼恐為書文所劾，故夜哭也。」[11]
《論衡‧感虛》篇：「夫言天雨粟，鬼夜哭，實也。（天雨粟，因大風
暴可能為實，至鬼夜哭亦虛）言其應蒼頡作書，虛也。」[12]《史記‧
鄒陽傳》：「昔者荊軻慕燕丹之義，白虹貫日，太子畏之。」《集解》：
「應劭曰：『燕太子丹質於秦，始皇遇之無禮，丹亡去，故厚養荊
軻，令西刺秦王，精誠感天，白虹為之貫日也。』如淳曰：『白虹，
兵象，日為君。』〈列士傳〉曰：『荊軻發後，太子自相氣，見虹貫日
不徹，曰：吾事不成矣。』」[13]《論衡‧感虛》篇：「夫言白虹貫日，
太白蝕昴，實也。言荊軻之謀，衛先生之畫，感動皇天，故白虹貫
日，虛也。」[14]偶合本不相關之兩事，則虛妄生矣。

（五）由於誤傳而背情違實

甚多違背情實之作，本不如此，但由於誤傳，遂致虛妄。此又有
二端，一為傳聞之失實，一為傳寫之失誤。《呂氏春秋‧察傳》篇：
「宋之丁氏，家無井而出溉汲，常一人居外。及其家穿井，告人曰：
『吾穿井得一人。』有聞而傳之者曰：『丁氏穿井得一人。』國人道
之，聞之於宋君。」[15]此傳聞之失實也。丁氏之穿井得一人，乃得一
人之使，非得一活人於井中也。又同書〈用眾〉篇：「善學者，若齊
王之食雞也，必食其跖，數千而後足。」[16]《淮南子‧說山訓》數千

---

11 校注：〔漢〕劉安撰，〔漢〕高誘注：《淮南子》，《諸子集成》（臺北：世界書局，
　　1955年），卷8，頁116-117。

12 校注：《論衡》，《諸子集成》，頁52。

13 校注：《史記》，卷83，〈魯仲連鄒陽列傳〉，頁9上-9下。

14 校注：《論衡》，頁49。

15 校注：〔漢〕高誘注，〔清〕畢沅校：《呂氏春秋》，《諸子集成》（臺北：世界書局，
　　1955年），卷22，〈慎行論‧察傳〉，頁294。

16 校注：《呂氏春秋》，卷4，頁42。

作數十，作數十是，此傳寫之失誤也。齊王食跖至數十，尚合情實，十誤為千，則乖理矣。誤傳之作，古書中不乏其例，是以虛妄之日多也。

二　虛妄之種類

勿論虛妄之產生，起於何因。既屬虛妄，則必無之。本節特就其為必無者，舉例言之如下：

（一）必無其人

《莊子・齊物論》篇：

> 至人神矣，大澤焚，而不能熱；河漢沍，而不能寒；疾雷破山，飄風振海，而不能驚。

《莊子・大宗師》篇：

> 古之真人，……登高不慄，入水不濡，入火不熱。

《莊子・達生》篇：

> 至人潛行不窒，蹈火不熱，行乎萬物之上而不慄。

至人真人，或全於德，不失於神，小傷或不能害之；但潛行不窒不濡，入火不熱，虛妄之言也，無此等至人真人。又《呂氏春秋・至忠篇》：

齊王疾痟，使人之宋迎文摯。文摯至，視王之疾。謂太子曰：
「王之疾必可已（已猶愈也）也。雖然，王之疾已，則必殺摯
也。」太子曰：「何故？」文摯對曰：「非怒王，則疾不可活
（一作治）。王怒，則摯必死。」太子頓首彊請曰：「苟已王之
疾，臣與臣之母以死爭於王，王必幸臣與臣之母，願先生之勿
患也。」文摯曰：「諾，請以死為（治也）王。」與太子期而
將往，不當者三，齊王固已怒矣。文摯至，不解屨登牀，履王
衣。問王之疾，王怒而不與言，文摯因出辭以重怒王。王叱而
起，疾乃遂已。王大怒不說，將生烹文摯。太子與王后急爭
之，而不能得，果以鼎生烹文摯。爨之三日三夜，顏色不變。
文摯曰：「誠欲殺我，則胡不覆之以絕陰陽之氣？」王使覆
之，文摯乃死。[17]

鐵人金人，高熱亦將熔化，文摯何人，爨之三日三夜，顏色不
變？虛妄之言也，無此等人。又《莊子·逍遙遊》篇：

夫列子御風而行，泠然善也，旬有五日而後反。[18]

人之發躍，似有一定高度遠度，於空中停留時間亦有限。列子御
風而行空，至十有五日，仍保持太空人太空漫步紀錄，未為美蘇太空
人打破。虛妄之言也。無此等善飛之人。

（二）必無其情

《論語·述而》篇：

---

17 校注：《呂氏春秋》，卷11，頁107。
18 校注：《莊子集釋》，卷1上，頁17。

子在齊聞韶，三月不知肉味，曰：「不圖為樂之至於斯也。」[19]

韶樂盡善盡美，雖可感人，但未可令孔子如此。虛妄之言也，非情之所有。又《列子・湯問》篇：

昔韓娥東之齊，匱糧，過雍門，鬻歌假食。既去，而餘音繞梁欐，三日不絕，左右以其人弗去。過逆旅，逆旅人辱之。韓娥因曼聲哀哭，一里老幼，悲愁垂涕相對，三日不食。遽而追之，娥還，復為曼聲長歌。一里老幼，喜躍抃舞，弗能自禁，忘向之悲也。乃厚賂發之。故雍門之人至今善歌哭，放（依也，效也）娥之遺聲。[20]

韓娥之歌哭，雖可令人悲喜，但未可使雍門之人如此。虛妄之言也，非情之所有。又《世說新語・巧藝》篇：

韋仲將（誕）能書。魏明帝起殿，欲安榜，使仲將登梯題之。既下，頭鬢皓然，因敕兒孫勿復學書。[21]

韋誕登梯題榜，雖因高悚懼，因悚懼而鬢髮白，但如此之速，虛妄之言也，非情之所有。又王實甫《西廂記・長亭送別》「滾繡球」：

---

19 校注：〔魏〕何晏集解，〔宋〕邢昺疏：《論語注疏》（影印清嘉慶二十年江西南昌府學刊本，臺北：藝文印書館，1955年），卷7，頁4下。
20 校注：〔晉〕張湛撰：《列子注》，《諸子集成》（臺北：世界書局，1955年），卷5，頁60-61。
21 校注：〔南朝宋〕劉義慶撰，〔南朝梁〕劉孝標注：《世說新語》，《諸子集成》（臺北：世界書局，1955年），卷5，頁185。

恨相見得遲，怨別去得疾。柳絲長玉驄難繫，恨不得倩疎林挂
住斜暉。馬兒迢迢的行，車兒快快的隨，卻告了相思迴避，破
題兒又早別離。聽得道一聲「去也」，鬆了金釧。遙望見十里
長亭，減了玉肌，此恨誰知。[22]

崔氏之送張生，離恨有之，因離恨而致身體消寫亦有之。但如此
之速，虛妄之言也，非情之所有。又《史記·項羽本紀》：

噲遂入，披帷西嚮立，瞋目視項王。頭髮上指，目眦盡裂。[23]

樊噲雖怒視項王，而致髮上指，目眦裂，虛妄之言也，亦非情之
所有。

（三）必無其事

《列子·湯問》篇：

魯公扈趙齊嬰二人有疾，同請扁鵲求治。扁鵲治之，既同愈。
謂公扈齊嬰曰：「汝曩之所疾，自外而於府藏者，固藥石之所
已。今有偕生之疾，與體偕長。今為汝攻之何如？」二人曰：
「願先聞其驗。」扁鵲謂公扈曰：「汝志彊而氣弱，故足於謀
而寡於斷。齊嬰志弱而氣彊，故少於慮而傷於專，若換汝之
心，則均於善矣！」扁鵲遂飲二人毒酒，迷死三日，剖胸探
心，易而置之，投以神藥，既悟，如初。二天辭歸，於是公扈

---

22 校注：〔元〕王實甫：《西廂記》（臺北：華正書局，1980年2月），第四本，〈草橋店
夢鶯鶯〉，第三折，頁123

23 校注：《史記》，卷7，頁150。

反齊嬰之室，而有其妻子，妻子弗識。齊嬰亦反公扈之室，有其妻子，妻子亦弗識。二室因相與訟，求辨於扁鵲。扁鵲辨其所由，訟乃已。[24]

扁鵲雖善醫，但如此心臟大手術，以今日醫術行之尚未得。而扁鵲竟能之，虛妄之言也。此必無之事。又《莊子・達生》篇：

仲尼適楚，出於林中，見痀僂者承蜩，猶掇之也。仲尼曰：「子巧乎！有道邪？」曰：「我有道也，五六月累丸二而不墜，則失者錙銖；累三而不墜，則失者十一。累五而不墜，猶掇之也。吾處身也，若橛株拘；吾執臂也，若槁木之枝。雖天地之大，萬物之多，而唯蜩翼之知。吾不反不側，不以萬物易蜩之翼，何為而不得？」孔子顧謂弟子曰：「用志不分，乃凝於神，其痀僂丈人之謂乎？」[25]

痀僂丈人之掇蜩，雖苦練有得，但技不至乎於竿頭累丸五而不墜。虛妄之言也，此必無之事。又《列子・湯問》篇：

甘蠅，古之善射者，彀弓而獸伏鳥下。弟子名飛衛，學射於甘蠅，而巧過其師。紀昌者，又學射於飛衛。飛衛曰：「爾先學不瞬，而後可言射矣！」紀昌歸，偃臥其妻之機下，以目承牽挺（機躡也）。二年之後，雖錐末倒眥而不瞬也。以告飛衛。飛衛曰：「未也，亞（次也）學視而後可。視小如大，視微如

---

24 校注：〔晉〕張湛撰：《列子注》，《諸子集成》（臺北：世界書局，1955年），卷5，頁5。

25 校注：《莊子集釋》，卷7上，頁640。

著，而後告我。」昌以氂懸蝨於牖，南面而望之。旬日之閒，
浸大也。三年之後，如車輪焉，以覩餘物，皆丘山也。乃以燕
角之弧，朔蓬之簳，射之，貫蝨之心而懸不絕。以告飛衛，飛
衛高蹈拊膺曰：「汝得之矣！」紀昌既盡衛之術，計天下之敵
己者一人而已，乃謀殺飛衛。相遇於野，二人交射。中路端鋒
相觸，而墜於地，而塵不揚。飛衛之矢先窮，紀昌遺一矢。既
發，飛衛以棘刺之矢扞之，而無差焉。於是二子泣而投弓，相
拜於塗，請為父子。剋臂以誓，不得告術於人。[26]

飛衛紀昌雖善射，技不至乎此。虛妄之言也，此亦必無之事。

（四）必無其物

《列子·湯問》篇：

周穆王西巡狩，越崑崙，不至弇山，反還。未及中國，道有獻
工人名偃師。穆王薦（當作進）之。問曰：「若有何能？」偃
師曰：「臣唯命所試，然臣已有所造，願王先觀之。」穆王
曰：「日（別日也）以俱來，吾與若俱觀之。」翌日，偃師謁
見王。王薦之曰：「若與偕來者何人邪？」對曰：「臣之所造能
倡者。」穆王驚視之，趨步俯仰，信人也。巧夫鎮（猶搖頭
也）其頤，則歌合律；捧其手，則舞應節。千變萬化，惟意所
適，王以為實人也。與盛姬（穆天子傳云：盛姬，穆王之美
人。）內御竝觀之，技將終，倡者瞬其目而招王之左右侍妾。
王大怒，立欲誅偃師。偃師大懾，立剖散倡者以示王，皆傅會

---

26 校注：《列子注》，卷5，頁62。

革木膠漆白黑丹青之所為。王諦料之，內則肝膽心肺脾腎腸胃，外則筋骨支節皮毛齒髮，皆假物也，而無不畢具者，合會復如初見。王試廢其心，則口不能言。廢其肝，則目不能視。廢其腎，則足不能步。穆王始悅而歎曰：「人之巧乃可與造化同工乎？」詔貳車載之以歸。[27]

偃師技雖巧，不能至乎此。虛妄之言也，必無此機器人之物。又《墨子‧魯問》篇：

公輸子削竹木以為鵲（《韓非子‧外儲說左上》作：「墨子為木鳶。」《淮南子‧齊俗訓》作：「魯般墨子以木為鳶而飛之。」《論衡‧亂龍篇》同。）成而飛之，三日不下。[28]

公輸般技雖巧，可製鵲偶飛之。但三日不下，今噴射機亦難行之，虛妄之言也，必無此竹木所製之鵲物。又《論衡‧儒增》篇：

世傳言曰：「魯般巧，亡其母也。」言巧工為母作木車馬，木人御者，機關備具，載母其上，一驅不還，遂失其母。[29]

巧工技雖巧，可製機關車偶馳之，但一驅不還，遂亡其母，今原子飛車亦不致此。虛妄之言也，亦必無此機關車之物。

---

27 校注：《列子注》，卷5，頁61-62。
28 校注：〔清〕孫詒讓撰：《墨子閒詁》（臺北：河洛圖書，1975年5月），卷13，頁18。
29 校注：《論衡》，頁80。

（五）必無其理

《韓詩外傳》：

> 昔瓠巴鼓瑟，而潛魚出聽；伯牙鼓琴，而六馬仰秣。[30]

此蓋偶合之事，琴瑟鼓奏時，適魚浮水面，六馬停食，故而云此。琴瑟音雖美，必無使魚馬聽之之理，虛妄之言也。又《論衡·感虛》篇：

> 世稱：「南陽卓公，為緱氏令，蝗不入界。」蓋以賢明至誠，災蟲不入其縣也。[31]

此亦偶合之事，人見蝗蟲不入境，疑為卓公賢明至誠所感，故而云此。蝗蟲必無因卓公賢明至誠，不入縣境為害之理，虛妄之言也。又《呂氏春秋·精通》篇：

> 鍾子期夜聞擊磬者而悲，使人召而問之曰：「子何擊磬之悲也？」答曰：「臣之父不幸而殺人，不得生。臣之母得生，而為公家為酒（製酒也）。臣之身得生，而為公家擊磬。臣不覩臣之母三年矣！昔為舍氏覩臣之母，量所以贖之則無有，而身固公家之財也，是故悲也！」鍾子期欷嗟曰：「悲夫！悲夫！心非臂也，臂非椎非石也。悲存乎心，而木石應之。」故君子

---

30 校注：賴炎元註譯：《韓詩外傳今註今譯》（臺北：臺灣商務印書館，1972年9月），卷6，頁251-252。

31 校注：《論衡》，頁54。

誠乎此而諭乎彼，感乎己而發乎人，豈必彊說乎哉！[32]

　　此亦偶合之事，磬音之起，鍾子期適有悲思，故而云此。心悲必無使磬音悲之理，亦虛妄之言也。

（六）必無其數

《韓詩外傳》：

　　桀為酒池，可以運舟。糟丘足以望十里，而牛飲者三千人。[33]

《史記・殷本紀》：

　　以酒為池。（《正義》：「太公《六韜》云：『紂為酒池，迴船糟丘而牛飲者三千餘人為輩。』」）[34]

《列女傳・孽嬖傳・夏桀末喜》：

　　一鼓而牛飲者三千人。[35]

　　姑勿論聚徒而飲者為桀為紂，但絕不至乎三千之數。蓋夏官百，殷二百，周三百，桀紂之相與飲，必近身之大官或小臣，未可遠離京師而至草野，鳴鼓聚集野叟村婦而狂飲之，其數不能滿三千。云三千

32　校注：《呂氏春秋》，卷9，頁92-93。

33　校注：《韓詩外傳今註今譯》，卷4，頁149。

34　校注：《史記》，卷3，頁10下-11上。

35　校注：〔漢〕劉向撰，〔清〕梁端校注：《列女傳》（臺北：臺灣中華書局，1981年10月），卷7，頁1。

者，虛妄之言，必無其數也。又《詩經‧大雅‧假樂》：

> 干祿百福，子孫千億。穆穆皇皇，宜君宜王。不愆不忘，率由
> 舊章。[36]

王者干祿而得百福，其子孫之蕃雖眾，但絕不至乎千億之數，云
千億者，虛妄之言，必無其數也。又《詩經‧大雅‧雲漢》：

> 旱既太甚，則不可推。兢兢業業，如霆如雷。周餘黎民，靡有
> 子遺。昊天上帝，則不我遺。胡不相畏，先祖于摧。[37]

大亂之後，繼之以災旱，周餘民雖寡，但絕不至乎靡有子遺之
數。云靡有子遺者，虛妄之言，必無其數也。

三　考虛妄之方法

前於虛妄之種類中，對必無之人，情，事，物、理、數、雖已一
一道出其為虛妄，恨少徵驗對證之詞。本節特列舉方法數端，以補
不足。

（一）徵諸他書

《說苑‧立節》篇；

---

36 校注：〔漢〕毛公傳，〔漢〕鄭玄箋，〔唐〕孔穎達疏：《毛詩注疏》（影印清嘉慶二
　　十年江西南昌府學刊本，臺北：藝文印書館，1955年），卷17之3，頁1下-2上。

37 校注：《毛詩注疏》，卷18之2，頁16下-17上。

> 齊莊公且伐莒……杞梁華周……遂進，鬥殺二十七人而死。其
> （杞梁）妻聞之而哭，城為之阤，而隅為之崩，此非所以起
> 也？[38]

　　杞梁之妻雖悲哭，但絕不致使城阤隅崩。徵諸他書所載，則不如是。《禮記・檀弓下》：「齊莊公襲莒于奪（邑名），杞梁死焉，其妻迎其柩於路而哭之哀。」[39]又《孟子・告子下》：「華周杞梁之妻，善哭其夫，而變國俗。」[40]又《左傳・襄公二十三年》：「莒人行成，齊侯歸，過杞梁之妻於郊，使弔之。辭曰：『殖（即杞梁）之有罪，何辱命焉！若免於罪，猶有先人之敝廬在下，妾不得與郊弔。齊侯弔諸其室。』上舉諸書，皆不言城阤隅崩，故知《說苑》之說為虛妄也。是以《論衡・感虛》篇云：「傳書言：『杞梁之妻嚮城而哭，城為之崩。』此言杞梁從軍不還，其妻痛之，嚮城而哭，至誠悲痛。精氣動城，故城為之崩也。夫言嚮城而哭者，實也；城為之崩者，虛也。……或時城適自崩，杞梁之妻適哭。下世好虛，不原其實，故崩城之名，至今不滅。」[41]徵諸他書，則知為虛妄矣。

（二）衡諸常情

　　《史記・淮陰侯傳》：

> 項王……至使人有功當封爵者，印刓弊，忍不能予。[42]

38　校注：〔漢〕劉向撰：《說苑》（臺北：世界書局，1978年3月），卷4，頁34。

39　校注：〔漢〕鄭玄注，〔唐〕孔穎達疏：《禮記注疏》（影印清嘉慶二十年江西南昌府學刊本，臺北：藝文印書館，1955年），卷10，頁12上。

40　校注：《孟子注疏》，卷12上，頁10下。

41　校注：《論衡》，頁50。

42　校注：《史記》，卷92，〈淮陰侯列傳〉，頁3下。

《史記‧酈生傳》：

> 項王有倍約之名，殺義帝之負。於人之功無所記，於人之罪無
> 所忘。戰勝而不得其賞，拔城而不得其封，非項氏莫得用事。
> 為人刻印，刓而不能授。(《集解》：「孟康曰：『刓斷無復廉鍔
> 也。』」) [43]

《漢書‧韓信傳》：

> 刻印刓，忍不能予。(注：「蘇林曰：『刓音刓角之刓，刓與搏
> 同，手弄角訛，不忍授也。』」) [44]

《漢書‧酈食其傳》：

> 為人刻印，玩而不能授。注：「師古曰『韓信傳作刓，此作
> 玩，其義各通。』」 [45]

　　上述雖言似實，但金石之印，手搏弄把玩，而使其廉隅鋒鍔消
失，仍不忍授予之。項王性雖吝褊，衡諸常情，則不致如是，虛妄之
言也。

（三）驗諸時間

　　《莊子‧盜跖篇》：

---

43 校注：《史記》，卷97，〈酈生陸賈列傳〉，頁4下。
44 校注：《漢書》，卷34，〈韓彭英盧吳傳〉，頁942。
45 校注：《漢書》，卷43，〈酈陸朱劉叔孫傳〉，頁1026。

孔子與柳下季（惠）為友，柳下季之弟，名曰盜跖。……孔子
謂柳下季曰：「夫為人父者，必能詔其子；為人兄者，必能教
其弟。若父不能詔其子，兄不能教其弟，則無貴父子兄弟之親
矣。今先生，世之才士也，弟為盜跖，為天下害，而弗能教
也，丘竊為先生羞之。丘請為先生往說之。」[46]

　　莊書所這雖似實，但驗諸時間，則不如是。成玄英疏：「姓展名
禽字季，食采柳下，故謂之柳下季。亦言居柳樹之下，故以為號。展
禽是魯莊公時。孔子相去百餘歲，而言友者，蓋寓言也。」[47]檢《左
傳》展禽是魯僖公時人（見《左傳・僖公二十六年》）[48]。至孔子生八
十餘年。李奇注《漢書》云：「跖，秦之大盜也。」俞樾云：「《史
記・伯夷傳》〈正義〉又云：『蹻（蹻與跖同）者，黃帝時大盜之
名。』」[49]是跖之為何時人，竟無定說。孔子與柳下惠不同時，柳下惠
與盜跖亦不同時。孔子與柳下季為友，盜跖為柳下季之弟，及孔子往
說盜跖等等，驗諸時間，知盡為虛妄之言也。

（四）證諸事實

　　《淮南子・覽冥訓》：

---

46 校注：《莊子集釋》，卷9下，頁990-991。

47 校注：《莊子集釋》，卷9下，頁990。

48 校注：「（僖公二十六年）夏，齊孝公伐我北鄙，衛人伐齊，洮之盟故也，公使展喜
　　犒師，使受命于展禽。」見〔晉〕杜預注，〔唐〕孔穎達正義：《春秋左傳注疏》（影
　　印清嘉慶二十年江西南昌府學刊本，臺北：藝文印書館，1955年），卷16，頁6上。

49 校注：以上兩說，蓋皆轉引自陸德明《釋文》所錄，見《莊子集釋》，卷9下，頁
　　990。覈查原書，知「李奇注」見於《漢書・賈誼傳》〈弔屈原賦〉「謂隨夷溷兮，
　　謂跖蹻廉」下，原注為：「李奇曰：『跖，秦大盜也。』」文字略有不同，見《漢
　　書》，卷48，頁2下。俞樾所引《史記》〈正義〉之文，則見於「盜跖日殺不辜」句
　　下，見《史記》，卷61，〈伯夷列傳〉，頁4上。

羿請不死之藥於西王母，姮娥竊之以奔月。（高誘注：「姮娥，
羿妻，羿請不死之藥於西王母，未及服之。姮娥盜食之得仙，
奔入月中，為月精。」）[50]

《後漢書・天文志》：

嫦娥竊羿不死之藥，奔月，及之，為蟾蜍。[51]

《酉陽雜俎・天咫》：

月中有桂，高五百丈。下有一人常砍之，樹創隨合。其姓吳，
名剛，西河人。學仙有過，謫令伐樹。

諸書所言雖如是，但證諸事實，月球至今不能升登，姮娥雖食
藥，吳剛雖學仙，其騰空飛馳，不如今日科學產物之火箭推送太空艙
則明甚。月精蟾蜍云云，謫令伐樹云云，皆無其事實，虛妄之言也。
又《淮南子・覽冥訓》：

魯陽公與韓搆難，戰酣，日暮。援戈而撝之，日為之反三舍。[52]

---

50 校注：《淮南子》，卷6，頁98。
51 校注：此段引文不知出於何處，或為後人引述時改寫以致，查《後漢書・天文志
上》，有劉昭注引張衡〈靈憲〉之文曰：「羿請無死之藥於西王母，姮娥竊之以奔月，
將往，枚筮之於有黃，有黃筮之曰：『吉，翩翩歸妹，獨將西行，逢天晦芒，毋驚
毋恐，後其大昌。』姮娥遂託身於月，是為蟾蜍。」見〔南朝宋〕范曄、〔西晉〕
司馬彪撰，〔南朝梁〕劉昭注補，〔清〕王先謙集解：《後漢書》（影印清乾隆武英殿
刊本，臺北：藝文印書館，1955年），〈後漢志〉，卷10，〈天文志上〉，頁3。
52 校注：《淮南子》，卷6，頁89。

此所言雖如是，但證諸事實，魯陽公何人，態轉夜為晝，而今日反？無其事實，虛妄之言也。又《淮南子・本經訓》：

> 堯之時，十日竝出，焦禾稼，殺草木，而民無所食。……堯乃使羿……上射十日。[53]

《論衡・感虛篇》：

> 儒者傳書，言：「堯之時，十日並出，萬物憔枯，堯上射十日，九日去，一日常出。」[54]

二書所言雖如是，但證諸事實，人之射也，不過百步，其如前所云火箭之推送力何？即其力等於今之火箭，又豈奈日何？上射十日云云，射十日，九日去云云，皆無其事實，亦虛妄之言也。

結論

就上列所云觀之，所謂虛妄者，盡謬誤詭誕，無稽失實之作。雖然如此，言過其實，語出無稽者，可盡廢棄之乎？此又不然。蓋文學藝術與徵實之學術史實不同。研究學術，整理史實，不尚虛飾，而文學藝術之創作則反是。雖無稽失實，而不廢之棄之。故劉申叔氏云：「或謂後世之文，隸事失真，事因文晦，以斥文章為小道。不知文言質言，自古分軌。文言之用，在於表象，表象之詞愈眾，則文病亦愈多；然盡刪表象之詞，則去文存質，而其文必不工。故有以寓言為文

---

53 校注：《淮南子》，卷8，頁117-118。

54 校注：《論衡》，頁47。

者，如《莊》、《列》、《楚辭》是也，而其文最美。有寓言與事實相參者，如《戰國策》之文是，而其文亦工。後世史書，事資虛飾，而觀者因以忘倦；漢魏詞賦，曲意形容，而誦者稱為絕作。又如庾信之〈枯樹賦〉，以桓溫與仲文同時，此立詞之爽實者也，而後世不聞廢其詞。又唐人之詩有所謂『白髮三千丈』者，有所謂『白頭搔更短』者，此出語之無稽者也，而後世不聞議其短。」（美術與徵實之學不同論）[55]是以文學藝術，不以憑虛為戒。有虛構事實者，有踵事增美者。若合以考覈為憑，而責其徵驗。則與文學藝術，反去之遠矣。劉勰氏云：「言峻則嵩高極天，論狹則河不容舠，說多則子孫千億，稱少則民靡孑遺，襄陵舉滔天之目，倒戈立漂杵之論，辭雖已甚，其義無害也。」（《文心雕龍·夸飾》篇）[56]孟軻氏亦云：「說詩者，不以文害辭，不以辭害志。以意逆志，是為得之。」（《孟子·萬章上》）[57]由以上三氏論之，知虛妄雖不可不考，但虛妄之言之所以為用，尤不可不知也！善讀書者，宜慎乎此。

　　本文於一九六七年一月二十三日刊於政治大學夜間部《螢光》雜誌第17期。後於一九六八年三月轉載於《慶祝高郵高仲華先生六秩誕辰論文集》中。

---

55 校注：劉師培：〈論美術與徵實之學不同〉，〔清〕劉師培著，萬仕國點校：《儀徵劉申叔遺書》（揚州：廣陵書社，2014年2月），〈左盦外集〉，卷13，頁4892-4893。

56 校注：〔南朝梁〕劉勰著，范文瀾注：《文心雕龍注》（臺北：開明書局，1958年），卷8，頁5。

57 校注：《孟子注疏》，卷9上，頁10上。

陸　古書解惑四則

一　〈蓼莪〉篇的韻腳

問：請問〈蓼莪〉篇　全六章的韻腳在那裏？各屬何韻部？那些韻腳，若以古音來讀？請注出今音。（臺中讀者‧黃麗芳）

政大中文系教授朱守亮答：

〈蓼莪〉全六章，各章韻腳如下：一、蒿、勞。二、蔚、瘁。三、恥、久、怙、至。四、我、我、我。德、極。五、烈、發、害。六、律、弗、卒。

至於古韻分部，各家區分不同，顧炎武分十部、江永分十三部、段玉裁分十七部、江有誥分二十一部，後來王力分「脂」「微」為二，而為二十二部，近人多從之，如董同龢《漢語音韻學》便是。若將入聲韻部獨立，如陳新雄先生《古音學發微》，即分為三十二部。依三十二部，則〈蓼莪〉所用韻部如下：一章為「宵」部，次章為「沒」部，三章為「之」「脂」合韻（至為「脂」部），四章為「歌」部轉「職」部（德、極為「職」部），五章為「月」部。

至於韻腳字之音讀，各家擬音未必一致，惟各部主要元音及韻尾之擬音，已趨一致；「宵」部讀au，「沒」部讀εt，「之」部讀ə，「脂」部讀æ，「歌」部讀a，「職」部讀ək，「月」部讀at。

附帶要說明的是：第四章連續用「我」為韻腳，同字連用的情形，是為後代詩所避免，《詩經》時代尚無避諱。另外古韻分二十二部者，「沒」部歸「微」部，「職」部歸「之」部，「月」部歸「歌」部，只是分部時入聲韻是否獨立，在處理上有所不同而已，並不代表古音的判斷有所不同。

編按：本則原載於《國文天地》4卷9期（1989年2月），〈解惑篇〉，頁7。

二　「視不己若者，不比於人」應作何解？

問：高中國文第四冊〈貴公〉一篇，「視不己若者，不比於人」和「其於人也，有不見也」，當作何解？（臺南讀者，洪慶明）

政大中文系教授朱守亮答：

一：視不己若者，不比於人。

視：看待、對待的意思。《字彙》云：「視，看待也。」

若：當如字講、及字講。《尚書・盤庚・疏》云：「若，如也。」《經傳釋詞・七》：「若，猶及也。」又在中國文言文慣例中，句內有否定詞「不」字時，動詞下的止詞，則改變在動詞上。「不己若」，就是「不若己」。也就是「不如己」、「不及己」、「趕不上自己」的意思。

比：比方的意思，《呂氏春秋》高《注》：「比，方也。」方，就是《論語・憲問》篇「子貢方人」的方。《四書集註》云：「方，比也。」是比或方，都是比較其長短、高低、尊卑、優劣的意思。

兩句話大意是：「對待趕不上自己的人，不和他比長短、高低、

尊卑、優劣。」以顯示自己比他強，所以下文有「而哀不己若者」，同情體恤趕不上自己的人。

二、其於人也，有不見也。

其：指隰朋。《讀書作文譜・文中用字法》云：「其，有所指之辭，凡指事、指人、指物、指理、皆用之。」

兩句話大意是：「隰朋對別人，有時不願意加以挑剔瑣屑瑕疵的地方。」也是「遇事不苛察以為明」，所以下文有「處大官者，不欲小察。」因為「察察以為明」，以注意不必要的小節為能事，是大人物所忌諱的。

編按：本則原載於《國文天地》5卷6期（1989年11月），〈解惑篇〉，頁7。

三　排「比」的唸法

問：修辭學裏有「排比」，此「比」字該成「ㄅㄧˇ」或是「ㄅㄧˋ」？（臺南者・黃慶蓮）

政治大學中文系教授朱守亮答：

「比」字有三種唸法，一是用來比喻講席的「皋比」，唸成「ㄆㄧˊ」，較為少用；其餘兩種比較常用的是「ㄅㄧˇ」和「ㄅㄧˋ」。這兩字的唸法基本上是以它們具有那種意思來決定。當有兩件事被拿來相互較量時，便唸成「ㄅㄧˇ」，如「比較」、「比喻」；而當在說明兩件事物接近、結合，或處處、每每的意思時，便唸成「ㄅㄧˋ」了，如「比鄰為居」、「朋比為奸」、「比比皆是」等。

在修辭學中，「排比」的涵意是「比物連類」，也就是將同類的事物緊緊地排比起來，所以唸成「ㄅㄧˋ」。這個詞既然未含有被排比的

事物彼此相互比較的意思，當然不應唸成「ㄅㄧˇ」。

編按：本則原載於《國文天地》7卷3期（1991年8月），〈解惑篇〉，頁8。

四　「塞向墐戶」是否為當句對？

《詩經・豳風・七月》中的「塞向墐戶」，此句是否為當句對？（臺南讀者・黃慶蓮）

政治大學中文系教授朱守亮答：

在中文的修辭學界有一種說法，即「排比」乃指「兩句」和「兩句」的對比，而以單句和單句的對比為「對偶」。問題中的「塞向墐戶」，在《詩經・七月》詩中的前一句是「穹窒熏鼠」，後者的意思是：清除室中孔穴的雜物，用火把將老鼠趕走；而前者則為：將面向寒風吹來的牆壁上，凡有孔、隙處都用泥塗敷住。因此，這兩句可說是「對偶」。

同時，在我國古典詩的句法中，有一種「句中對」的方法，是指在同一個句子中，有二個詞或短句以相互對立的形式出現。它又稱為「當句對」，用來和「隔句對」區別。「塞向墐戶」這句中的「塞向」和「墐戶」都是動作，也各有兩字，因此是一種很典型的「當句對」。

編按：本則原載於《國文天地》7卷4期（1991年9月），〈解惑篇〉，頁9。

附錄

附錄一　亦圃齋主人記

亦圃齋之所以命名（附曹愉生〈墨書後記〉）

　　吾家於指南山麓有年矣，陋室側隙地，所體勢蒔秄，無不順其天、致其性，使其碩茂蕃實，壽且孳也。日涉成趣，亦深可學圃於此矣，故名之曰「亦圃齋」。

　　吾師守亮教授，舊地重建新居於指南山麓，其地美輪美奐，且名之曰亦圃齋，受其囑，命書以此誌。

亦圃齋主人別記（附王靜芝〈墨書後記〉）

　　澤南弟始從余遊，近三十載，啟余者多，情感甚篤，時有魚雁往返，某次得賀年卡，云：「守亮吾師函丈，清風明月本無價，近水遠山皆有情。清梁章鉅集句，上句集歐陽修，下句集蘇子美，皆滄浪亭本事也。又云：山居無客到，竹徑鎖煙霞。門前清淺水，風飄幾片花。近人虛雲大師詩。吾師心境，其庶幾近焉。受業洪澤南鞠躬。民國七十六年十二月五日。」吾深愛之，若非已將陋室名為亦圃齋，必改以無客到小築稱之也。龍壑道兄，誠志道據德依仁遊藝真君子也，今除託作書並誌為念之藝者外，至祈於其他修身為學之所以成，有以教我也。

歲次丁丑仲春，朱守亮記於臺灣

有亮道兄賁臨寒齋，命書所作〈亦圃齋主人別記〉，以為補壁，並屬述修身為學之道，其足以參驗者，余碌碌半生，所持惟一誠字耳，陳舊不足以言，守亮兄必哂之也。

丁丑暮春龍墼王靜芝書於霜茂樓時年八十有二

亦圃齋主人讀書誌（朱守亮撰、唐玉堯書）

日月不居，時節如流，過古希年，忽已有二。雖往事如烟似夢，繚繞飄忽，不可追憶，惟幼家貧，雖嗜學，未能以時得之情事，則永縈心頭。故雖處困頓顛覆之時，恐懼危殆之日，亦未或忘，而無不自我黽勉惕勵，以思不負一己之所志也。是以於受教育過程中，即旁聽課亦絕未或缺，而四十餘年之執教生涯，亦如是也。且於生活稍安定後，於授課之餘，幾絕交遊，棄娛樂，全力從事研究筆耕工作，所得雖多，然幾全為敝帚自珍，不自見之陋者也。

又念《呂氏春秋》〈任數篇〉云：「十里之間耳不能聞，帷墻之外目不能見，三畝之宮心不能知。」而〈序意篇〉云：「私視使目盲，私聽使耳聾，私慮使心狂。」如以一己之私說，即自詡為卓論，如此而期其無不見不聞不知，目盲耳聾心狂之譏，斯亦難矣。

又昔讀《容齋隨筆》云：「范文正公守桐廬，始於釣台建嚴先生祠，自為記，歌詞云：雲山蒼蒼，江水泱泱，先生之德，山高水長。既成，示南豐李泰伯，泰伯讀之，起而言曰：公之文一出，必將名世，妄意輒易一字，以成盛美。公懼然握手扣之，答曰：雲山江水之語，於意甚大，於詞甚浦，而德字承之，乃似趦趄，擬換作風字，如何？公凝坐頷首，殆欲下拜。」而《閒中今古錄》云：「元薩天錫詩，有地濕厭聞天竺雨，月明來聽景陽鐘。山東一叟，易聞字為看字，公俯首拜為一字師。」

　　吾才德不逮范文正、薩天錫，又多以一己之私，拾掇薈蕞為文，其謬誤乖譌缺失，必可采择之盈乎頃筐。世之博雅如李泰伯、山東叟之君子，其何有所愛吝，卻我之拜而舍之邪？今雖耄老，猶喜獨對孤燈，伏案夜讀，其於偶或援翰寫心時，思及前所云云，獨無可儆，並企乞乎方家，有以教我歟？

　　　　　　　　　　　歲次丙子荷月亦圃齋主朱守亮撰
　　　　　　　　　　　菊肥軒主唐玉堯書

附錄二　朱守亮教授學經歷與著作

　　朱守亮先生曾於民國九十九年（2010年），八十六歲時，將一生之經歷製成年表，亦整理著作目錄，並請打字行繕打。原著作部分是按時間先後順序編排，現依照性質分類，並刪去大部分作業、白話散文等，使之較為聚焦，並依照現代學術論文規範格式重新排版；學經歷之文字皆保留原來面貌，而附錄於此。最末並錄先生指導學位論文簡表。

（一）學經歷

民國14年（1925）　0歲，出生於山東省濟寧縣。

民國22年（1933）　8歲，逃水患至龍山鎮，參加難童補習教育。

民國23年（1934）　9歲，水退返鄉，參加失學兒童補習教育。

民國25年（1936）　11歲，進入安居鎮初小二年級。

民國26年（1937）　12歲，家鄉淪入日寇手，輟學，後雖入私塾讀書，但仍保有偽組織初小名份。

民國31年（1942）　17歲，以第一名考入偽組織高小五年級。

民國32年（1943）　18歲，亦以第一名畢業。

民國33年（1944）　19歲，潛入後方，讀流亡學校，先入湯恩伯創建之魯蘇皖豫戰地失學失業青年招訓分會訓導所，再轉進修班。暑假考入李仙洲創建成城中學改為二十二中之一分校，西

遷陝西安康。

民國36年（1947）　22歲，進入高中，再西遷城固，並強佔古路壩原西北大學工學院遺址上課。

民國37年（1948）　23歲，高一結束後，再北遷老君殿。

民國38年（1949）　24歲，學校因與教育部失卻聯絡，解散，進入胡宗南創建之西北幹訓團受訓。後逃離入川，至成都依附同鄉。年底頂名字隨空軍高炮部隊飛海南島轉臺灣，於十二月一日降臨嘉義機場。

民國40年（1951）　26歲，在軍中一年多，初為勤務兵，後為文書士，以同等學力，考入師院國文系。

民國44年（1955）　30歲，大學畢業，獲文學學士，進入新竹中學任教。

民國45年（1956）年31歲，任職一年後，即接受預備軍官訓練。

民國46年（1957）　32歲，預官分科教育結束後，分入海軍陸戰隊見習，與周鳳文女士訂婚。

民國47年（1958）　33歲，退伍後，仍返新竹中學，與鳳文結婚。

民國48年（1959）　34歲，考入師大國文研究所，兼課北二女，長子允執生。

民國49年（1960）　35歲，一年搬家三次，北二女用同學證件教專任，搬入宿舍住，兼中文大辭典編纂工作。

民國50年（1961）　36歲，研究所畢業，獲文學碩士，北二女改用自己姓名專任，兼任政大，長女朱萸生。

民國51年（1962）　37歲，專任政大，次子允誠生，仍兼任中文大辭典編纂工作。

民國52年（1963）　38歲，獲國科會補助，離北二女。

民國53年（1964）　39歲，三子允武生，再獲國科會補助。

民國54年（1965）　40歲，租房子搬來木柵住，昇副教授，三獲國
　　科會補助。

民國57年（1968）　42歲，昇教授，五獲國科會補助。

民國58年（1969）　43歲，辭卻現職教授，讀政大中文所第一期博
　　士班，雖六獲國科會補助，以辭卻教授職，放棄。

民國60年（1971）　45歲，因所存備寫論文積蓄，被友人倒會騙
　　走，生活陷入絕境，退學恢復政大教授職。

民國76年（1986）　62歲，十數年來，生活安定，又多次獲國科會
　　補助，且或兼任淡江、文化學院，深能從事學術性寫作。後為
　　韓國成均館交換教授，次年返國。

民國81年（1992）　67歲，此數年間，仍從事學術性寫作。後政大
　　退休，至東吳大學專任。

民國86年（1997）　72歲，此五年間，仍兼任政大。東吳大學退休
　　後，以規定，年事過高，仍兼任授課者，須提出健康證明。不
　　願如此作，不僅政大課停授，亦停止所有論文指導或考試。

民國105年（2016）虛歲92歲，雖年事已高，仍與時間競跑，未停
　　止寫作工作。

　　一生窮困度日，逃亡後方，隻身來臺，顛沛流離，備極艱苦，可
述者多。今僅略陳如上。雖過簡，但已出版之回首來時路、心靈深處
及加緊整理書寫之旅遊偶得及詩文集、雪泥鴻爪等，應皆詳實言之。

（二）著作

1 學位論文

《列子辨偽》，熊公哲教授指導，後刊於《師大國文研究所集刊》
　　第六期，頁1-32，1962年6月。

2 專書

《詩經評釋》（全二冊），臺北：臺灣學生書局，計961頁，1984年
10月。

《韓非子釋評》（全四冊），臺北：五南圖書出版公司，計2273頁，
1992年9月。

《詩經論著目錄》，編譯館主編：《十三經論著目錄（二）》，臺北：
洪業文化事業公司，計501頁，2000年6月

《論語中之四科十子》，臺北：萬卷樓圖書公司，計379頁，2007年
1月。

《回首來時路》，臺北：知識系統出版公司，計391頁，2008年12月
初版，2010年11月二版。

《心靈深處──亦圃齋主人日記摘要》（全三冊），臺北：知識系統
出版公司，計1263頁，2010年12月。

3 學術論文

（1）《詩經》學

〈親情無極的〈蓼莪〉詩〉，《國文天地》4卷6期，頁7-8，1988年
11月。

〈《詩經》《毛傳》婚期以秋冬為正時之商榷〉，《漢代文學與思想學
術研究研討會論文集》，臺北：政治大學，頁569-579，1989年4
月。

〈讀《詩經·衛風·氓》〉，《政大中華學苑》40期，頁1-21，1990
年8月。

〈《詩經》中有關農業事宜之探討〉，《政大中華學苑》43期，頁1-
22，1993年3月。

〈《詩經》中有關婦女問題之探討〉，第一屆詩經國際學術研討會，
　　1993年8月。後收入朱守亮、王更生、羅宗濤、鄔昆如等著：《中
　　國文學新論》，臺北：新中國出版社，頁1-25，1994年8月。。

〈《詩經》國際學術研討會論文簡介〉，《第一屆經學學術研討會論
　　文集》，臺北：臺灣師範大學，頁305-360，1994年4月。

〈研讀詩經應有認知之一——通古今之變〉，未刊稿，1995年5月。[1]

〈續修四庫全書提要與續修四庫全書總目提要有關詩經部分之比較
　　說明〉，《編譯館刊》29卷3期，頁1-25，1995年8月。

〈高本漢《詩經注釋》解〈周南・兔罝〉「干」字之再商榷〉，《第
　　八屆中國文字學全國學術研討會論文集》，彰化：彰化師範大
　　學，頁27-36，1997年3月。

〈讀《詩經・小雅・谷風之什・蓼莪》詩〉，詩經國際學術大會，
　　2000年11月。[2]

（2）《論語》與儒學

〈《論語》問仁〉，《孔孟月刊》4卷5期，頁3，1966年1月。

〈用一「中」字去認識孔子〉，《孔孟月刊》6卷3期，頁1-10，1967
　　年11月。

〈《論語》、《孟子》中「仁」字之研究〉，《政大中華學苑》12期，
　　頁37-75，1973年9月。

1　先生自言，一九九四年五月初，「應臺灣師範大學國文系邀講演時之初稿，經略加
　　整理而成。後來，請友人於詩經國際會議中代為宣讀。」惟此「詩經國際會議」究
　　係於何時何地舉行，尚待查考。本文所據版本，為二〇〇七年先生自行請打字行繕
　　打者。

2　此文據先生自言為增修〈親情無極的蓼莪詩〉，並「於二〇〇〇年十一月韓國國民大
　　學與韓國詩經學會合辦之詩經國際學術大會中宣讀，後又再修正，並於二〇〇三年
　　二月，在師大舉辦之中國經學研究會宣讀，後又有修正，於同年十二月逢甲大學、
　　中國經學研究會主辦之第二屆中國經學學術研討會中宣讀。」

〈用一「中」字去認識中國文化〉,《孔孟學報》35期,頁235-
256,1978年4月。

〈《論語》中之子路〉,政治大學中文系所論文發表會,1998年5
月。後收入《張以仁先生七秩壽慶論文集》,臺北:臺灣學生書
局,頁49-76,1999年。

〈《論語》中之顏淵〉,《紀念許世瑛先生九十冥誕學術研討會論文
集》,1999年4月。

〈《論語》中之曾參〉,政治大學中文系所校友論文發表會,1999年
5月。後收入濟寧市地方史志主編:《曾子及其里籍》,北京:中
華書局,頁82-99,2001年9月。又收入嘉祥曾子研究會主編:
《曾子及其孝道》,北京:群言出版社,2004年9月。

〈《論語》中之子貢〉,政治大學中文系所校友論文發表會,2000年
5月。

〈《論語》中之子夏〉,政治大學中文系所校友論文發表會,2001年
5月。

〈《論語》中之冉有〉,收入《喬衍琯教授七十五壽誕論文集》,
2003年2月。又於政治大學中文系所論文發表會中宣讀,2005年5
月。

〈《論語》中之子張〉,《第三屆中國經學國際學術研討會論文集》,
2003年12月。[3]

(3)《墨子》

〈論墨子節葬短喪〉,《中國一周》759期,頁4-5,1964年11月。
〈墨家命名之取義〉,《文海》10期,頁1-10,臺北:政治大學中文
系,1967年2月。

---

3 以上命名為「論語中之某某」之論文,後集結為《論語中之四科十子》專書。

（4）《韓非子》與法家

〈以荀卿性惡論觀韓非學說〉，《政大中華學苑》3期，頁1-24，
　　1969年1月。

〈法治主義者之重農論〉，《政大中華學苑》4期，頁11-36，1969年
　　7月。

〈法治主義者之強兵論〉，《政大中華學苑》5期，頁55-74，1970年
　　1月。

〈法治主義者之崇法論〉，《政大中華學苑》15期，頁65-114，1975
　　年3月。

〈法治主義者之尚術論（上）〉，《政大中華學苑》16期，頁13-57，
　　1975年9月。

〈法治主義者之尚術論（下）〉，《政大中華學苑》18期，頁57-74，
　　1976年3月。

〈韓非書各編之題義命名主旨及其真偽〉，《政大中華學苑》36期，
　　頁29-58，1988年4月。

〈《韓非子》述評〉，《政大中華學苑》38期，頁1-26，1989年4月。

〈《韓非子》書之讀法〉，陳百年學術討論會，後收入《政大文史哲
　　文集》，頁189-211，1992年5月。

〈韓非書名篇述評〉，《政大中華學苑》38期，1999年4月。

（5）《呂氏春秋》

〈《呂氏春秋》與法家關係之研究〉，《政大中華學苑》2期，頁1-
　　8，1968年7月。

〈《呂氏春秋》中之孔子〉，《孔孟月刊》15卷2、3期，頁1-13，
　　1977年11月。

〈《呂氏春秋》導讀〉,《國學導讀叢編》1期,頁613-638,1978年
11月。

〈《呂氏春秋》與先秦顯學緒論〉,《政大中華學苑》35期,頁1-
22,1987年6月。

〈研讀《呂氏春秋》應有之認知〉,《東吳中文學報》1期,頁53-
78,1995年5月。

（6）其他

〈〈蓼莪〉篇的韻腳〉,《國文天地》4卷9期,〈解惑篇〉,頁7,1989
年2月。

〈視不己若者,不比於人,應作何解?〉5卷6期,《國文天地》,
〈解惑篇〉,頁7,1989年11月。

〈排比的唸法〉,《國文天地》7卷3期,〈解惑篇〉,頁8,1991年8月。

〈塞向墐戶是否為當句對?〉,《國文天地》7卷4期,〈解惑篇〉,頁
9,1991年9月。

〈研讀古籍應有方法之一──考慮妄〉,《政大螢光》17期,頁1-
18,1967年3月。後又載《慶祝高仲華先生六秩誕辰研討會論文
集》,臺北:臺灣師範大學國文所,1968年。

〈亦圃齋之所以命名〉,曹愉生教授書,1978年5月。

〈趙制陽《詩經名著評介》序〉,趙制陽:《詩經名著評介（二）》,
臺北:五南,頁1-2,1993年。

〈由文字窺測古時之搶婚習俗〉,《第七屆中國文字學全國學術研討
會集刊》,臺北:東吳大學,頁303-327,1996年4月。

〈亦圃齋主人別記〉,王靜芝教授書,1996年4月。

〈亦圃齋主人讀書誌〉,唐玉堯教授書,1996年5月。

〈文王靈臺──參觀後之心得〉,未刊稿,2006年3月。

〈談一個切身的問題──愛〉，政大中國文學系第八屆系所學術研
　討會，2006年5月。
〈大衍百年，風華絕代──指南論壇座談會感言〉，未刊稿，2007
　年5月。
〈與友人談于丹所著于丹論語心得書〉，未刊稿，2007年6月。
〈朱守亮學經歷與著作〉，未刊稿，2010年。

此外，先生與其他專家學者如趙制陽、歐陽炯、夏傳才等往來之函
札、字畫者，皆尚有待蒐羅整理。目前已見到出版者有夏傳才先生與
海內外學者之通信集：《詩經一瓣留餘香》（廈門：鷺江出版社，2016
年），書中輯錄朱守亮先生與夏傳才先生書信四通，已收錄於本書。

（三）朱守亮教授指導學位論文表

　　根據「臺灣博碩士論文加值系統」搜尋結果，計有十二篇先生所
指導之學位論文，今製表附錄於此，以見先生之學術薪傳。

學生姓名	論文名稱	畢業學校	年度
碩士			
趙公正	韓非子術論	政大中文	1974
鍾慧玲	皎然詩論之研究	政大中文	1975
劉遠智	陳子昂及其感遇詩之研究	政大中文	1975
鍾洪武	詩經中有關男女情感問題之探討與分析	政大中文	1976
王春謀	朱熹詩集傳「淫詩」說之研究	政大中文	1978
陳正榮	張載易學之研究	臺師國文	1979
文鈴蘭	詩經中草木鳥獸意象表現之研究	政大中文	1975

學生姓名	論文名稱	畢業學校	年度
陳全得	《韓非子》反儒說評析	政大中文	1991
林美蘭	魏源詩古微研究	東吳中文	1992
鄭建忠	詩經中有關戰爭與戍役詩篇之研究	東吳中文	1997
博士			
呂光華	南朝貴遊文學集團研究	政大中文	1990
文鈴蘭	姚際恆《詩經通論》之研究	政大中文	1993

經學研究叢書·戰後臺灣經學叢刊　0504002

亦囿齋經學論集

著　　　者	朱守亮	
編　　　者	徐偉軒	
責 任 編 輯	廖宜家	

發 行 人	陳滿銘
總 經 理	梁錦興
總 編 輯	陳滿銘
副總編輯	張晏瑞
編 輯 所	萬卷樓圖書股份有限公司
排　　版	林曉敏
印　　刷	森藍印刷事業有限公司
封面設計	菩薩蠻數位文化有限公司

發　　行　萬卷樓圖書股份有限公司
　　　臺北市羅斯福路二段 41 號 6 樓之 3
　　　電話 (02)23216565
　　　傳真 (02)23218698
　　　電郵 SERVICE@WANJUAN.COM.TW
香港經銷　香港聯合書刊物流有限公司
　　　電話 (852)21502100
　　　傳真 (852)23560735

ISBN 978-986-478-216-1

2018 年 12 月初版一刷

定價：新臺幣 660 元

如何購買本書：

1. 劃撥購書，請透過以下郵政劃撥帳號：
　　帳號：15624015
　　戶名：萬卷樓圖書股份有限公司
2. 轉帳購書，請透過以下帳戶
　　合作金庫銀行　古亭分行
　　戶名：萬卷樓圖書股份有限公司
　　帳號：0877717092596
3. 網路購書，請透過萬卷樓網站
　　網址 WWW.WANJUAN.COM.TW

大量購書，請直接聯繫我們，將有專人為
您服務。客服：(02)23216565 分機 610

如有缺頁、破損或裝訂錯誤，請寄回更換
版權所有·翻印必究

Copyright©2018 by WanJuanLou Books CO.,
Ltd.All Right Reserved　　**Printed in Taiwan**

國家圖書館出版品預行編目資料

亦囿齋經學論集 / 朱守亮著；徐偉軒編.--
初版.-- 臺北市：萬卷樓, 2018.12
　　面；　　公分.-- (經學研究叢書；0504002)
ISBN 978-986-478-216-1(平裝)

1.經學　2.文集

090.7　　　　　　　　　　　　107016347